헨리 제임스의 소설
변화 중인 의식

■ 이 책은 2018년도 한국연구재단 대학 인문역량 강화사업(CORE) 지원에 의해 출판되었음.

| 영미문화연구소 총서 003 |

헨리 제임스의 소설
변화 중인 의식

Henry James's Novels: The Changing Consciousness

전남대학교 영미문화연구소 편저

도서출판 동인

시작하는 글

흔히 포스트모더니즘의 시대라고 여겨지는 20세기 후반부터 문학의 영역에서 나타난 현상 중 하나가 아카데미로서의 문학이 성행하고 삶의 경험으로서의 문학이 쇠퇴했다는 점이다. 그러한 현상에 대한 우려도 많았고, 또한 그 원인이 무엇인지에 대해 논의도 적잖이 이루어졌다. 그러나 앞으로도 그러한 상황은 계속되고 또한 더욱 심화될 것으로 보인다. 그럼에도 불구하고 문학은 언어적 존재로서 인류가 지속되는 한 우리의 삶에서 민들레 뿌리처럼, 혹은 그 씨앗처럼 끈질기게 생존할 것이다. 그렇게 전망할 수 있는 근거는 문학의 탄생과 발달 과정, 그리고 인간 정서와 언어 사용의 특징을 살펴보면 쉽게 짐작할 수 있다.

우리들, 이 책의 저자들은 문학에 대한, 특히 소설에 대한 꾸밈없는 애정을 가진 문학 애호가들이다. 이 책의 저자들은 전남대학교 대학원 영문학과에서 공부하는 사람들로서 우리는 함께 모여 읽고, 생각하고, 토론하며, 문학을 경험하는 것을 즐겨왔다. 그래서 2013년부터 헨리 제임스 독회를 구성하여 그의 소설들을 함께 읽으며, 거기에 살아있는 그의 감정과 생각에 공감하거나 비판하고, 그것이 제시하는 사회 현상을 따져 파악하고, 그의 글의 스타

일이 가진 힘과 가치를 직접 체험하는 시간을 가져왔다. 그리고 우리의 그러한 문학적 체험의 결과물을 일종의 자체 보고서 차원에서 이 책으로 출간하게 되었다.

우리가 여기에서 다루고 있는 작품들은 헨리 제임스가 남긴 방대한 저작들 중 단 8편에 불과하다. 저자들 각자가 연구하고자 하는 작품과 주제를 자유롭게 정하였는데 모아놓고 보니 『미국인』부터 『대사들』에 이르기까지 헨리 제임스의 초기 · 중기 · 후기의 대표작들이 고루 포함되어 있어 이 책의 의미를 더해주었다. 각각의 작품에 대한 연구주제 또한 개인 의식의 문제로부터 사랑과 결혼 · 자녀 양육 등의 가족 문제, 사회와 문화의 현상, 서술 기법에 관한 것으로 고르게 다루어진 것은 그 자체로 헨리 제임스의 작품이 품고 있는 주제와 소재의 풍요로움을 방증하는 일일 것이다. 제임스에게 동화되어, 그의 눈과 마음에 비친 세상과 삶을 바라본 경험은 학문의 영역을 넘어, 그리고 시간과 공간의 경계를 넘어 문학을 누리는 호사였다. 함께 읽고 연구하는 동안 그의 세련된 문체와 인간의 의식에 관한 날카로운 이해가 우리 저자들을 내내 감동시켜 왔듯이, 이 책을 통해 제임스의 작품이 궁금해져 직접 읽어보고 싶어지는 독자가 생긴다면 더 바랄 것이 없겠다.

강의와 연구로 바쁜 학기 중인데도 모든 것에 대한 우선순위로 이 책의 집필에 참여해준 저자들에게 뜨거운 감사를 드린다. 저자들의 글은 각 장의 작품이 출간된 연대순으로 실었으되 제1장을 언어적 사색을 통한 의식의 성찰의 정수를 보여주는 제임스 작품의 대표적인 명상 장면들을 소개하는 것으로 시작하였다. 책의 발간에 힘써주신 전남대학교 영미문화연구소와 재정적 지원을 보내준 코어사업단에 감사드리며, 흔쾌히 출판을 맡아준 동인의 이성모 대표께도 감사드린다.

2018년 10월
저자 일동

차례

제1장

소설 주제로서 인식과 의식:
헨리 제임스 소설의 명(상)장면

● ● ● 나희경

헨리 제임스는 그의 소설에서 언어적 사색을 통한 자기성찰과 인식의 전환의 예를 우리에게 제공한다. 그러한 언어적 사색의 전형을 보여주는 명상 장면은 대부분의 그의 소설 속에서 나타나지만 특히 그의 후기 작품에서 두드러진다. 이 글에서는 초기 작품에 속하는 『여인의 초상』(The Portrait of a Lady)의 제42장에서 이사벨 아처(Isabel Archer)가 거실에 혼자 앉아 초저녁부터 새벽녘까지 남편 오스몬드(Gilbert Osmond)와의 결혼 생활에 대해서 명상하는 장면과 후기 작품에 속하는 『대사들』(The Ambassadors)의 제11권 III장에서 스트레더(Lambert Strether)가 파리 외곽의 전원 마을에서 한나절 산책을 통해서 자신의 감정을 스스로 비춰보는 장면을 그 예로 들어 제임스의 문체가 갖는 고유한 문예적 가치를 조명하려 한다. 그 두 장면에서 우리는 각각의 주인공들이 행하는 명상의 심연을 추적함으로써 제임스의 견고한 사색과 정교한 언어적 구조물이 보여주는 인식과 의식의 작용을 이해할 수 있게 된다.

먼저 제임스 자신이 그 작품의 서문("Preface")에서 "명백히 그 책의 최고 부분"(Preface 15)이라고 평가했던 『여인의 초상』의 제42장 명상 장면을 살펴보자.

> 그[오스몬드]가 떠난 뒤에 그녀는 의자에 앉아 눈을 감았다. 그리고 오랫동안 밤이 깊도록 그리고 그 밤이 지나도록 고요한 응접실에 앉아서 명상에 빠져들었다. 하인이 벽난로에 타고 있는 불을 살피려고 들어왔고 그녀는 그에게 새 양초 몇 자루를 가져다주고 잠자리에 들라고 말했다. 오스몬드는 그녀에게 그가 한 말에 대해서 생각해보라고 말했었다. 그래서 그녀는 그렇게 했다. 그리고 그 밖에 여러 가지 일들에 대해서도 생각했다.
>
> [. . .]
>
> [그녀가 오스몬드에 대해 느끼는 이 불신은 명백히 그들의 짧은 결혼 생활로부터 비롯된 결과물이었다. 그들 사이는 이미 넘어설 수 없는 만(gulf)과 같은 간격이 벌어져 있었으며, 그 간격 너머로 그들은 서로를 바라다보았고, 그들의 눈초리는 각기 양쪽에서 서로 속임을 당했다는 선언을 의미했다. 그것은 그녀가 결코 상상도 해본 적이 없었던 기묘한 대립이었다―한쪽에게는 절대적인 원칙이 다른 쪽에게는 경멸의 대상이 되어버리는 그런 종류의 대립. 그것이 그녀의 잘못은 아니었다―그녀는 결코 [그를] 기만한 적이 없었다. 오직 존경하고 믿었을 따름이었다. 그녀는 모든 일을 가장 순수한 신뢰 속에서 시작했었다. 그런데 그다음에 갑자기 그녀는 [자신의] 복잡다단해진(multiplied) 삶의 긴 여로에 대한 전망이 결국은 막다른 곳에 이르게 되는 어둡고 좁은 골목길로 변해버린 것을 알게 되었다. 행복이라는 높다란 곳에 이르러서 그곳에서, 저 아래 펼쳐

진 세상을 내려다보며 고양된 기분과 특권의식 속에서 판단하고, 선택하고, 동정할 수 있으리라고 생각했었다. 그런데 오히려 그 삶의 여로는 아래로, 세상의 바닥으로 내려가더니 [마침내] 구속감과 우울함이라는 구렁속으로 빠져들었고, 그곳에서 그녀는 저 위로부터 들려오는 다른 사람들의 더 편안하고 더 자유로운 삶의 소리를 들었으며, 거기에서 그런 소리를 듣는 것은 그녀로 하여금 [자신의 삶이] 실패로 돌아갔다는 느낌을 심화해주고 있었다.

[. . .]

그녀는 벽난로의 불이 다 타서 꺼져버린 뒤에도 오랫동안 그 고요한 응접실에 홀로 앉아 있었다. 춥다는 느낌도 가질 수 없었다. 그녀는 열이 올라 [스스로를] 의식하지 못했다. 시계가 밤 한 시를 치고, 두 시를 치며, 또 세 시를 치는 소리를 들었고, 그 이후로도 늘어난 숫자의 시계 종소리를 들었지만, 명상에 빠진 그녀는 시간이 흐르는 것을 의식하지 못했다. 그녀의 마음은 여러 가지 심상에 의해서 자극받아 비상하게 활발히 움직이고 있었으며, 그 마음의 상들은 그녀가 그것들과 대면하기 위해 휴식을 조롱하며 그처럼 앉아 있는 바로 그 방에서 그녀를 찾아오는 편이 차라리 나았다. 머리를 두고 누워있는 베개 맡에서 보다는 말이다. [. . .] 시계가 네 시를 쳤을 때 그녀는 자리에서 일어났다. 마침내 잠자리에 들 생각이었다. 왜냐하면 램프 불은 이미 꺼진 지 오래였으며 양초도 모두 타들어 가 촛대 속으로 사라졌었기 때문이었다. 그러나 그 후에도 그녀는 방 한가운데서 걸음을 멈추어 서서 머릿속에 다시 떠오르는 한 광경을 응시하고 있었다. 무의식적이면서도 익숙하게 회상되는, 남편과 멀부인이 함께 있는 모습을. (354-64)

위 묘사에서는 주인공 이사벨 아처의 의식의 흐름에 수반되는 인식과 각성에 이르는 과정이 여실히 드러난다. 숙고와 회상에 이어서 지각과 각성이 이루어지는 현상에 묘사의 초점을 똑바로 맞춤으로써 제임스는 이사벨의 감정이 사색적으로 전환되고 그것이 다시 언어적으로 표현되는 과정을 선명하게 보여준다. 그렇게 함으로써 제임스는 우리들에게 감정과 사색, 언어적 표현이 문학적으로 어떻게 다루어질 수 있는가를 보여준다. 그리고 우리들 독자도 제임스를 따라서 그의 언어적 사색의 실행에 참여함으로써 언어가 미묘하고도 섬세한 구조물이라는 사실을 경험하게 된다. 제임스가 이룩한 언어적 사색의 구조물들을 체험하는 동안 우리는 자신의 삶의 아픔과 수치심을 다스리는 한 가지 방법을 배우게 되며, 언어를 사용하는 것이 배설 행위가 아니라 창조적 행위임을 이해하게 될 수도 있다고 본다. 제임스의 언어적 명상은 비록 그 구조가 매우 복잡할지라도 결코 산만하거나 흐릿하지 않으며 더없이 세밀하고 정확하다.

『여인의 초상』에서 보다 한층 더 정밀해진 디테일과 정교한 사색을 추적하는 문학적 묘사의 예가 『대사들』에서 제시된다. 50대 중반의 감수성이 극도로 예민한 주인공 스트레더가 경험하는 인식과 인생관의 전환을 주제로 하는 그 소설 자체가 그의 마음의 미묘한 움직임과 복잡한 사색의 흐름에 철저히 초점이 맞추어져 있다. 그래서 내적 드라마로 특징지어지는 그 소설은 후기 제임스의 언어적 사색과 스타일의 정수로 여겨진다. 그 소설은 전체가 다 주인공 램버트 스트레더의 한없이 섬세한 감정과 지각, 인식, 의식의 움직임을 추적하여, 그 과정을 지극히 미묘한 언어적 디테일로 표현하고 있다고 볼 수 있다. 그중에서도 특히 제1권 II장에서 스트레더가 파리에 도착한 지 이틀째 되는 아침 세느 강변을 따라 나 있는 거리에 위치한 국립 박물관의 한 정원 의자에 앉아서 현재 자신의 임무와 지난날 자신의 삶의 의미에 대해서 사색하는 장면이나, 제5권 I장에서 II장으로 이어지는 글로리아니(Gloriani) 정원의 파티에서 그의 지각과 인상, "한껏 살라"로 압축되는 삶에 대한 그의 새로운 인식을 묘사하는 장면, 제8권

I장에서 그가 파리 노트르담 성당의 어두컴컴한 예배당 안에 혼자 앉아서 채드(Chad Newsome)와 비오네 부인(Madame de Vionnet) 사이의 관계에 대해서 숙고하는 장면, 그리고 제11권 III장에서 IV장으로 이어지는 파리 근교의 그림 같은 전원 속에서 진행되는 그의 명상 장면 등은 주인공으로 하여금 단계적으로 삶에 대한 변증법적 각성에 이르게 한다는 점에서 감정과 사색이 융합된 극적인 묘사 기법으로 이루어지는 제임스의 후기 글쓰기 스타일의 전형을 보여준다.

울렛의 제한된 시각을 가진 인물인 스트레더는 채드가 파리에서 어떤 불순한 여인[비오네 부인]과의 방탕한 관계에 빠져 있다고 생각했으며, 그런 그를 설득해서 울렛으로 데려가야 하는 임무를 띠고 유럽으로 건너왔다. 그러나 제5권에 이르러서 그가 유럽에 머무는 기간 동안 파리와 채드, 그리고 비오네 부인에 대한 그의 기존의 인식은 서서히 또는 급격히 변하게 되고 결국은 애초의 자신의 임무에 완전히 상반된 결심—채드를 설득하여 유럽에 남도록 하겠다는—을 하기에 이른다. 즉 그의 첫 번째 인식의 전향(conversion)은 파리가 부도덕한 사회이며 채드가 타락했다는 선입견이 무너지는 것을 의미한다. 유럽은 자유롭고 다양한 개성을 지닌, 문화적으로 세련된 사회이며 채드는 훌륭한 예법과 태도를 가진 사람으로 성숙했다고 새롭게 판단하게 된 것이다. 그래서 채드로 하여금 비오네 부인의 곁을 떠나지 말고 그녀와의 "고결한 애정관계"(a virtuous attachment)를 지속하도록 설득하려고 결심하게 된 것이다.

『대사들』의 제11권 III장은 스트레더의 인식에 극적인 반전과 하강이 일어나기 직전의 상황을 묘사하는 끝에서 두 번째 음절(penultimate)에 해당하는 부분이다. 또한 작품 전체의 구성에서 제11권과 제5권은 전반부와 후반부를 각각 마감하는 제6권과 제12권의 바로 앞에 배치되어서 작품 전체의 구조가 대칭을 이루고 있다.

작품의 클라이맥스로 여겨지는 제11권은 제임스 문체의 정수를 보여준다. 제11권 III장은 스트레더가 홀로 파리 교외의 전원 마을로 기차 여행을 출발하는 장면으로 시작해서, 시골 마을의 자연 풍경 속에서 한가하게 산책을 하는 한나절 동안 계속되는 그의 회상과 감상, 생각과 느낌을 펼쳐 보인다. 그처럼 계속된 그의 낭만적인 지각의 흐름은 그가 석양 무렵 어떤 남녀 한 쌍이 탄 보트가 강을 내려오는 것을 목격하는 순간 끝나게 되고, IV장에서 그의 그때까지의 감정과 인식은 다시 한번 마지막 극적인 반전을 겪는다.

III

그는 그 일이 있은 후 며칠 지나서 어떤 정거장인가에서 마찬가지로 정해지지 않은 어떤 정거장인가로 가는 기차를 무작정 탔다. 어떤 일이 일어나든 간에 그렇게 행동할 수 있는 날은 흔치 않았고, 그는 여태까지 장방형의 조그만 액자를 통해서만 바라보아 왔던 상쾌하고도 특별한 초록빛과 더불어 프랑스의 전원 풍경 속에서 그런 날 중 하루를 온종일 보내고 싶다는 소박한 충동에 사로잡혔다. 지금껏 그에게 프랑스 전원 풍경이란 단지 상상의 나라의 일부분이었다. 소설의 배경이나 예술의 소재, 문학의 온상에 불과했었다. 그것은 사실상 그리스처럼 멀고도 또 그처럼 신성한 세계였다. 스트레더가 느끼기에 그처럼 온화한 요소들로부터 로맨틱한 기분이 저절로 생겨날 것만 같았다. 비록 최근에 달갑지 않은 일을 겪은 후이긴 했지만, 여러 해 전에 보스턴의 어느 화랑에서 그를 매혹시켰으며 묘하게도 지금까지 결코 완전히 머릿속에서 지워지지 않고 남아있는 랑비네(Lambinet)의 소품 그림을 상기시켜줄 어떤 것을 어딘가에서 보게 될 것 같다는 느낌에 작은 전율을 느꼈다. 기억해 보니 그 그림은 랑비네 작품으로서는 최저가로 구매 제안을 받았다는 것을 믿어도 된다고 귀띔받았던 작품이었다. 그런데도 그 금액은 당시 그에게는 가능성의 꿈 경계 밖의 가격이라는 것을 인식하는 것과 동시에 자신이 그처럼 가난하다는 것을 느끼게 해주는 액수였다. 그는 꿈꾸어 보았었다. 한참 동안 구매 가능성을 머릿속으로 이리저리 굴려보고 헤아려보았었다. 그때가 그가 예술 작품을 구매하려는 모험적인 생각을 품었던 생애 최초의 경우였다. 그것이 소박한 모험이었다는 생각은 세월이 지난 뒤에야 들었었다. 그러나 그 기억은 아무 까닭 없이 또한 우연한 연상에 의해서 달콤하게 느껴졌다. 랑비네의 소품은 그가 샀을 수도 있었을 그림으로 그에게 남아 있었다. 그 특별한 작품은 한순간 그로 하여금 자연의 소박함 이상의 것을 느끼게 했다. 어쩌다 그 그림을 다시 보게 된다면 아마도 낙담하거나 충격을 받게 되리라는 것을 그는 잘 알고 있었다. 그래서 그는 시간의 수레바퀴가 돌고 돌아서 그 그림이 트레몬트 가(Tremont Street)에 있는 자연 채광이 되는 적갈색 전당 내부에서 보았던 모습 그대로 그에게 다시 모습을 드러내리라고 바란 적이 없었다. 하지만 그 요소들로 되살려진 융해된 기억의 혼합물을 보게 되는 것, 즉 그 먼 기억 속의 한 시간을 통째로 되돌리려고 추진하는 것은 또 다른 문제였다. 피츠버그 기차역과 적갈색의 신성한 방, 독특한 초록빛 환상, 어이없는 가격, 포플러나무, 수양버들, 골풀, 강, 햇살 빛나는 은빛 하늘, 그늘진 숲의 지평선으로 구성된 배경을 가진 보스턴의 그 먼지 낀 하루의 경험을 되돌린다는 것은 또 다른 문제였다.

그는 자신이 탈 기차에 관해서는 그게 교외를 벗어나 두세 번째 정거장에서 정차하기만 하면 된다는 조건 말고는 어떤 조건도 달지 않았다. 어느 역에서 내릴 것인지에 관해서는 그날의 온화한 날씨에 결정권을 맡겼다. 그 여행에 대한 그의 이론이란 파리에서 한 시간 이상 벗어나서 특별한 정서적 욕구를 충족시켜줄 것 같은 분위기가 느껴지면 아무 역에서 내려도 좋다는 것이었다. 기차가 약 80분 정도 달리고 나자 날씨, 공기, 빛, 색채, 그리고 자신의 기분 할 것 없이 모두가 하나같이 그의 마음에

드는 풍경의 징후가 나타났다. 기차가 아주 적절한 곳에서 섰고, 그는 자신도 모르는 사이에 마치 약속이라도 지키듯이 안정된 기분으로 차에서 내렸다. 그의 약속 상대가 옛날 보스턴에서 한때 유행했던 화풍의 그림에 지나지 않는다는 점에 다시 한번 주의한다면, 스트레더는 그의 나이에 비해서는 사소한 것들로부터 즐거움을 느끼는 사람이라고 생각될 수도 있을 것이다. 그는 조금만 걸어가도 그 약속이 충분히 지켜질 것 같다는 확신이 들었다. 장방형의 금빛 액자가 그 안에 들어있는 선들을 배치했다. 포플러도, 수양버들도, 갈대도, 강도－그 강의 이름을 그는 몰랐고 또 알고 싶지도 않았다－모두가 그 안에 깃든 교묘하고도 넘치는 표현과 더불어 그 액자 속에서 하나의 구도를 이루었다. 하늘은 윤이 나는 은빛과 청록색이었다. 왼편의 마을은 흰색이었고 오른편의 교회는 회색이었다. 요컨대 모든 것이 거기에 있었다. 그것은 그가 바라던 그대로였다. 그것은 트레몬트 가였고, 프랑스였고, 또한 랑비네였다. 더구나 그는 그 그림 속을 자유로이 걸어 다니고 있는 것이었다. 울창한 숲으로 가려진 지평선을 향해서 그는 한 시간 동안이나 마음 흐뭇해질 때까지 줄곧 걸어갔다. 그는 자신의 인상과 느긋함 속에 흠뻑 빠져들었다가 다시금 그러한 기분에서 빠져나와 먼 옛날의 그 적갈색 화랑의 벽에 이른 듯한 느낌마저 들었다. 느긋한 기분이 감미로운 기분으로 이어지는데 별도로 더 이상의 시간이 걸리지 않는다는 것이 분명히 놀라웠다. 그러나 실은 이같은 달콤함을 느낄 수 있는 데는 지난 며칠이라는 시간이 걸리긴 했었다. 사실은 포콕(Pocock) 부부가 떠나간 이후로 줄곧 그는 기분이 유쾌한 상태에 있었다. 이젠 모든 의무를 벗어난 자유로운 몸이라는 것을 자신에게 과시라도 하려는 듯이 그는 걷고 또 걸었다. 길을 벗어나 언덕 중턱에 이르러 길게 뻗고 누워서, 포플러 가지가 바람에 흔들리는 소리나 듣는 것 말고는 다른 할 일이 없었다. 그러면서 주머니 속에 가져간 책을 읽으며 그 책이 전해주는 기분에 흠뻑 젖어 들어 오후를 보내면 되었다. 주변의 풍경이나 실컷 감상하고 나서 뭔가 새로운 맛의 저녁 식사를 즐기기 위해 적절한 조그마한 시골 음식점을 하나 점찍어 두면 좋았다. 파리에는 9시 20분 열차로 돌아갈 생각이었다. 날이 저물면 거칠게 짠 흰 천의 테이블보와 모래빛 출입문에 의해 연출된 한껏 고양된 분위기 속에서 어떤 맛있는 튀김 요리를 먹으며 진품 포도주로 목을 적시고 있는 자신의 모습을 머릿속에 떠올려보았다. 저녁을 먹고 나서는 내리는 황혼 속에서 기분 내키는 대로 기차역까지 어슬렁어슬렁 걸어가는 것도 괜찮을 것이고, 마을의 조그만 마차를 불러 타고 가며 마부와 이야기는 나누는 것도 괜찮겠지. 그 마부는 빳빳하게 풀을 먹인 깨끗한 셔츠에 손으로 짠 나이트캡을 쓰고 그의 말을 척척 잘 받아넘기는, 당연히 그런 사람일 것이리라. 요컨대 그 마부는 마차의 채(shafts)에 걸터앉아 프랑스 사람들이 어떤 생각을 하는지 말해주고, 스트레더에게 그날 모든 경험이 전체적으로 그렇듯이, 모파상(Maupassant)을 떠오르게 해주는 그런 사람이겠지. 이런 환상이 더욱 생생해지면서, 스트레더는 프랑스의 공기 속에서 자기가 처음으로 곁에 누가 있다는 것을 의식하지 않고 자신이 하고 싶은 말을 프랑스어로 마음 놓고 혼자서 구사하는 소리를 들었다. 채드나 마리아(Maria)나 비오네 부인 앞에서는 프랑스어로 말하는 것을 두려워했었다. 특히 웨이마시(Waymarsh) 앞에서는 더욱 그랬다. 파리라는 도시의 불빛 속에서 웨이마시와 함께 지내면서 프랑스어 어휘나 발음을 구사하려 했을 때는 언제나 그 대가를 치러야만 했다. 대개의 경우 그는 그 대가로 즉각 웨이마시의 시선을 받아야 했던 것이었다.

우거진 포플러 숲 아래서 다정하고도 진실되게 그를 기다려준 언덕 기슭을 향해 발걸음을 옮긴 이후로 스트레더는 그러한 상상의 날개를 마음껏 펼쳤다. 그 언덕 기슭은 포플러 나뭇잎 살랑거리는 두어 시간 동안 그의 머릿속에 얼마나 행복한 생각이 펼쳐졌던가를 느끼게 해주었다. 성공이라는 느낌, 온 사물들과 미묘한 조화를 이루었다는 느낌이 들었다. 현재까지는 모든 것이 자기가 계획한 대로였다. 풀밭에 누워서 그가 특히 절실하게 의식하게 된 것은 사라(Sarah)가 정말로 떠나갔다는 것이었고 자기는 완전히 긴장에서 풀려났다는 것이었다. 그런 생각 속에서 얻은 평화는 미혹된 것일 수도 있었지만 그럼에도 불구하고 당분간은 그처럼 평화로운 기분에 잠겨있었다. 너무나도 평온한 기분이어서 그는 반 시간 가량 잠이 들었을 정도였다. 그는 밀짚모자를 끌어 내려 눈을 덮었는데 그 모자는 웨이마시가 쓰고 있었던 모자가 생각나서 어제 구입했던 것이었다. 그 모자로 얼굴을 가리자 그의 의식은 다시금 랑비네의 그림 속으로 빠져들었다. 마치 피곤하다는 것을 새삼 알아차린 듯한 느낌이었는데, 걸어 다녀서 온 피로가 아니라 지난 석 달 동안 마음의 노동이 거의 쉴 틈이 없었던 데서 오는 피로감이었다. 바로 그 때문이었다. 사라 일행이 떠나자 그는 털썩 주저앉고 말았다. 그렇게 떨어져 내린 곳이 바로 이곳이었으며, 이제 그는 그 바닥에 닿았다. 추락의 끝에서 무엇을 찾았는가에 관한 의식 때문에 그는 느긋하게 차분해지고, 편안해지며, 즐거워졌다. 마리아 고스트리(Maria Gostrey)에게 그가 계속 머무르고 싶다고 말했을 때 의도했던 것이 바로 그런 기분을 위한 것이었다. 그것은 눈부시게 밝은 날과 어둠침침한 날이 번갈아 찾아오는 광대하게 펼쳐진 여름날의 파리였다. 그건 그를 위해서 둥근 기둥들과 처마 장식으로부터 중량감이 제거되어버린, 가로수길 만큼이나 널찍한 차양이 펄럭거리며 그늘을 드리우고 바람을 일으켜주는 파리의 여름날이었다. 미스 고스트리와 이야기를 나누고 나서 얻게 된 자유의 증거를 잡으려고 바로 그날 오후에 비오네 부인을 만나러 갔던 때의 상황이 생생하게 떠올랐다. 그는 하루 건너서 다시 그녀를 찾아갔었고, 그 두 차례의 방문을 통해서 그가 얻은 효과는, 즉 그녀와 함께 있었던 두어 시간 동안이 남긴 여운은 거의 충만감이나 익숙함 같은 것이었다. 울렛 사람들에게 당치 않은 의혹을 사고 있다는 것을 알게 된 그때부터 스트레더는 비오네 부인을 몇 번이고 만나러 가겠다는 대담한 의도를 갖게는 되었지만 그런 의지는 단지 생각에 머물고 있었을 뿐이었다. 그런데 포플러 그늘에서 그가 곰곰이 생각해 보았던 것 중 하나는 아직도 그로 하여금 조심스럽게 행동하게 하는 요인이 되는 [비오네 부인에 대한] 특별한 수줍음의 의미에 관해서였다. 그는 이제 분명코 그 특별한 수줍음을 없애버린 상태였다. 지난 일주일 동안에 그것이 완전히 지워 없어지지 않았다면 그 수줍음이 어떻게 되었단 말인가? 그가 아직도 그처럼 조심스러워 한다면 거기에는 그럴만한 이유가 있을 것이라는 생각이 사실 이제 문득 떠올랐다. 그는 자신의 행동 때문에 [비오네 부인에게] 신의를 저버릴까 진정으로 두려웠었다. 그런 여성을 누군가가 너무 많이 좋아하는 데 어떤 위험성이 있다면 그가 취할 수 있는 최상의 안전한 방책은 적어도 그가 그렇게 좋아할 권리를 갖게 될 때까지 기다리는 것이었다. 지난 며칠간 일어난 일에 비추어보면 그런 위험성은 꽤 분명했다. 그래서 자기가 그 권리를 갖게 되었다는 사실이 그만큼 다행스러운 일이었다. 우리의 친구에게는 자신이 번번이 비오네 부인으로부터 최대한 덕을 입었던 것처럼 느껴졌다. 그녀가 전적으로 같은 입장에 있다면 이제 지루한 이야기는 하지 말자고 그가 당장에 말할 수 있었던 것 이상으로 그 어떤 권리를 누릴 수가 있겠는가 하고 여하튼 자문해보았다. 평생 동안 그는 그런 말을 함으로써 그처럼 많은 중요한 이익을 포기했던 적이 없었다. 비오네 부인과 같은 지성인에게 그런 말을 건네는 데 있어서만큼 비교적 경솔한 일들을 위해 준비해본 적이 없었다. 유쾌한 것을 제외하고 모든 것을 마법처럼 사라지게 하려다가 이제껏 그들이 서로 이야기했던 거의 모든 것을 사라지게 해버렸다는 것을 그가 기억하게 된 것은 한참 나중에서야였다. 새로운 어조로는 두 사람 모두 채드의 이름조차 입에 올리지 않았다는 것도 그는 나중에 가서야 깨닫게 되었다. 언덕 위에 머무는 동안 그가 특히 잊을 수 없었던 것은 비오네 부인과 같은 여자가 상대라면 쉽사리 새로운 기분에 젖어볼 수 있다는 흐뭇한 사실이었다. 그는 그녀와 함께라면 정말 변화가 풍부한 새로운 기분을 즐길 수 있을 것 같다는 생각이 들었다. 그녀에게 기대를 걸면 그때그때의 경우마다 누구에게라도 그녀가 가능하게 해줄 수 있는 모든 기분들에 대해서 그는 상상해 보았다. 자기는 이제 이해관계를 떠난 입장이니까 그녀도 그런 기분으로 대해주었으면 좋겠다고 하는 말에 그녀가 선뜻 응해주었었다. 그래서 그는 감사의 뜻을 표현했었는데, 그러자 마치 그녀를 생전 처음 방문하는 것 같은 생각이 들었었다. 그들은 그때까지 일과는 아무 상관없는, 또 다른 성격의 만남을 여러 차례 가졌었다. 그들 사이에 '이토록 많은' 공통점이 있다는 사실을 진작 알았더라면 그처럼 숱한 지루한 이야기들을 건너뛰었어도 되지 않았겠는가 하는 생각이 들 정도였다. 그래, 이제는 두 사람이 그런 지루한 말은 생략하고, 우아한 감사의 표현이나 심지어 "천만에요!"와 같은 스스럼없는 표현도 사용하는 사이가 되었지 않은가. 그들 사이에 그때까지 이어져 왔던 일에 상관없이 앞으로 어떤 일이 펼쳐질 것인가를 생각하게 된 것이 놀라웠었다. 따져보니 지금까지 두 사람 사이에 오간 이야기는 셰익스피어라든가 연주용 글라스(musical glasses)에 관한 것에 지나지 않았다. 그런데 그런 내용의 말도 그가 그녀에게 말을 건네고 있는 듯이 보이게 하는 모든 목적에 잘 부응했었다. "나를 좋아하게 된 데 대해서라 하더라도, 내가 당신을 위해 뭔가 뻔하고 볼품없는 일을 〈해드렸다〉는 속된 이유로 그러진 말아주세요. 그래요, 나를 좋아해 주세요. 아이고 참, 당신이 선택한 뭔가 다른 이유에서 나를 좋아해 주세요. 똑같은 이치에서 당신도 내가 채드와의 어색한 관계를 통해서 알게 된 그러한 입장에서만 머물러 있지 말아 주었으면 좋겠어요. 말이 났으니 말이지만 그보다 '더 어색한' 일이 어디 있겠습니까? 당신의 그 훌륭한 재치와 신뢰감으로 부디 나를 위해서, 내가 당신을 마음속에 그려보는 것이 지금 나의 즐거움이라는 것을 내가 당신에게 보여주는 것이 무엇이든 바로 그것이 되어주기 바라오." 그것은 대처하기에 너무 거대한 암시였다. 그러나 그녀가 그 암시에 응해주지 않았더라면 달리 무엇을 '했었겠으며' 그들이 함께 보낸 시간이 어떻게 그처럼 평온하면서도 느리지는 않게 매끈히 흘러 녹고 용해되어, 그의 나른하고도 행복한 환상 속으로 스며들었겠는가? 한편 여태껏 그가 옹색한 입장에서 성실성을 잃게 되지나 않을까 하고 염려해왔던 것도 분명히 그럴만한 이유가 있었다는 것을 그는 시인할 수 있었다.

그는 그날 마음속으로 그려낸 그림 속에서 온종일 유유자적하며 하루를 보냈다. 그래서 여섯 시가 되어 갈 무렵, 인근에서 가장 커 보이는 어느 마을의 한 여관 입구에서 흰 모자를 쓰고 있는, 굵직한 목소리의 건장한 여자와 정답게 이야기를 주고받을 때도 그 그림의 매력은 여전히, 아니 그 어느 때보다 더, 그의 마음을 사로잡고 있었다. 그 마을은 그에게 구릿빛 도는 녹색 배경에 백색과 청색, 그리고 구불구불한 어떤 하나의 사물처럼 보였으며, 마을 앞쪽인지 뒤쪽인지 분간하기 어려운 모습으로 흐르는 강이 있었는데, 그 강물은 여관집 뜰 아래쪽으로 흘러가고 있었다. 게다가 그는 이미 다른 여러 가지 신나는 경험도 즐겼었다. 잠을 쫓아버린 뒤에 언덕 위를 거닐어보기도 하고, 자그마한 낡은 교회당에 눈길이 끌렸는데 외부는 오로지 엷은 암청회색과 뾰족지붕으로만 보였고 내부는 전체가 회칠과 조화(paper flowers)로 꾸며진 모습에 반해 그 교회를 마음속으로 탐해보기도 했으며, 길을 잃었다가 다시 찾기도 했고, 예상했던 것보다 세상 물정에 약간은 더 밝은 농부들과 이야기도 나누었고, 두려움 없이 프랑스어를 구사하는 편안함을 한순간 갑자기 느껴보기도 했고, 저녁때가 가까워질 무렵 크지는 않았지만 멀리 떨어진 어느 마을의 한 카페에서 파리식의 연한 흑맥주로 목을 적셔보는 그런 모험들을 즐기기도 했다. 그러나 그러는 동안에 그는 그 그림의 금빛 장방형 액자 밖으로 한 번도 벗어난 적이 없었다. 그림의 액자가 그를 위해 얼마든지 테두리를 넓혀주었던 것이다. 그것은 다만 그의 행운의 결과였을 따름이었다. 이어서 그는 '셰발 블롱'(Cheval Blanc)이라는 여관의 안주인 앞에 서 있게 되었다. 그녀는 돌길을 걷는 나막신 딸각거리는 소리처럼 투박하고도 기꺼운 태도로 얇게 저민 송아지 고기를 요리해주었고, 식사 후에 마차를 준비해달라는 부탁에도 응해주었다. 몇 마일씩이나 걸었는데도 그는 피곤하다는 느낌이 들지 않았다. 그는 여전히 즐거운 기분 속에 있었다. 뿐만 아니라 온종일 혼자서 보냈음에도 불구하고 이처럼 다른 사람들과 어울리면서도 동시에 그의 마음속 드라마의 흐름 한가운데 서 있는 자신을 느껴본 적이 없었다. 그는 자신의 극이 끝부분에 이르러 이 제는 거의 대단원의 막을 기다릴 뿐이라고 생각했었다. 그러나 그가 이 렇게 보다 더 풍족한 기회를 부여하자 그 극은 또다시 생생하게 마음속 에서 되살아났었다. 이제 드디어 그 극에서 완전히 빠져나오게 되었다고 생각했었는데 묘하게도 극은 아직도 여전히 계속되고 있는 것 같은 느낌 이 들었다.

그림의 마법과 같은 작용이 하루 종일 실제로는 바로 그 순간을 위해 서 일어나고 있었다. 즉 그것은 본질적으로 그 무엇보다도 더 의미 있는 하나의 장면이었으며, 하나의 무대였다. 그 극의 분위기 자체가 버들잎 이 서로 스치는 소리에도, 또한 하늘의 색깔 속에도 깃들어 있었다. 그때 까지 그가 알지 못하는 사이에 그를 위한 모든 공간이 그 연극과 극 중 인물들로 가득 차게 되어버렸었다. 그리고 그처럼 주어진 조건 속에 그 인물들이 일종의 필연성을 띠고 모습을 드러낸 것이 왜 그런지 아주 다 행한 일 같기도 했었다. 그 조건들 때문에 그 인물들이 필연적인 것처럼 보이게 되었을 뿐만 아니라 훨씬 더 자연스럽고 정상적인 것처럼 보이기 도 해서 그들을 보고 견디는 것이 보다 용이하고 즐거운 일이 되어 있었 다. 셰발 블롱의 조그마한 안뜰에서 그 집 안주인과 함께 극의 안락한 절 정을 맞이할 준비를 했던 동안에 그날 그곳의 조건들과 울렛의 조건들 사이에 두드러지게 드러나는 차이를 스트레더는 전에 없이 뚜렷하게 의 식할 수 있었다. 그 조건들은 수도 적고 단순하고 빈약하면서 또한 순수 한 것이기도 했다. 그러나 그것은 그가 보기에는 대제국의 망령이 활보 하는, 비오네 부인의 고풍스럽고 우아한 응접실보다도 훨씬 더 '진 품'(THE THING)이라고 말할 수 있는 것이었다. '진품'이란 자기가 붙들고 대처해야 했던 다른 숱한 것들을 가장 풍부하게 암시해주는 것이라는 의 미였다. 물론 그것은 기묘한 일이었다. 그러나 실제가 그대로였다—암시는 이에 이르러 완전의 경지를 보여주었다. 여태까지 스트레더가 관찰해 왔던 것들 가운데서 그 어떤 의미에서건 여기에 암시되어 있지 않은 것은 하나도 없었다. 어떤 이유에서건 저녁놀을 타고 불어오는 시원한 산들바람마저도 원본(the text)의 한 음절이 되어 있었다. 요컨대 그 원본이라는 표현은 이런 곳에는 그런 일들이 있기 마련이고, 이런 곳에서 산책을 하기로 마음먹었다면 무슨 일이 생기건 그 일에 대해 나름대로 설명을 해야만 한다는 의미였다. 아무튼 한편으로는, 마을의 외관에 관한 한, 주위의 조건이 구릿빛을 띤 녹색을 배경으로 하여 백색과 청색, 곡선으로만 이루어진 듯한 인상을 준다는 것만으로도 스트레더는 만족이었다. 그 점에 관해서라면, 환상적인 색조로 칠해진 세발 블롱의 바깥쪽 벽이 그의 눈길을 사로잡았었다. 그것도 그가 느끼고 있는 즐거움의 하나였다. 그것은 마치 그의 즐거움이 천진한 것임을 밝혀주고 있는 것 같아 보였다. 그 착한 안주인이 손님의 식욕을 충족해주기 위해서 그녀가 할 수 있는 것에 대해 대충 이야기하는 말 속에서 그림과 극이 완전히 융합되는 것 같은 생각이 들었을 때도 그는 똑같은 만족감을 느꼈었다. 요컨대 스트레더는 그 어떤 자신감을 갖게 되었던 것이다. 그 자신감은 막연한 것이었으며, 자기가 바라던 그대로의 느낌이었다. 스트레더의 자신감은 안주인이 사실은 선생님(Monsieur) 말고도 자기네 보트를 타고 오신 또 다른 두 분 손님 때문에 지금 식사 준비를 하고 있었던 참이었다고 그에게 말했을 때도 전혀 동요되지 않았었다. 그 두 사람은 반 시간쯤 전에 와서 요리를 주문하고는 보트를 저어 상류 쪽으로 구경을 하러 갔으며, 얼마 안 있으면 돌아올 거라는 것이었다. 선생님께서도 괜찮으시다면 정원으로 들어가시지요. 변변치는 못하지만 테이블과 벤치가 여러 개 있으니까 식사 준비가 다 될 때까지 맥주나 한 병 드세요. 역까지 태워다 줄 마차가 있는지도 알아보고 알려 드리겠어요. 어쨌든 강의 경치가 마음에 드실 거예요.

모든 것이 선생님의 마음에 들었을 것이라고 자신 있게 말했어도 좋았을 것이다. 특히 정원 한 끝에 있는, 부서져 내린 상태로 보아 사람들이 즐겨 찾았을 것이 분명한, 거의 강물 위에 걸쳐 있는 것 같은 조그맣고 오래된 누각에서 보낸 20분간이 정말 흐뭇한 기분이었다. 그 누각은 약간 높이 올린 마루에 벤치가 둘, 테이블이 하나, 그리고 보호용 난간과 삐져나온 지붕이 전부였다. 그러나 그곳에서는 상류로 조금 올라가는 곳에서 구부러져 자취를 감추었다가 훨씬 위쪽에 가서 다시 모습을 드러내 보이는, 회색빛 도는 푸른 강물을 훤히 내다볼 수 있었다. 그 누각은 일요일 나들이나 그 밖의 향연을 위해서 누구나가 찾아오고 싶어 할 그런 곳임에 틀림없었다. 스트레더는 그 정자에 가서 앉았다. 허기를 느끼기는 했지만 마음은 평안했다. 기슭에 와서 철썩대는 물결, 잔잔하게 주름진 수면, 맞은편 둑에서 바람결에 살랑거리는 갈대, 살며시 흩어지는 냉기, 가까운 계류장에 매어 둔 두 척의 작은 보트에 이는 가벼운 흔들림을 바라보면서 그는 자신감이 더욱더 깊어짐을 느꼈다. 저 멀리 펼쳐진 강 유역(valley)에는 온통 구릿빛 녹색인 수면과 윤을 낸 진주 빛깔의 하늘이 펼쳐져 있었다. 그 하늘은 가지를 다듬은 나무들이 과수원 울타리처럼 줄지어 선 지평선 너머로 떠올라 보였다. 그러나 마을 끝자락의 집들이 가까이 산재해 있는데도 불구하고 이 조망에는 무언가 공허한 데가 있어서, 작은 보트라도 한 척 강물에 떠 있었으면 하는 생각이 들게 했다. 그런 강에서라면 노를 손에 잡기도 전에 벌써 강물에 배가 떠 있는 것 같은 기분이 들 것 같았다. 노를 천천히 저으면 더 충만한 인상을 받게 될 수 있을 것 같기도 했다. 그런 생각에 젖어서 스트레더는 몸을 일으켰다. 그러나 막상 일어서고 보니 새삼스럽게 피로감이 느껴졌다. 그래서 그는 기둥에 기대선 채 계속 강을 내려다보고 있었는데, 홀연 그를 순간적으로 얼어붙게 만드는 무언가가 눈길에 들어왔다. (302-09)

스트레더의 이 여행은 채드가 교양 있게 성숙했다는 자신의 견해나 비오네 부인과 채드 사이의 관계의 고결성에 대한 자신의 믿음을 스스로 확신하고, 더불어서 사라 일행으로부터의 부담감을 떨쳐버리고 자신의 감정에 휴식을 주기 위해 의도되었다. 두 번째 사절단인 사라 일행이 임무를 지체하는 첫 번째 대사인 그에 관한 상황 판단을 마치고 울렛으로 되돌아간 시점에서, 스트레더는 이제까지 자신의 역할에 대한 중압감에서 벗어나서 프랑스의 시골 풍경 속에서 정서적 휴식을 얻기 위한 여행을 떠난 것이다. 그리고 거기에는 지금까지의 자신의 삶을 차분히 스스로 되돌아보려는 의도도 깔려 있다. 그래서 그는 지난날들을 되돌아보고, 시골 풍경을 감상하며, 마치 젊은 시절에 깊은 인상을 받았던 랑비네의 소품 풍경화 속에 들어와 있는 것 같은 기분에 젖어 그날 오후를 보낸다. 젊은 시절 그의 감상이 전원 속에서의 지금의 감정과 융합되어 버린 정서 상태에서 편안하면서도 고양된 시간을 보낸 것이다.

그 시점은 사라 일행이 미국으로 되돌아간 것을 계기로 스트레더에게는 모든 문제가 순조롭게 정리되는 것처럼 보이는 때이다. 따라서 그의 눈에 자연의 모든 요소들과 시골 풍경이 다분히 낭만적 아름다움의 대상으로 비친다. 심지어는 그는 비오네 부인에 대해 자신의 마음속에서 생겨난 −현실적으로는 결코 실현될 수도, 또한 실현되어서도 안 되는−은밀한 연애 감정마저도 청정한 아름다움으로 받아들일 수 있다는 자신감에 넘친다. 한나절 시골길을 혼자서 산책한 것에 불과하지만 그것은 그에게 도덕적 의무감과 현실의 긴장감에서 벗어나서 낭만적 감상과 회고적 환상, 예술작품과 지각 경험, 그림과 드라마, 자연과 예술, 과거와 현재가 융합되는 일종의 심리적 평형 상태를 경험하는 순간이다. 제임스는 스트레더의 마음의 그처럼 미세한 움직임을 지각과 인상, 회상과 상상, 생각과 판단 등 인식의 모든 요소들을 망라해가며 섬세한 디테일로 묘사한다.

그러나 스트레더의 그처럼 고양된 정서 상태는 곧바로 이어질 충격적인 각성의 전주곡이 되며, 제11권 IV장에서 그때까지 최고조로 고양되었던 스트레더의 낭만적 감정과 환상은 처참하게 속에서 무너져버린다.

IV

스트레더가 본 것은 그가 원했던 바로 그대로의 광경이었다. 그것은 노를 젓고 있는 남자와 선미에서 분홍색 양산을 받쳐 들고 있는 여자를 태우고 강물의 굽이를 돌아서 나오고 있는 한 척의 보트였다. (309)

첫 번째 클라이맥스로 여겨지는 제5권에서와 마찬가지로 두 번째 절정인 제11권에서도 대부분의 다른 소설이나 드라마에서의 클라이맥스와는 달리, 그 어떤 공공연하고 떠들썩한, 놀랄만한 외적 사건도 일어나지 않는다. 다만 그때까지 스트레더가 자신의 의식 속에 모호하게 맴돌고 있었던 하나의 진실을 정면으로 인식하게 되는 것뿐이다. 즉 그가 이제껏 지각하지 못했거나 착각해왔던 현실의 진면목을 똑바로 바라보게 된다. 우리는 그의 그러한 경험을 일종의 인식의 클라이맥스라고 말할 수 있을 것이다.

스트레더는 비오네 부인과 채드가 보트를 타고 은밀한 만남 즐기는 모습을 우연히 목격한다. 그 두 남녀는 물론 교양 있게 처신하고 있었지만 그들이 밀회를 즐기는 모습은 스트레더에게 지금까지 그가 짐작해왔고 믿어왔던 바를 완전히 뒤집기에 충분하다. 비오네 부인과 채드의 관계가 그가 이제까지 생각했던 것처럼 고결한 것이 아니라 다른 여느 남녀관계처럼, 혹은 울렛에서 짐작했던 것처럼 얽히고설킨 감정을 바탕으로 한 성적인 관계였던 것이다. 그들은 이미 하루 전에 그 외딴곳에 와서 어떤 여관에 묵었음이 분명했다. 바로 그 깨달음의 순간이 작품 전체의 클라이맥스이며, 이후로 스트레더는 지금 그가 보아서 알게 되었고, 깨닫게 된 그대로의 현실을 대처해야만 하는 것이다. 제5권에서의 각성에 이어서 다시 한번 그의 인식은 완전한 전향을 겪게 된다. 그리고 이어지는 제12권이 작품의 대단원이며 결말이다.

인생이 진행될수록 우리의 인식은 경화되는 경향이 있다. 자기가 살아온 세월, 보고 느끼고 생각하고 판단해온 경험의 축적이 뭉쳐져서 하나의 경직된 가치관으로 굳어지는 것이다. 그래서 인생의 늦은 시기가 되면 이미 본 것을 보고, 들은 것을 들으며, 생각한 것을 그대로 반복하고, 판단한 것을 다시 확인하는 과정에서 인식의 경직성은 점점 심화되는 경향을 띤다.

어린 시절 제임스 형제들은 부모님으로부터 생각과 인식을 끊임없이 바꾸라, 혹은 계속해서 "전향하라"(convert)는 충고를 일상의 가르침으로 듣고 자랐다고 전해진다. 그와 같은 실용주의적 태도가 작가 헨리 제임스의 삶을 대하는 관점이 되었으며, 그것이 극적으로 구현된 인물이 스트레더라고 볼 수 있다. 그러한 스트레더가 인식의 성배를 추구하는 기사(knight)인지, 기사도 로맨스 이야기에 미혹되어 기사 수업에 나서서 좌충우돌하는 돈키호테인지에 대한 판단은 우리들 독자의 몫이다.

인용문헌

James, Henry. *The Ambassadors*. New York: Norton, 1994.
____. *The Portrait of a Lady*. New York: Norton, 1995.

제2장

『미국인』:
자기확신과 인식의 한계

● ● ● 문영희

I. '국제 주제' 속 미국인

헨리 제임스는 사실주의와 자연주의 소설에서 모더니즘 소설로의 이행을 연결하는 가교 역할을 한 작가다. 시기적으로 여러 문학 사조들이 교차하는 시대에 창작 활동을 했던 그는 22편의 장·중편 소설과 112편의 단편이라는 방대한 저작물을 발표했다. 제임스의 이름이 '국제 주제'(international theme)와 동일시될 정도로 소설 창작에 있어서 그의 주된 관심사는 유럽과 미국의 상반된 문화에 관한 것이다. 바다가 멜빌(Melville)의 끝없는 관심의 공간인 것과 마찬가지로 국제 주제는 제임스를 사로잡는 흥미로운 주제였다. 이 주제에 집중한 제임스의 소설은 유럽의 정신적 가치를 모색하는 순수한 미국인들의 이야기라고 요약할 수 있다. 그의 소설

주인공들은 '구세계' 유럽을 체험함으로써 '신대륙' 미국의 국가적 정체성과 미국인의 문화적 정체성을 재점검한다. 제임스의 관심은 무엇보다 유럽에 대한 미국인들의 정서적 반응에 모아지며, 따라서 유럽은 미국인들의 경험의 특성을 시험할 수 있는 토대가 된다. 즉 그는 피상적인 미국인의 여행 이야기를 구현하는 것이 아니라, 유럽이라는 새로운 문화적 환경 속에서 자아 확장을 이루고 새로운 인식 가능성을 모색하는 미국인들을 조망한다. 제임스에게 국제 주제는 단순히 유럽과 미국 문명의 대비에 그치지 않고, 인간의 내면과 복잡한 삶의 문제와 연결된다. 인간성에 대한 치열하고도 섬세한 관심을 가졌던 제임스는 상호 모순된 세계의 경험을 통해서 인간의 삶을 고양시킬 수 있는가의 문제에 골몰했다. 그러한 맥락에서 국제 주제는 제임스가 주인공들에게 제공하는 변화의 장이며, 그들의 인식의 성장을 이끌어내는 동력이다.

『미국인』(*The American*, 1877)은 남북 전쟁 이후 경제적 부흥을 이룬 미국의 도금주의 시대에 국가적 차원의 비호를 받는 자본가들의 급속한 경제적 성장을 배경으로 한다. 이 소설의 주인공 크리스토퍼 뉴먼(Christopher Newman)은 프론티어 정신과 '아메리칸 드림'을 이룬 실업가로 미국인의 강인하고 도전적인 정신과 자신감, 그리고 그 사회의 열린 가능성을 보여주는 인물이다. 그의 이름 '크리스토퍼'는 신대륙의 발견자인 크리스토퍼 콜럼버스(Christopher Columbus)를 연상시키며, '뉴먼'이라는 성이 뜻하는 바는 자명하다(Leavis 164-65). 역사 속의 크리스토퍼 콜럼버스가 미대륙을 발견했다면, 소설에서는 반대로 미국인 크리스토퍼 뉴먼이 유럽을 발견하고 개척하는 상황이 전개된다. 그의 상징적인 이름은 미국 민주주의에 의해 탄생한 새로운 인간이라는 의미를 포함하기도 한다(Dupee, *Henry* 84). '새로운 인간' 뉴먼은 미국적 가치인 자유와 평등을 존중하는 민주적인 특성이라는 자질을 갖추고 있다. 그는 유럽인들과 달리 사회적 지위나 계급 등을 초월하여 모든 사람을 자신과 동등한 존재로 받아들인다. 이를테면 거리낌 없이 파리 사회의 최하위 계층과도 자유롭게 교제하는 뉴먼의 모습은, 평등을 중요시하는 그의 미국적 특성을 보여준다.

그는 민주주의의 기치 아래 오직 자신만의 힘으로 성공한 벤자민 프랭클린(Benjamin Franklin)과 비견하는 인물로 구현된다(32)[1]. 자수성가(self-made)하여 백만장자가 된 이 미국인은 자립(self-reliance)과 자기 신뢰(self-trust)를 온몸으로 받아들인 인물이기도 하다. 자립은 미국의 국가 정체성 확립을 정당화하기 위해 필수적인 관념이었고, 독립 이후의 산업과 경제의 고도성장에 대한 자신감의 표현이다. 그런가 하면 뉴먼은 에머슨의 '자립'과 맞닿은 인물로 보이지만, 동시에 반에머슨적이기도 하다. 유럽으로부터 완전히 결별하여 미국만의 고유한 문명국가를 건설해야 한다는 에머슨의 주창과는 대조적으로, 뉴먼은 문화와 정신적인 가치에 대한 필요를 느끼고 구세계 유럽으로 향하기 때문이다.

작가 제임스는 유럽의 폐쇄적인 인습과 편견으로부터 자유로운 미국인들의 정신 상태 그리고 민주주의적 신념 아래 구현한 미국의 국가적 주체성의 가능성을 높이 인정한다. 그가 강조한 "정신적 경쾌함과 활력" 그리고 "도덕 의식"은 『미국인』의 주인공 뉴먼에게서 잘 나타난다(Edel, *The Life* 220). 특히 선량한 천성이라는 뉴먼의 도덕적 특질은 작가에 의해 끊임없이 강조되고 있다. 실제로 그는 자신에게 부당한 대우를 한 유럽인들에게 복수를 할 수 있는 기회가 있음에도, 특유의 도덕감을 견지하여 복수를 단념하는 것으로 그려진다. 편협하고 폐쇄적인 사고방식에 갇혀 있는 유럽 귀족들에 비하면 뉴먼이 도덕적 우위를 점한다는 점은 부인할 수 없을 것이다.

---

[1] Henry James, *The American*. Ed. James W. Tuttleton. New York: Norton, 1978. 앞으로 이 작품의 인용은 괄호 안에 쪽수만 표기한다.

뉴먼은 오직 노력만으로도 성공 신화를 이룰 수 있다는 낙관주의 그리고 자신이 세계의 중심이라는 자기확신에 차 있다. 그는 엄청난 물질적 부를 얻음으로써 인생의 목표를 달성했다는 자기만족적 상태에 빠져 있으며, 유럽에서 안락한 삶을 영위함으로써 그간의 노력에 대한 보상을 얻으려 한다. 그러나 그의 낙관주의에는 인생에 대한 치열한 성찰이 결핍되어 있으며, 자기확신은 유럽에서의 경험의 방식을 제한할 뿐 아니라 유럽인들에게 기만당하는 이유가 되기도 한다. 이러한 관점에서 그는 표면적으로는 비관주의의 그늘을 거두어낸 인물이지만, 역설적이게도 그의 낙관주의는 개선으로 나아가지 못한다는 면에서 '밝음'을 보장하지 못한다. 뉴먼에게 성공했다는 자기확신은 세계와의 관계 속에서 자아를 수정하고 확장하는 과정을 저해하고, 새로운 경험을 해석하거나 성찰하여 인식의 성장을 이루는 데 오히려 걸림돌이 된다.

제임스가 『미국인』을 집필하게 된 가장 직접적인 자극이 된 계기는, 뒤마(Alexandre Dumas)의 이방인(L'Étrangère)에 묘사된 미국인의 캐릭터가 모욕적이고 혐오스럽게 재현된 사실이다(Tuttleton, *The Novel* 60).[2] 이에 제임스는 귀족 계급에 의해 기만당하는 한 미국인의 이야기를 구상했다(Edel, *The Conquest* 248). 이러한 착상에는 순수하고 선량한 미국인이 폐쇄적인 위계질서와 가식적인 예법으로 무장한 유럽인보다 도덕적 우위를 점한다는 것이 포함되었다. 뉴먼의 '승리'를 실현시키기 위해 작가 제임스는, 벨가드(Bellegarde) 노부인이 병석에 누워있는 남편인 후작에게 약을 주지 않아 살인을 방조했다는 다소 무리한 플롯을 가동시킨다. 그리하여 뉴먼이

---

[2] 제임스는 미국인의 운명을 다루는 문제에 대해서 "엄청난 부담"을 느꼈는데, "왜냐하면 어떤 유럽인도 미국을 다루어야 하는 의무가 없는 반면 미국인은 유럽을 다소간이라도 다루어야 하기 때문이다"(Tuttleton, The Novel 60). 유럽이라는 '모체'에서 떨어져 나온 미국의 국가적 정체성은 유럽과 완전히 떼어서 존재할 수 없고, 따라서 미국 작가인 자신 역시 유럽을 의식하지 않을 수 없다는 것이다.

벨가드 후작의 유서를 손에 쥐고 악인을 심판하는 멜로드라마의 영웅처럼 나타나는 것이다(Brooks 157). 이에 대해 작가 역시 "뉴먼이 가식적인 유럽 인들에게 기만당하는" 아이디어에 사로잡힌 나머지 자신도 모르게 대로망스(arch-romance)를 쓰고 있었다고 말한 바 있다(The Art 25, 35).[3] 물론 『미국인』은 작품의 플롯에서뿐만 아니라 그 예술적 성취에 있어서도 대체로 높은 평가를 받지 못하고 있는 것이 사실이다(조철원 260). 그러나 제임스가 이 소설의 결점에 대해서 인정한 부분은 플롯에 대한 것에 국한된다.

무엇보다도 중요한 사실은 작가가 상업주의적 가치관을 철저히 내면화하고 있는 자본가를 주인공으로 삼고 있다는 것이다. 주인공 뉴먼의 언어 사용, 여행이나 경험의 방식 그리고 타인과의 관계 맺음 등의 면면에 주목한다면, 그가 유럽이라는 항해에서 '난파'당하는 것은 어쩌면 필연적인 일이다. 물론 그가 편협한 유럽인들에 비하면 도덕적으로 보인다고 하더라도 그 '승리'가 불완전하게 느껴지는 것 역시 부인할 수 없다. 다시 말해서 헨리 제임스는, 자본 소유와 물질 획득이라는 목표 이외에는 삶에 대한 치열한 성찰이 부족한 어느 자본가의 초상을 보여준다. 즉 제임스는 뉴먼의 인식적 성장의 한계를 의도적으로 독자에게 보여주고 있다. 소설 속에서 뉴먼은 작가의 변호를 받고 있기도 하지만 동시에 작가의 미묘한 아이러니에 의해 풍자되고 있다. 따라서 뉴먼이 자신의 경험을 반추하거나 자기 성찰을 이루는 면에서 인식 성장의 한계를 드러내는 점에 대해 면밀

---

[3] 앤더슨(Charles R. Anderson)은, 제임스가 이 소설에서 가문의 비밀이 담긴 유서와 복수와 같은 멜로드라마적인 플롯을 삽입한 점이 미성숙한 작가의 면모를 드러낸 것이라 지적한다(68). 포이리어(Richard Poirier) 역시 '무리한' 멜로드라마적 플롯 전개를 작품의 결점이라 평가한 바 있다. 대체적으로 『미국인』은 플롯 전개의 면에서 사실주의 소설에서 동떨어져 있다거나 멜로드라마적이라는 비판을 받는다. 그러나 그 주인공의 복합적인 심리 묘사를 재현하는 상징과 아이러니는 제임스 고유의 사실주의적 소설의 틀에서 크게 벗어나지 않는다.

하게 밝힐 필요가 있을 것이다.

II. 미국인 백만장자의 유럽여행

미국 작가들에 의해서 미국인들은 유럽인과 달리 순수성을 가진 인물로 묘사되곤 했고, 그 순수성은 종종 무구함과 동격이 되기도 했다. 제임스의 『미국인』은 미국의 새로운 인간 표본인 뉴먼을 지나치게 이상화하거나 구세계 유럽을 부패와 타락의 상으로 제시하는 이분법적 독법으로 읽혀왔다. 1950년대와 60년대 『미국인』에 대한 논의에서 있어 크리스토퍼 뉴먼의 신화적 순수성은 중대한 리트머스 테스트가 되었다(Banta 27). 피들러(Leslie Fiedler)는 『미국인』의 뉴먼이 『데이지 밀러』(*Daisy Miller*)의 데이지에 대적할 만한 미국 남성의 순수성을 대표한다고 평가한다(310). 파워즈(Lyall H. Powers)는 이 소설을 국제주의의 주제로 분류하면서, 유럽인들에 대한 선량한 미국인의 승리로 본다(46). 리비스(F. R. Leavis)는 제임스가 국제 주제 관련하여 충분한 근거 없이 미국 노선을 취하였고, 뉴먼을 지나치게 이상화하여 비현실적이고 우스꽝스럽다고 비난한다(164-65). 이에 반해 에델(Leon Edel)은 "한 미국인의 신랄한 초상"(*The Life 1* 476)이라 일축하고, 제임스가 조국에 대해서 부정적으로 생각하는 특성들을 뉴먼의 캐릭터에 투영시켰다고 말한다(*The Conquest* 249).

그러나 뉴먼은 다른 한편으로 데이지 밀러와 같은 순수한 미국인의 전형에서 상당히 벗어나 있다. 그는 순수와 경험이 기묘하게 섞여 있는 인물로(18), 그의 순수성은 단순하게 사회적 힘에 의해서 희생되는 인물들의 어리숙함과는 구별되어야 한다. 그는 결코 힘없는 희생자이거나 사회적 경험이 부족한 애송이가 아니고, 자본으로 운명의 방향키를 바꿀 수 있는 강력한 힘을 가지고 있으며 그러한 의지를 실질적으로 행사한다.

뉴먼은 어린 시절부터 생계를 위해 고된 노동을 해야 했으며 "실행과 행동이 숨 쉬는 것처럼 자연스러운"(31) 인물로, 거듭된 실패의 경험을 거울 삼아 화려하게 사업에 성공했다. 사업적인 경험과 인간관계를 통해서 그는 본능적인 판단력과 통찰력을 지닌 인물이다. 그러나 이러한 직관은 이윤을 추구하는 사업적 경험, 즉 현실 세계에 대한 감각적 경험을 통해서 얻게 된 것이다. 즉 그것이 삶의 의미에 대한 반성적 자기 성찰 능력으로 발전되지는 못했다.

이러한 면모는 뉴먼의 첫인상에서도 관찰된다. 소설의 첫 페이지는 루브르 박물관에서 배데커(Bädeker) 여행 책자와 오페라 글라스를 든 관광객으로서의 뉴먼을 포착하는 데서 시작한다. 오직 여행 책자에 의지해 미술관을 관람하는 뉴먼의 모습은 구세계에서 이 새로운 미국인이 펼칠 행보를 상징적으로 보여준다. 그가 유럽 사회에 입문하는 경험의 방식은 이미 루브르에서 결정된 것이나 다름없다.

> 하지만 그는 쉽게 피로해지는 남자는 분명히 아니었다. 키가 크고, 말랐지만 근육질인 이 남자는 "강인함"이라고 일반적으로 알려진 일종의 활력과 같은 것을 보여주었다. 그러나 이 특별한 날 그의 활동[박물관을 방문한 일]은 이례적인 종류의 것이었고 고요히 루브르를 거니는 것보다 그가 종종 수행했던 육체적 위업이 그를 덜 지치게 했다. 그는 믿을 수 없을 만큼 미세한 활자가 박힌 배데커 책자 속에서 별표가 붙은 모든 그림을 둘러보았기 때문에, 주의력이 혹사당하고 눈이 현혹되어서, 마침내 심미적 두통으로 자리에 앉아버렸다. 더욱이 이 신사는 벽에 걸린 모든 그림뿐만 아니라, 깔끔하게 몸단장을 하고서 프랑스의 걸작 보급에 헌신하는 수많은 젊은 여성들의 손에 들린 복제 그림까지 보았다. 사실을 말

하자면, 그는 진품보다 복제품에 더 감탄했던 것이다.

And yet he was evidently not a man to whom fatigue was familar; long, lean, and muscular, he suggested the sort of vigour that is commonly known as "toughness." But his exertions on this particular day had been of an unwonted sort, and he had often performed great physical feats which left him less jaded than his tranquil stroll through the Louvre. He had looked out all the pictures to which an asterisk was affixed in those formidable pages of fine print in his Bädeker; his attention had been strained and his eyes dazzled, and he had sat down with an æsthetic headache. He had looked, more over, not only at all the pictures, but at all the copies that were going forward around them, in the hands of those innumerable young women in irreproachable toilets who devote themselves, in France, to the propagation of masterpieces; and if the truth must be told, he had often admired the copy much more than the original. (17)

위의 제임스의 묘사에는 누구나 식별할 수 있을 만한 뉴먼의 미국성이 부각된다. 그는 한눈에 알아볼 수 있는 전형적인 미국인이다. 서술자는 이 신체 건강한 남성의 개인적 특성을 "강인한 미국인의 전형", "미국인 타입" 혹은 "민족적 태생" 등으로 표현함으로써 미국인의 국민성과 연결시킨다 (18). 뉴먼은 사회적 배경이나 집안의 도움 없이 자수성가한 실업가로서, 미국인의 도전적인 정신과 자신감, 그리고 그 사회의 열린 가능성을 보여 주는 인물이다. 그러나 그는 계산 장부를 밤새워 정리하면서도 피로를 느끼지 않는 강인한 체력을 지녔지만, 루브르 박물관에서 느끼는 "심미적 두통"(an aesthetic headache, 17)이라는 정신적 피로감을 떨칠 수가 없다. 그가 라파엘(Rafael)과 띠찌아노(Titian)와 루벤스(Rubens)의 그림을 관찰하는 데는

"새로운 종류의 계산법"이 필요했는데, 이러한 사실은 그로 하여금 생애 처음으로 "모호한 자기 불신"을 느끼게 한다(17). 왜냐하면 뉴먼의 삶의 유일한 목표는 "돈을 버는 것"(32)이었고, 그에게 소설을 읽는 것보다는 계산장부의 산술이 더 능숙한 일이기 때문이다. 이렇게 힘겹게 박물관의 미술품을 관람하는 뉴먼의 모습은 문화적 경험에 익숙하지 않은 그의 상태를 보여주지만, 동시에 그러한 경험을 하고자 하는 그의 의욕을 보여준다. 그가 유럽 여행을 통해서 정신적 경험을 얻고자 하는 데에는 막연하게나마 미국의 물질주의적 세계관에 어떤 결핍이 있다고 느꼈기 때문이다.

뉴먼의 경험의 방식은, 그가 부적처럼 소지하는 배데커 여행 책자를 통해서만 유럽을 인식하려 한다는 점에서도 잘 드러난다. 관광지의 별표를 따라 유럽을 여행하는 모습은 피상적으로 유럽을 해석하는 그의 경험 방식을 강조한다(Meissner 53). 그의 취향에 대해서 코믹하고도 아이러니컬한 시각을 나타내는 화자에 의하면, 그는 훌륭한 건축물과 평범한 건축물을 구별하지 못해서 가끔 형편없는 유적을 멍하게 바라보는가 하면(68) 딱딱한 의자와 부드러운 의자도 능히 구별하지 못하고, 단지 다리를 뻗고 편히 쉬는 솜씨만 가졌을 뿐이다(77). 이러한 태도는 그의 미학적 취향이 조야하다는 사실뿐만 아니라, 나아가서 인식이 전반적으로 물질적 차원에 고착되어 있음을 보여준다. 특히 번번이 주머니에 손을 찔러 넣고 다리를 쭉 뻗고 느긋하게 의자에 기대어 앉아 있는 모습은 뉴먼을 식별할 수 있는 일종의 기호처럼 작용하는 자세이다. 이는 그의 자기 확신적 상태에 대한 비판적 아이러니로, 유럽 문화를 적극적으로 경험하고 향유하려 하지 않는 안일한 태도를 상징한다.

소설의 첫 장면에서 뉴먼이 루브르 박물관을 관람하는 모습 또한 그의 상업주의적 가치관을 여실히 보여준다. 그는 뮤리오(Murillo)의 성모 마리아(Madonna)을 모사하고 있는 노에미(Noémie Nioche)와 모조품의 가격을 흥정하고 있다. 이때 소설에서 뉴먼이 처음으로 하는 말은, 그가 유일하게 알고 있는 프랑스어 "Combien?"(얼마요? 19)이다. 이러한 직설적인 화법은 예법에 무지한 그의 상태를 보여줄 뿐만 아니라, 신부를 '구매하려는' 그의 물질주의에 만연된 태도를 암시적으로 보여준다. 그는 루브르에서 "심미적 두통"(17)을 느끼다가도 노에미의 조야한 복제품을 구입하여 만족해한다. 즉 그는 진품이 갖는 가치보다는 소유 가능의 여부를 중요시한다. 다짜고짜 가격부터 묻는 뉴먼의 첫 대사는 거래의 논리를 기반으로 한 그의 언어 습관을 보여주고, 무엇이든 당장이라도 구매하려는 그의 태도를 포함한다. 그는 훌륭한 아내감에 대해 은유적 표현을 할 때에도 "시장의 최상품"(44)이나 "1등급 아내"(77)이라는 거래 기반의 언어를 사용한다. "강한 의지와 선한 의도 그리고 충분한 현금"을 가졌다면 모든 것이 가능하다고 믿는 뉴먼의 특질은 분명히 문제적이다(Tuttleton, *The Novel* 64). 이는 그가 세계를 '얼마인가'의 문제로 한정하여 바라본다는 사실뿐만 아니라, 백만장자의 자기확신적 태도가 현실을 반추하여 인식의 지평을 넓히는 것을 저해한다는 점 역시 드러낸다.

『미국인』은 "문화를 구매하기 위해서 유럽으로 온 부유한 미국인에 대한 이야기"라고 할 수 있다(Powers *Henry* 45). 뉴먼은 미적 경험의 순간에도 과거의 상거래에 기반한 물질적 세계의 경험에서 벗어나지 못한다. 다시 말하면 그는 미술품의 감상이라는 감각적인 경험을 정서적 자기고양을 성취하기 위한 심미적인 경험으로 받아들이지 못한다. 우선 뉴먼은 유럽 문화의 가치를 전혀 이해하지 못한다. 그는 루브르의 명화보다는 차라리 복제품을 선호하는 "미성숙한 감식가"(18)이다. 즉 진품의 가치보다 물품으로서의 현금 가치와 소유 가능 여부를 더욱 중요하게 여긴다. 이러한 사실은 진품과 복제품을 구별하지 못하는 그의 조야한 문화적 안목에 대한 조소를 내포하면서, 동시에 물질적 세계의 경험에 철저히 갇혀 있는 그의 인식 상태를 시사한다. 그러나 미국의 적자생존의 상업 세계에서 겪은 그의 경험의 양상은 생존과 자본 축적이라는 '도구적인' 성격에 가까운 것이었다. 다시 말해 이처럼 제한된 시각으로 뉴먼이 유럽 문화와 삶이라는 새로운 '텍스트'를 폭넓게 해석할 수 있을지는 어려워 보인다.

아이러니컬하게도 백만장자가 된 뉴먼이 유럽으로 건너오게 된 표면적인 계기는, 미국의 물질주의적 가치관에 대한 염증에서 비롯된 것이다. 미국의 월스트리트에서 그는 사업파트너에게 치졸한 술수로 기만당해 엄청난 경제적 손실을 입게 되고, 이에 복수를 다짐했다가 이내 포기하고 홀연 유럽 여행을 시도한다.

> "[. . .] 아무튼 나는 정말로 기이하게 느끼면서 잠이나 몽상에서 갑자기 깨어났네 — 내가 하려고 했던 짓에 대한 지독한 혐오감이라고나 할까. 그 느낌은 이렇게 나를 엄습한 거야!" 그는 손가락으로 딱 소리를 냈다 — "묵은 상처가 아프기 시작하는 것처럼 갑작스럽게 말이네. 나는 그 의미를 정확히 설명할 수는 없었네. 단지 나는 그 모든 일이 혐오스러워서 거기서 손을 떼고 싶다고 느꼈을 따름일세. 육만 달러를 잃는다는 생각, 그 돈이 사라지게 내버려 두고 다시는 알고 싶지 않다는 생각이 세상에서 가장 달콤한 것처럼 느껴졌지. 그런데 이 모든 일은 내 의지와는 전혀 무관하게 일어나서 나는 마치 극장에서 상연 중인 연극인 듯 그것을 보고만 있었다네. . . ."

> "[. . .] At all events I woke up suddenly, from a sleep or from a kind of a reverie, with the most extraordinary feeling in the world — a mortal disgust for the thing I was going to do. It came upon me like that!" — and he snapped his fingers — "as abruptly as an old wound that begins to ache. I couldn't tell the meaning of it: I only felt that I loathed the whole business

and wanted to wash my hands of it. The idea of losing that sixty thousand dollars, of letting it utterly slide and scuttle and never hearing of it again, seemed the sweetest thing in the world. And all this took place quite independently of my will, and I sat watching it as if it were a play at theatre. . . ." (34)

뉴먼은 비즈니스 세계와의 결별을 다짐하고서, 묵은 피부를 벗고 "새로운 인간"이 된 듯했고 "새로운 세계"를 갈망하게 되었다(35). 그러나 이때 좋은 아이디어가 생각난 듯 손가락을 튕기는 그의 모습은 각성의 순간이라기보다, 변덕에 가까워 보인다. 그의 친구인 트리스트람(Mr. Tristram) 역시 뉴먼의 유럽여행을 화려한 휴가를 즐기려는 "왕자의 변덕"(caprice of the prince, 35)쯤으로 여긴다. 그의 여행은 유럽 귀족과 신흥 부르주아 자녀들의 교양 수업인 "그랑 투르"(Grand Tour)를 표방하지만, 실은 "기분 전환"(pastime)에 지나지 않는다는 것이다(68). 세커(Robert Secor)는 뉴먼이 "육만 달러가 미끄러지도록 내버려 두는 것", 즉 복수를 포기하는 것에 대해 신화적 영웅으로서의 자신감과 자기만족을 드러낸 것이라고 언급한다(144). 월러스(Ronald Wallace)도 복수를 포기하고 유럽에 온 뉴먼의 모습을 호사스러운 휴가를 즐기는 미국 사업가의 캐리커처에 불과하다고 평가한다(19).

하지만 뉴먼이 어린 시절부터 고된 노동으로 시작하여 엄청난 자본가가 되기까지의 역경을 고려한다면, 거액의 돈을 포기한 사건을 단순히 월스트리트에 대한 일시적 싫증이나 변덕 정도로 치부할 수만은 없다. 그러한 의미에서 그가 월스트리트를 떠난 일은 "도금시대의 다원적 상업 윤리"를 거부하고 경쟁자에 대한 복수를 단념했을 뿐 아니라 그가 몸담은 사업 자체를 포기한 획기적인 사건이다(Tuttleton, *The Novel* 62). 물론 무어(John

Robert Moore)가 뉴먼이 물질을 쫓는 삶의 무용성을 깨닫고 갑작스럽게 예술 세계로 "전향"한 점을 플롯 상의 결점으로 지적하듯(354), 이 결정에 대한 화자의 설명이 부족하기는 하다. 이 점에 대해 소설의 화자는 복수 포기의 동기에 대해서 명확하게 설명할 수 없었다고 하거나, "말에게 고삐를 줘버리고 제 길을 가도록 내버려 두었다"(35)라고 막연하게 진술한다. 이는 작가 제임스가 의도적으로 어떤 사건에 대해서 성찰이 부족한 뉴먼의 면모를 드러내고 있음을 시사한다. 또한 이 '말을 풀어주는 것'에 대한 비유는 불쾌한 것을 회피하고자 하는 뉴먼의 성향과도 관련이 깊고, 후에 벨가드 가문에 대한 복수를 포기하는 결말을 해명하는 데에도 중요한 열쇠가 된다.

자본의 힘에 기반한 강력한 자기 확신을 가진 뉴먼에게 유럽은 막대한 재력으로 구입할 수 있거나 향유할 수 있는 대상이다. 특히 그는 유럽을 자신의 사업 능력을 과시할 수 있는 일종의 시장판으로 파악하고 있다. 즉 엄청난 재력으로 유럽을 속속들이 보고 즐기며, 심지어 유럽의 문화를 구입할 수 있다는 자신감에 가득 차 있다.

> [. . .] 그는 자신이 유럽을 위해 만들어진 것이 아니라, 유럽이 자신을 위해 만들어진 것이라 믿었다. 그는 지성을 향상시키길 원한다고 말했으나, 만일 자신이 지적으로 거울을 들여다보고 있었다면 어느 정도의 당혹감, 심지어 왠지 모를 수치심을－당치 않은 수치심이겠지만－느꼈을 것이다. 이런 점에서도 다른 어떤 점에서도 뉴먼은 고상한 의무감은 느끼지 않았다. 그가 가진 최고의 확신은, 모름지기 인생이란 편안해야 하고 자신은 특권을 당연한 것으로 여길 수 있어야 한다는 것이었다. 그의 생각으로 세계는 하나의 거대한 시장이며, 어슬렁거리면서 멋진 것들을 구입하는 곳이었다. 그러나 그는 의무적인 구매 같은 것이 있음을 인정하지 않듯

이 개인적으로는 사회적 압력을 의식하지 않았다. 그는 불편한 생각들에 대해서는 단지 싫어할 뿐 아니라 도덕적으로 불신했고, 자신을 어떤 기준에 꿰맞추어야 한다는 것이 불편하고 조금은 경멸스러웠다.

[. . .] He believed that Europe was made for him, and not he for Europe. He had said that he wanted to improve his mind, but he would have felt a certain embarrassment, a certain shame, even—a false shame, possibly— if he had caught himself looking intellectually into the mirror. Neither in this nor in any other respect had Newman a high sense of responsibility; it was his prime conviction that a man's life should be easy, and that he should be able to resolve privilege into a matter of course. The world, to his sense, was a great bazaar, where one might stroll about and purchase handsome things; but he was no more conscious, individually, of social pressure than he admitted the existence of such a thing as an obligatory purchase. He had not only a dislike, but a sort of moral mistrust, of un-comfortable thoughts, and it was both uncomfortable and slightly con-temptible to feel obliged to square oneself with a standard. (66-67)

뉴먼의 유럽 여행은 명분상으로는 교양과 문화에 대한 갈증으로부터 시작되었다고 할 수 있다. 그러나 실제 유럽에서 그의 태도는, 오직 즐거운 것들만을 보고 경험하겠다는 쾌락주의적 성향과 세상이 자신을 위해서 존재한다는 자기중심적인 사고를 여실히 드러낸다. 또한 세계를 시장에 비유하는 뉴먼의 언어는, 상업주의에 물든 그의 가치관을 함축한다. 즉 그는 '새로운 인간'으로 거듭나지 못하고 여전히 기존의 물질주의적 가치관에서 벗어나지 못하고 있다. 사실상 그가 원하는 신세계의 구상에는 정신적 성숙이나 교양의 배양이 아니라 돈으로 얻을 수 있는 "최상의 기쁨"(35)

이 있을 뿐이다. 다시 말해 뉴먼은 유럽의 문화가 구매할 수 있는 물리적 대상이 아니라 오직 고통스러운 내적 경험을 통해서만 얻을 수 있다는 사실을 알지 못한다(Porter 213). 뿐만 아니라 그는 불편한 생각들을 회피하려고 하며, 사회적 압력이나 의무를 시장경제에서의 강제 구매와 같은 필요악으로 간주할 정도로 질서나 사회 규범 등을 거추장스럽게 느낀다.

무엇보다도 뉴먼의 언어 사용 습성은 그의 경험 내용, 나아가서 그의 신념 체계를 드러내 보여주기에 충분하다. 과거 뉴먼의 물질주의적 경험은 그의 언어에 반영되어 있고, 그 언어가 그의 가치관과도 맞물려있다고 볼 수 있다. 이를테면 그가 결혼하고 싶은 여성을 최상품이라 칭하는 언어도 그러하지만 세계에 대한 이해의 방식도 마찬가지이다. 예컨대 건축에 대한 조예를 묻는 발렌틴의 질문에 그는 470여 개의 교회를 둘러봤다는 '산술'로 답하는 식의 한계에서 벗어나지 못하고 있다(83). 이러한 사실은 작가 제임스의 유머와 아이러니를 담은 '일화' 정도로 보일 수도 있겠지만, 실제로 그것은 산술과 현금 가치에서 벗어나지 못하는 뉴먼의 세계관을 드러낸다.

III. 소유욕으로서의 경험

물론 뉴먼이 자본의 성취를 충만한 삶과 동일시할 정도로 물질주의적 가치관에 완전히 매몰되어 있는 인물은 아니다. 그 자신이 유럽으로 여행을 떠나온 계기가 되었던 사건 역시 월스트리트의 상업적 가치에서 벗어나고자 한 시도로 볼 수 있다. 또 뉴먼 자신도, 유럽의 수려한 세계가 "철도인과 주식 중개인에 의해 만들어진 것이 아님"을 깨닫기도 하는 등 물질주의적 세계관의 한계에 대해서 어렴풋이 인식하고 있다(75). 그래서 그가 문화적으로 성숙한 정신적 가치를 가진 여성과의 결혼을 꿈꾸는 것이다. 하지만 뉴먼의 클레어(Clare de Cintré)에 대한 감정에는 그 여성과의 정서적 교감이나 그녀와 함께 삶에 대한 성숙한 가치관을 공유하려는 의지가 담겨있지 않다.

뉴먼은 교양과 전통의 상징인 클레어를 아내로 소유함으로써 자신의 사회적 위신을 높이려고 의도하지만, 정작 그 인물의 이면에 있는 사회적·문화적 복잡성을 인식하지 못한다.[4] 클레어가 태어나고 자란 벨가드 가문은, 가세가 기울기는 했지만 유럽의 유서 깊은 전통과 권위를 자부하는 가문이다. 팔백 년 이상 지속되어온 가문의 역사에서 벨가드의 여성들에게 신흥귀족계급과의 결혼조차 허락된 적이 없을 정도로(103), 이들 가문은 계급에 대해 철저히 폐쇄적이다. 따라서 이들이 문화와 교양이 전무한 미국의 부르주아와 화합하기 어렵다는 사실은 애초부터 자명하다. 그럼에도 뉴먼은 "순진하고 기운차게 앞으로 나아가, 이 궁핍하고 쇠약한 세계를 응시하다 와락 덤벼든 위대한 서부의 야만인"(42)처럼 벨가드 가문으로 진입을 시도한다. 그러나 온통 무채색으로 묘사된 벨가드가 저택과 벽은, 그가 결코 넘을 수 없는 문화적·정신적 벽의 이미지로서의 "극적 은유"(Rourke 152)가 된다.

트리스트람 부인(Mrs. Tristram)에 의하면 클레어는 유럽의 관습에 따른 불행한 결혼으로 인해서 유폐된 여성으로 요약된다. 이러한 그녀의 설명은 뉴먼으로 하여금 클레어를 사악한 세력으로부터 구출해내는 기사의 역할을 떠맡도록 유도한다. 이 역할은 뉴먼의 '개척정신'을 자극하기도 하며 동시에 자기 확신에 빠져있는 그의 상태에 부합한다. 이에 대해 로우(John

---

[4] '빛'(light)이라는 뜻의 이름을 가진 클레어(Claire)는 결혼과 더불어 '아치 모양의 틀이나 굴레'의 의미를 가진 '상트레'(Cintré)라는 성과 백작 부인의 작위를 획득한다. 제임스가 지은 이 여성 인물의 이름은 상징적으로 그녀의 운명과 더불어 뉴먼의 운명을 예고한다.

Carlos Rowe)는 뉴먼의 '클레어 구하기'를 "후견주의"(paternalism)와 관련하여 설명한다("The Politics" 90). 자유와 평등의 이념을 실현한 미국 출신 뉴먼은 유럽의 봉건적 계급사회를 기형적이고 암울한 것으로 판단하기 때문에, 신세계에 의해 유럽이 변화되어야 하고 자신의 빛으로 어둠의 세계를 밝혀야 한다고 믿는다는 것이다.

　뉴먼이 클레어를 바라보는 시선은 소설 초반에서 그가 루브르 박물관의 그림을 바라보는 시선과 흡사하다. 그는 루브르에 걸려 있는 뮤리오의 성화와 같은 예술적·정신적 가치를 가지는 이상으로서의 아내감을 찾고 있었는데, 그녀야말로 그 "가치의 영역"(Porter 103)에 부합하는 것이다. 뉴먼에게 클레어는 "선과 미와 지성과 훌륭한 교육과 우아한 미"뿐만 아니라 "귀족 태생"이라는 신분까지 갖춘 여성이다(106). 그러한 면에서 그녀와의 결혼은 그에게 "꿈의 실현"이라고 할 수 있다(106). 말하자면 뉴먼은 그녀를 "세상과 접촉하여 마모된 수줍은 인간의 향기", "피아니스트의 정교한 터치", "정교한 혼성체", "찬미의 대상"과 같은 세련된 문화에 대한 피상적인 관념으로 파악한다(110). 하지만 클레어의 오빠 발렌틴(Valentine de Bellegarde)이 전하는, "소설의 한 장(chapter)이 될 만한"(102) 클레어의 결혼 이야기는 사뭇 다르다.

　"[. . .] 그녀는 열여덟 살 때 전도가 양양할 것 같은 결혼을 했지만, 그 결혼은 연기와 악취만 잔뜩 남긴 채 금방 꺼져버린 램프처럼 돼버렸다오. 상트레 씨는 예순 살이나 되는 혐오스러운 늙은이였소. 하지만 다행히도 그 사람은 얼마 살지 못했지만, 집안 사람들이 그가 남긴 돈을 탐내고 미망인에게 소송을 제기하면서 밀어붙였지요. . . . 어머니와 형님은 자기들 누이의 권리라고 간주한 몫을 누이가 고수하기를 바랐어요. 그러나 누이는 완강히 반발했고, 그러다 마침내 자유를 얻었죠. 단지 한 가지 약속을 걸고 재판을 포기하는 데 어머니의 동의를 얻어냈지만."

"그 약속이란 건 뭐였소?"

"앞으로 10년 동안 자신에게 요구되는 일이면 뭐든 한다는 것이었소. 결혼만 제외하고 말이오."

"[. . .] She made, at eighteen, a marriage that was expected to be brilliant, but that turned out like a lamp that goes out; all smoke and bad smell. M. de Cintrè was sixty years old, and an odious old gentleman. He lived, however, but a short time, and after his death his family pounced upon his money brought a lawsuit against his widow, and pushed things very hard. . . . My mother and my brother wished her to cleave to what they regarded as her rights. But she resisted firmly, and at last bought her freedom—obtained my mother's assent to dropping the suit at the price of a promise."

"What was the promise?"

"To do anything else, for the next ten years, that was asked of her—anything, that is, but marry." (102)

클레어는 충분한 지참금이 없었기 때문에 마땅한 결혼 상대자를 구하기 어려웠고 그 지참금을 면제해 줄 수 있는 늙은 백작에게 헐값으로 팔려간 것이나 다름없었다. 때문에 뉴먼이 그녀를 유럽적 인습에 갇혀버린 가련한 여성으로 여길 만도 할 것이다. 그런가 하면 클레어가 남편의 유산을 둘러싼 소송을 포기한 사건은, 뉴먼에게 그녀의 '귀족적'인 면모를 재확인시켜주는 사건이기도 하다. 그의 입장에서는 유산을 포기한 클레어가 자칫 수동적이고 무력한 희생자로 비칠 수 있다. 그러나 다른 시각으로 보면 클레어의 '포기'는, 강제 결혼을 거부하고 '최소한의' 자유를 얻기 위한 적극적인 의지 표명으로서의 행동으로 볼 수도 있다.

자기 확신에 찬 뉴먼은 클레어를 고양된 유럽 문화의 상징으로 본다. 다른 한편으로는 그녀를 그의 유아적인 환상을 실현시켜줄 마법에 갇힌 공주로 해석하기도 한다. 그러나 클레어가 마녀로부터 벗어나 해피엔딩을 맞이하는 공주가 될지의 문제는, 그녀가 조카에게 동화를 읽어주는 장면에서 이미 예견된다. 클레어는 동화 속 공주와 달리 자기 자신은 훌륭한 보상이 기다린다고 하더라도 공주의 고통을 감내할 수 없을 것이라 말한다. 즉 그녀는 자신의 성향과 기질 그리고 가문의 폐쇄적 관습을 인식하고 있다. 반면에 뉴먼은 맹목적으로 클레어라는 '보물'을 얻어내는 데에만 몰두하고 있다. 그렇기 때문에 저녁 만찬에서 예법과 매너로 한껏 포장한 벨가드 가족들의 화법을 이해할 수 없고, 그에게 그들의 미묘한 분위기는 난해하기만 하다. 그럼에도 뉴먼은 클레어의 의중이나 벨가드가의 사람들이 자신을 어떻게 생각하는지에 대해서는 아무런 관심이 없고, 오직 그녀를 곧 차지할 수 있다는 만족감에 고무되어 있다. 말하자면 그는 클레어를 고정된 최종 목적으로 설정하여 수동적이고 소유 가능한 것으로 환원함으로써 사유와 인식이라는 능동적인 과정을 단순한 도구로 만들고 만다.

뉴먼이 숭배의 대상으로 여기는 클레어에 대한 이미지는, 여타의 인물들이 진술하는 그녀에 대한 인상과 큰 간극이 있다. 트리스트람은 그녀를 "커다랗고 흰 인형 같은 여자"(48)같다고 신랄하게 평하며, 그의 부인은 데스데모나(Desdemona)와 버금가는 "엄청나게 미묘한 파리인"(117)이라고 말한다. 또한 어베인(Urbane de Bellegarde)의 부인은 그녀를 매우 오만하고(86) 동화 속의 공주처럼 까다롭다고 평가한다(190). 각각의 상황과 인물들의 아이러니컬한 어조를 감안하더라도, 이러한 진술들이 클레어의 '진면목'과 완전히 비켜나지 않는다는 것은 분명하다. 발렌틴이 누이 클레어를 칭송하면서 그녀를 "독수리와 비둘기의 혼성체"(100)라고 평가하듯, 그녀는 비둘기처럼 연약하게 보이지만 독수리처럼 강인한 면이 있다. 이를테면 그녀는, 과거 백작의 친지들과의 소송을 포기한 사건에서 잘 드러나듯이, 자존심과 명예를 중요시하는 강인한 면모를 보여주기도 했다. 하지만 자기본위적으로만 사태를 해석하는 뉴먼은 클레어를 겸손하고 수동적인 여성으로 파악한다.

클레어가 뉴먼을 '포기'할 수 있었던 가장 큰 이유는, 그녀가 유럽의 전통에 얽매인 인물이라는 것이다. 뉴먼의 인식이 상업주의적 경험에 폐쇄되어 있는 정도에 못지않게, 그녀의 인식 역시 파리의 사회적 인습에 갇혀 있다. 따라서 뉴먼이 받은 충격은 벨가드 가문에 의해서 거부당한 것에서 온 것이 아니라, 클레어가 자신을 포기했다는 사실, 즉 그녀 역시 그 가문과 유럽의 전통과 관습을 내재화하고 있다는 사실 때문이다. 뿐만 아니라 클레어는 "무력하고 무구한 줄리엣"이 아니라, "대단원을 좌우하고 그녀의 강력한 가문을 무력하게" 만드는 인물이기도 하다(Tuttleton, "Rereading" 110). 말하자면 뉴먼과의 결혼을 포기한 그녀의 결정은, 어머니 벨가드 부인이 다시는 자신을 판매할 수 없도록 만드는 결연한 선택이기도 하다(Porter 110).

뉴먼의 안일하고도 쾌락적인 태도에 대해서 젊은 유니테리언 목사 뱁콕(Mr. Babcock)은 "도덕적 반응이 결여"되었다고 비판한다(69). 뱁콕이 보기에 뉴먼은 "굳어지기에는 너무 느슨한 인성 조직"을 가지고 있기 때문에, "체로 물을 담을 수 없는 것과 마찬가지로 뉴먼의 정신은 원칙을 고수할 수 없었다"(70). 뉴먼은 유럽의 모든 것을 물질적 소유와 향유를 위한 대상으로 볼 뿐이며, 따라서 사태를 반성적으로 재해석할 수 있는 인식의 유연성을 충분히 갖지 못했다. 그는 경제력이라는 '외관'에 치중한 나머지 지나치게 확신에 차서 "상상력을 결여한 사람"(Stowe 39)인데, 이는 소설의 서술자도 뉴먼의 결점으로 꼽고 있는 사실이다.

반면에 뱁콕은 정교한 미적 감각과 심미안을 가지고 있기는 하지만, 문화적 인식은 청교도의 금욕주의적 가치관 안에 갇혀 있다. 뉴먼이 프랭클린(Benjamin Franklin)과 같은 미국의 사업가 상을 대표한다면, 뱁콕은 미국인의 정신을 주도적으로 이끌어온 청교주의의 얼굴이라 할 수 있다. 특히 뱁콕은 뉴잉글랜드의 교회 신도들이 모은 성금으로 성지 순례를 목적으로 유럽 여행을 하고 있는 처지인지라 항상 그 교회와 목사로서의 의무를 의식하고 있다. 그렇기 때문에 유럽 문화를 향유하기를 은근히 열망하면서도 뉴잉글랜드의 도덕과 의무에 대한 압박감으로 인해 그 열망을 억제해야 하는 처지에 있다. 즉 이 목사는 아름다움에 대해서도 자연스럽게 반응할 수 없고, 감성의 영역도 이성으로 제어하고 억압하려고 한다. 그리하여 뱁콕은 뉴먼의 안이할 정도로 자유로운 사고방식을 견딜 수 없어 하고, 급기야 뉴먼과 더 이상 함께 여행을 할 수 없음을 통보한다(72-73). 그런데 이에 대해 뉴먼은 뱁콕의 심리 상태를 전혀 이해하지 못할 뿐만 아니라 이해하려는 시도조차도 하지 않는다. 그는 인생을 진지하게 생각하라는 메시지를 담은 뱁콕의 편지를 받았을 때에도 잠시 우울해할 뿐 그 충고를 전혀 심각하게 받아들이지 않는다. 대신에 그는 뱁콕에게 골동품 가게에서 산 16세기에 만들어진 작은 상아 조각을 아무런 내용 없이 보낸다.

[. . .] 그것은 해진 가운과 두건을 걸치고, 두 손을 모은 채 무릎을 꿇고 이상스럽게 우울한 표정을 한 수척한 고행자처럼 보이는 수도승을 묘사한 상이었다. 그것은 놀라울 정도로 섬세한 조각품이었는데, 찢어진 옷옷 사이에서 수도승의 허리춤에 매달린 살찐 수탉의 모습이 드러났다. [이 같은 뉴먼의 눈에는 이 조각상은 뭘 상징했을까? 그 수도승[조각이 처음에 그렇게 보인 것처럼 그[뱁콕] 역시 고결한 척하려 한다는 것을 의

미했을까? 아니면 좀 더 면밀히 살펴보면 그[뱁콕]가 그 수도사와 다름없음이 드러나는 것을 두려워했다는 것을 의미했을까?

[. . .] It represented a gaunt, ascetic-looking monk, in a tattered gown and cowl, kneeling with clasped hands and pulling a portentously long face. It was a wonderfully delicate piece of carving, and in a moment, through one of the rents of his gown, you espied a fat capon hung round the monk's waist. In Newman's intention what did the figure symbolise? Did it mean that he was going to try to be as "high-toned" as the monk looked at first, but that he feared he should succeed no better than the friar, on a closer inspection, proved to have done? (73)

위의 수도승 조각은 예술과 인생에 대해 지나치게 진지한 뱁콕의 경직된 도덕적 태도를 상징하는 것처럼 보인다. 뉴먼이 뱁콕에게 이 조각상을 보낸 것에 대해서 서술자는, "뉴먼이 뱁콕의 금욕주의를 풍자하는 일은 실로 냉소적인 공격이 될지 모르기 때문에 그는 그런 생각을 품지 않았다"(73)고 아이러니컬하게 부언한다. 하지만 사실상 살찐 닭다리를 허리춤에 찬 수도승의 모습을 한 조각상은 분명 뱁콕에게 '풍자'가 될 만하다. 다시 말해서 뉴먼은 신념에 과도하게 집착하는 뱁콕의 뉴잉글랜드적 사고를 조롱하며, 절제를 강조하는 그 세계관의 이면에는 억누를 수 없는 동물적 욕망이 있다고 공격한 것이다.

뱁콕에게서 도덕적 반응이 결핍되었다는 평가를 받은 뉴먼은 아이러니컬하게도 영국인 여행객으로부터는 지나치게 도덕적이라는 비판을 받는다. 이렇듯 서술자는 뉴먼에 대해서 비판적 거리를 취하는가 싶다가도 다시금 그의 선한 본성이나 도덕성을 옹호한다. 또 서술자가 강조하는 뉴면의 도덕적 특성은, 뉴먼이 이 두 사람의 비판에 대해서 관대한 태도를 유지하려 노력한다는 것이다. 부정적인 평가를 관대하게 넘기려는 뉴먼의 면모는 그의 선량한 천성과 정비례하기도 한다(Rowe, "A Phantom" 56). 이는 무엇보다도 불쾌한 일에 대해서는 오래 생각하지 않고, 누군가를 미워하거나 원망하지도 않는 그의 '선량한' 기질과 관련이 깊다. 다만 문제를 제기할 수 있다면 뉴먼이 뱁콕과 영국인의 평가에 대해서 전혀 신경을 쓰지 않는다는 것이다. 뉴먼은 이들의 대극적인 평가가 너무도 상반된 의견이어서 복잡하기 때문에 생각하고 싶어 하지 않다고 말한다. 이러한 상황에 대해서 성찰하지 않는 그의 모습은 인식 성장을 이끌어줄 기반을 갖지 못하고 있다는 사실을 방증한다. 서술자 역시 뉴먼의 삶에 대한 태도에 "도덕적 성찰"이 부족하다는 논평을 덧붙임으로써 그의 인식적 한계를 독자에게 직접 언급한다(75). 뉴먼은 시종일관 "나 자신은 싫어할 만한 사람이 아니라고 믿는다"(159)는 자기 확신을 강력하게 유지한다. 따라서 자신의 행위에 대해서 반성적 사고를 하지 못한다. 그는 자신에 대해서 다각도로 성찰하고 있지 않은데, 이렇게 지각하지 않거나 인식하기를 회피하는 모습은 복합적인 삶의 실체를 경험하기에는 역부족인 그의 한계를 드러낸다.

결과적으로 보면 뉴먼의 파혼은 벨가드 가문의 사악함 못지않게 그의 조야한 예법이나 사회적 상황에 대한 무지에서 기인한 것이기도 하다(Rowe, "The Politics" 79-80). 그에게 있어서 언어는 단순하고 직설적인 의사소통을 위한 도구일 뿐이기 때문에 벨가드가의 우회적이거나 암시하는 듯한 말이나 제스쳐를 이해할 수 없다(Stowe 40). 물론 그가 희미하게나마 자신이 벨가드가에서 환대받지 못하는 존재라는 현실적 지각을 하기는 한다. 그러나 조만간 클레어를 차지할 수 있다는 확신이 그 자각을 압도해 버린다. 사태를 지나치게 낙관적으로 바라보는 뉴먼의 성향이 그의 성찰을 가로막은 것인데, 말하자면 그의 낙관주의가 통찰과 개선을 위한 지적인 노력을 마비시킨 것이다.

뉴먼의 확신에 가까운 자기 신뢰는 그의 단순한 사고방식과도 연결된다. 그는 자신이 선량한 사람이라는 믿음을 깨뜨리고 싶지 않기 때문에 자신의 행위와 그로 인해 야기된 정황에 대해 성찰하지 않는다. 오히려 뉴먼은 자신과 클레어가 무고한 피해자이고, 벨가드의 노부인과 어베인이 사악한 가해자라는 이분법적 시각을 고수한다(Secor 145). 뉴먼은 파혼을 타인의 악의로 인해 생긴 일로, 그리고 자기 자신을 그 사건의 희생자로 여기고 있다. 그는 자신을 선량한 사람으로 여김으로써 불편한 상황을 다른 사람에게 전가하려 한다. 그런가 하면 뉴먼은 결혼을 반대하는 벨가드 부인과 어베인을 악한으로 규정하고 있다가도, 결혼이라는 목표 달성을 위해서는 "단지 스스로를 위해, 그들이 우선 좋은 친구들이라고 여기는 상상력을 발휘할 수 있었다"(152). 그의 상상력은 오직 목표로 삼은 대상을 획득하기 위해 도구적으로 기능하며, 상황을 전체적으로 조망할 수 없을 뿐아니라 자기 성찰에도 기여하지 못한다. 그는 선과 악이라는 단편적인 윤리를 자신에게 유리하게 적용시키는 경직된 사고를 가졌을 따름이다. 이런 의미에서 그의 사고방식은 도덕적이기보다 실리적이다. 결국 뉴먼은 상황에 대한 다양한 구조화를 시도하거나 자신과 세계와의 관계에 대해 다각적인 성찰을 하지 못한다.

뉴먼은 자신과 벨가드 가문의 대립의 결과로 겪게 된 쓰라린 패배로부터도 자기성찰을 이끌어 내지 못한다. 심지어 그는 클레어의 상황이나 감정에 대해서 깊이 공감하지 못하며, 그의 감정에는 사랑하는 대상을 상실한 정신적 고통의 흔적이 거의 없다. 뉴먼은 자신이 클레어에게 거절당했다는 사실에 당혹스러워하며, 그녀의 초라한 모습에서 자기 자신이 당한 '심판'의 불합리함을 발견할 뿐이다. 심지어 그는 그녀의 우아하고 귀족적인 외모가 초라한 수녀복에 가려져 그 가치를 잃는다는 점을 더 안타까워한다(244). 뉴먼은 오랜 시간과 자본을 투자한 상품이 그 소장 가치를 잃었다는 데 분개하는 것이다(Wallace 21). 결국 유럽의 정신을 구한다고 표명하면서도 결국은 일종의 상품을 구입하는 교환 경제 논리에서 크게 벗어나지 못했다. 이는 뉴먼이 타인의 감정과 사태의 본질을 이해하는 데 필요한 도덕적 감수성을 결여하고 있기 때문인데, 이러한 모습이 바로 그의 인식적 한계의 징후이다.

무엇보다도 뉴먼의 상상력 결핍은 그의 중대한 결점이다. 상상력은 더이상 주관적인 미학적 경험이라는 국한된 영역으로 추방되지 않는다. 도덕적 개념들, 상황의 구조화, 또 무엇을 할 것인지에 대한 추론 등의 인간의 인지가 대부분 상상적 특성을 가지며, 이러한 사실은 도덕적 상상력을 함양해야 한다는 책무를 요구한다(존슨 425). 그런데 뉴먼은 파혼을 둘러싼 문제 역시 계약이나 일종의 거래 방식으로 여기는 과거의 경험의 틀에서 벗어나지 못하며, 따라서 벨가드 가문을 계약을 일방적으로 파기하고 물품을 양도하지 않은 거래자로 간주한다. 이를테면 유서를 확보한 뉴먼은 "내게서 빼앗아 갔던 원래 모습대로 상트레 부인을 돌려주시오"(288)라고 요구하며 벨가드가와 협상을 시도한다. 노부인이 뉴먼을 "물건을 파는 행상인"(282) 같다고 말하는 것처럼, 그는 유서와 클레어를 맞교환하려 하는 거래 방식의 행동에서 벗어나지 못한다.

뉴먼은 파혼의 사유가 된 '상업적'이라는 자신에 대한 평가에 대해 진지하게 생각해 보기도 한다. 하지만 상업적이라는 단어에 집착할 뿐 그 말이 갖는 종합적인 함의를 깨닫지 못한다. 즉 자신이 상업적이라는 비난을 받을지라도, 부도덕하지는 않기 때문에 그러한 비난에 대해 더 이상 숙고할 필요가 없다고 합리화하고 만다. 그는 선과 악이라는 단순한 잣대로 세계를 재단할 뿐만 아니라 자신에 대한 부정적인 평가를 의도적으로 외면

한다. 급기야 그는 자신이 물질적으로 풍족하며, "작은 사업가가 아니라 큰 사업가라는 사실"(302)을 위안으로 삼아서 '긍정적으로' 자기 확신을 회복한다.

IV. 뉴먼의 복수 포기와 인식적 한계

소설의 후반부에서 뉴먼이 고통스러운 경험을 통해 몇 차례 자기 성찰의 기회를 갖게 되기는 한다. 특히 복수를 실행할 것인가 포기할 것인가에 대해 갈등하는 장면에서 그 고뇌의 흔적은 깊어 보인다. 월스트리트에서 비즈니스 파트너를 상대로 한 그의 첫 번째 복수의 포기가 가볍게 묘사되어 있는 반면, 벨가드 가문에 대한 복수 포기는 상대적으로 심도 있게 다루어져 있다. 후자의 경우에서도 보복을 단념하게 되는 뉴먼의 내면 변화는 그 자신이 복수라는 행위의 무용성을 인식하는 데서 기인한다. 뉴먼은 벨가드 가문이 그의 협상을 받아들이지 않자, 일전에 약혼 파티에서 안면을 튼 공작부인을 찾아간다. 지금껏 뉴먼은 가문의 비밀을 폭로하여 벨가드가를 파리의 상류사회에서 고립시킴과 동시에 클레어를 되찾을 수 있다고 안일하게 생각했다. 그러나 공작부인과의 만남으로 인해 그는 귀족 사회의 강력한 연대 의식을 감지하며, 이 사건은 뉴먼으로 하여금 그들에 대한 복수를 단념하게 하는 결정적인 계기가 된다.

[. . .] 하지만 그는 아무 말도 하지 않았고 마침내 그의 생각이 흔들리기 시작했다. 뭔가 어리석다는 갑작스러운 생각이 그를 엄습했다. 도대체 그는 공작부인에게 결국 무슨 말을 해야 된단 말인가? 벨가드 집안은 반역자인 데다가 노부인이 살인자라는 사실을 이야기한들 무슨 소용이 있

겠는가? 뉴먼은 도덕적으로 일종의 공중제비를 한 것처럼 보였고, 결과적으로 모든 것들이 다르게 보이는 것 같았다. 그는 [복수에 대한] 의지가 굳어지고 재빨리 신중함을 되찾았다고 느꼈다. 공작부인이 그를 도와줄 수 있고, 그녀로 하여금 벨가드가를 나쁘게 여기도록 하는 것이 위안이 된다는 생각에 미쳤을 때 도대체 그는 어떤 생각을 해왔던 것인가? 그녀가 벨가드가에 대해 갖는 견해가 그에게 무슨 의미가 있겠는가?

[. . .] But he said nothing at all, and at last his thoughts began to wander. A singular feeling came over him—a sudden sense of the folly of his errand. What under the sun had he to say to the duchess, after all? Wherein would it profit him to tell her that the Bellegardes were traitors and that the old lady, into the bargain, was a murderess? He seemed morally to have turned a sort of somersault, and to find things looking differently in consequence. He felt a sudden stiffening of his will and quickening of his reserve. What in the world had he been thinking of when he fancied the duchess could help him, and that it would conduce to his comfort to make her think ill of the Bellegaredes? What did her opinion of the Bellegardes matter to him? (291)

그는 공작부인이 벨가드가에 대한 화제를 의식적으로 회피하는 미묘한 처신을 감지하며, 그녀와의 대화를 통해서 어렴풋이나마 귀족 사회의 결속력과 폐쇄성을 확인한다. 나아가 그는 벨가드 노부인의 비밀을 폭로한다고 하더라도 달라질 것이 없음을 자각하며 복수의 무용함을 깨닫는다. 마침내 그는 벨가드가에 위해를 가하는 행동을 하려 했던 자신의 의지를 의식적으로 접었으며, 스스로 그 행동을 도덕적인 선택이었다고 확신한다. 그러나 복수를 단념하는 뉴먼의 선택은, 깊은 자기 성찰에 의한 것이 아니라 현실적 손익 판단에 기반한 것이다. 요컨대 뉴먼은 귀족 사회의 결속력과 유럽 사회의 인습의 벽을 체득한 후에 복수가 무의미하다는 판단을 하게 된다. 즉 그는 자신이 비밀을 폭로한다 해도 클레어가 돌아오지 않을 뿐만 아니라 어떠한 이익도 가져다주지 않을 것이라는 실질적인 판단을 한 것이다. 서술자가 뉴먼의 복수 포기를 "도덕적 공중제비"(291)라고 표현한 점 역시 이 사실을 반증한다. 공중제비로 축약되는 그의 갑작스러운 태도 변화는 그의 인식의 변화가 깊은 성찰에 의한 것이 아님을 의미한다.

뉴먼의 벨가드가에 대한 복수 포기는 제임스 소설의 전형적인 결말로 보이는 대목이다. 그러나 이 결정은 도덕적 관용이나 깊이 있는 성찰보다는 단순한 도덕적 원칙에 대한 의지에 의한 것이다. 작가 자신도 뉴먼의 복수 포기를 혐오감에 가득 차 벨가드가를 놓아준 것일 뿐 용서라고 볼 수 없다고 말한다(The Art 22). 제임스는 뉴먼의 마지막 선택을 불쾌한 것을 혐오하는 성향과 관련시킨다. 즉 그의 복수 포기는 "도덕적 편의"(moral convenience)나 "도덕적 필요"(moral necessity)에 기반한 선택이라는 것이다(The Art 22). 다시 말해서 뉴먼이 삶의 불쾌한 요소들을 인정하지 않으려 했던 것처럼, 그는 자기 자신의 내면에서 일어나는 복수 의지와 같은 부정적인 감정들을 억누르고 있다(Rowe, "The Politics" 91). 즉 유쾌하지 않은 일에 대해서 생각하지도 연루되고 싶지도 않은 그의 성향이 마침내 부도덕한 일을 행하지 않으려는 선택에 영향을 미친 것이다.

소설의 마지막 페이지에서 뉴먼이 트리스트람 부인과 나누는 대화는, 그의 인식 성장이나 도덕적 성숙을 오히려 의심스럽게 만든다. 의도적으로 뉴먼을 자극하는 그녀의 말에 따르면, 벨가드가는 그가 결국 복수를 할 수 있는 인물이 아니라는 판단을 내렸다는 것이다.

[. . .] "당신이 그들을 그렇게까지 불안하게 만들지 못했다고 내가 말하더라도 괜찮겠죠. 제가 받은 인상에 의하면 그들이, 당신이 말한 대로, 당신을 거부한 것은 결국 당신이 실제로 사태를 파악하지 못했다고 믿었기 때문이에요. 그들은 서로 논의한 끝에 자신감을 갖게 된 셈인데요. 그 자신감은, 그들의 결백함에도, 엄포를 놓는 재능에 있지도 않았죠. 그건 놀랄 만큼 선량한 당신의 성격에 있었어요. 당신도 그들이 옳다는 걸 알겠지요."

뉴먼은 본능적으로 그 작은 종이가 실제로 타버렸는지 보려고 몸을 돌렸지만, 아무것도 남아있지 않았다.

[. . .] "I suppose there is no harm in saying that you probably did not make them so very uncomfortable. My impression would be that since, as you say, they defied you, it was because they believed that, after all, you would never really come to the point. Their confidence, after counsel taken of each other, was not in their innocence, nor in their talent for bluffing things off; it was in your remarkable good nature! You see they were right."

Newman instinctively turned to see if the little paper was in fact consumed; but there was nothing left of it. (309)

트리스트람 부인의 설명은 마지막까지 뉴먼을 기만한 벨가드가의 이중성을 여실히 드러낸다. 동시에 그녀의 말은 뉴먼이 쪽지가 다 타버렸는지 돌아보게 하는 자극이 되며, 종국에는 아이러니컬하게도 그의 복수 포기에 대한 도덕적 의미를 반감시킨다. 다시 말해 뉴먼이 다 타버린 쪽지를 "본능적으로"(309) 돌아보는 이 마지막 장면은, '제임스적인' 열린 결말과 구분된다. 이 모호한 결말은 독자로 하여금 그의 도덕적 선택에 대해서 재고하도록 한다. 작가 제임스가 일관되게 아이러니컬한 어조로 뉴먼의 선량함이나 착한 본성을 강조하고 있는데, 이러한 사실은 오히려 독자로 하여금 그의 인식의 한계에 대해 성찰하도록 하는 효과를 낸다. 뉴먼의 마지막 선택은 개선과 진보로 나아가는 인식 성장의 차원에서 파악할 수 있는 것이 아니라 고정된 목적에 집착한 결과로 볼 수 있다. 나아가 그가 사태의 본질을 이해하는 데 필요한 도덕적 감수성이 결여하고 있다는 사실은, 인식적 성장의 한계로 지적되어야 할 것이다.

헨리 제임스의 『미국인』은 상업 윤리를 내면화한 자본가의 가치관이 유럽 문화 속에서 검증받는 과정을 재현한다. 이 작품의 기본 구도는 단순하게 사고하는 미국인이 복합적인 유럽 세계의 귀족들에게 부당한 대우를 당하지만 그들에게 복수하지 않음으로써 도덕적 승리를 거두는 것이다. 그러한 관점에서 보면 순수한 미국인과 타락한 유럽인이라는 구도가 명백히 드러나며, 뉴먼은 유럽의 귀족보다 도덕적으로 우월하다고 할 수 있다. 그런데 뉴먼의 인식 성장의 가능성은, 자신이 이룬 물질적 자본으로 유럽의 문화를 구매할 수 없다는 사실, 즉 그의 자기 확신과 물질주의적 가치관이 유럽에서 통용되지 못한다는 현실 인식에 이르게 된다는 정도에 국한된다. 특히 경험을 반추하는 면에서 뉴먼은 자신에 대한 부정적인 평가를 회피하려 하고 자신에게 닥친 상황을 피상적으로 낙관하기 때문에 그의 자기 성찰은 깊이와 폭을 얻지 못한다.

인용문헌

마크 존슨. 『도덕적 상상력: 체험주의 윤리학의 새로운 도전』. 노양진 옮김. 파주: 서광사, 2008.

조철원. 「『미국인』에 나타난 극적 요소와 한계 지워진 뉴먼의 역할」. 『근대영미소설』 13.1 (2006): 259-77.

Anderson, Charles R. *Person, Place, and Thing in Henry James's Novels*. Durham, North Carolina: Duke UP, 1977.

Banta, Martha. "Henry James and the New Woman." *A Historical Guide to Henry James*. Ed. John Carlos Rowe and Eric Haralson. Oxford: Oxford UP, 2012.

Brooks, Peter. "The Turn of the American." *New Essays on The American*. Ed. Banta Martha. New York: Cambridge UP, 1987.

Dupee, F. W. Ed. *The Question of Henry James: A Collection of Critical Essays*. New York: Octagon Books, 1973.

_____. *Henry James: The American Men of Letters Series*. New York: William Morrow & Company, Inc, 1974.

Edel, Leon. *The Conquest of London*. New York: Avon Books, 1978.

_____. Ed. *The Life of Henry James*. Vol. 1-2. Hamondsworth: Penguin Books, 1993.

Fiedler, Leslie. *Love and Death in the American Novel*. New York: Dell Publishing Co., 1966.

James, Henry. *The American*. Ed. James W. Tuttleton. New York: W. W. Norton & Company, 1978.

_____. *The Art of The Novel*. Boston: Northeastern UP, 1984.

Leavis, F. R. *The Great Tradition: George Eliot, Henry James, Joseph Conrad*. Middlesex: Penguin Books, 1974.

Meissner, Collin. *Henry James And The Language of Experience*. Cambridge: Cambridge UP. 1999.

Moore, John Robert. "An Imperfection in the Art of Henry James." *Nineteenth-Century Fiction* 13.4 (1959): 351-56.

Poirier, Richard. *The Comic Sense of Henry James*. London: Chatto & Windus,

1960.

Porter, Carolyn. "Gender and Value in The American." *New Essays on The American*. Ed. Banta Martha. New York: Cambridge UP, 1987. 99-130.

Powers Lyall H. *Henry James: An Introduction and Interpretation*. New York: Holt, Reinhart and Winston, Inc., 1970.

Rourke, Constance. "The American." *The Question of Henry James*. Ed. F. W. Dupee. New York: Octagon Books, 1973.

Rowe, John Carlos. "A Phantom of the Opera: Christopher Newman's Unconsciousness in *The American*." *The Other Henry James*. Durham and London: Duke UP, 1998.

_____. "The Politics of Innocence in Henry James's The American." *New Essays on The American*. Ed. Banta Martha. New York: Cambridge UP, 1987.

Secor, Robert. "Christopher Newman: How innocent is James's *American?*" *Studies in American Fiction*. 1973.

Stowe, William W. *Balzac, James, and The Realistic Novel*. Princeton: Princeton UP, 1983.

Tuttleton, James W. "Rereading *The American*: A Century Since." *The Henry James Review*. 1980.

_____. *The Novel of Manners in America*. Chapel Hill: U of North Carolina P, 1972.

Wallace, Ronald. *Henry James and the Comic Form*. Michigan: U of Michigan, 1975.

※ 이 글은 「헨리 제임스의 『미국인』: 뉴먼의 자기확신과 인식적 한계」, 『미국소설』 23.1 (2016): 31–58쪽에서 수정·보완함.

제3장

『워싱턴 스퀘어』: 가족 유사성의 아이러니

● ● ● 박지민

I. 탄생의 비극성

『미국인』에 이어 『유럽인들』(*The Europeans*)을 연재할 즈음, 헨리 제임스는 『데이지 밀러』(*Daisy Miller*)라는 매력적이고도 비극적인 미국 신여성의 이야기로 대중적인 성공을 거둔다. 이후 발표한 『여인의 초상』(*The Portrait of a Lady*)의 주인공 이사벨 아처(Isabel Archer) 역시 데이지 밀러 못지않은 대중의 관심을 받으며 이 작품을 제임스의 초기 대표작의 반열에 올려놓게 되는데, 이사벨 아처보다 조금 먼저 탄생한 다소 이례적인 또 한 명의 여성 주인공이 있다. '이례적'이라는 수식어가 무색하지 않은 이 여성, 『워싱턴 스퀘어』(*Washington Square*, 1880)의 캐서린 슬로퍼(Catherine Sloper)는 제임스가 일생을 통해 창조해 낸 모든 여성 인물들 가운데 가장 비극적인 삶을 살았다 해도 과언이 아니다. 제임스는 『워싱턴 스퀘어』의 잡지 연재를 끝내고 책으로 발간하기도 전에 또 다른 잡지에 『여인의 초상』의 연재를 시작했으니 사실상 동일한 시기에 서로 다른 두 작품을 통해 두 명의 상이한 여성 인물을 창조하고 있었던 셈이다.

이사벨과 확연히 다른 캐서린의 면면들 중 가장 눈에 띄는 점은 일단 그녀가 전혀 아름답지 않다는 것이다. 이사벨이 예상치 않았던 거액의 유산을 상속받는 바람에 비극의 전조를 맞이하는 영리하고 아름다운 미국 여성으로 그려지는 반면, 캐서린은 애초에 상속녀로 태어났건만 미모로도 두뇌로도 전혀 두각을 나타내지 못하는 실망스러운 여성으로 묘사된다. 캐서린의 짧지 않은 유럽행은 딸의 약혼자가 영 마뜩잖았던 아버지가 딸의 안목을 향상시키고자 억지로 동행시킨 여행으로, 고국에 두고 온 약혼자에 대한 일편단심만을 나날이 확인할 뿐 유럽의 분위기로부터 아무런 배움과 영향을 받지 않음으로써 캐서린은 제임스가 꾸준히 다루고 있던 국제 주제에도 전혀 어울리지 않는 인물이 되고 만다. 제임스는 이 작품에 그리 큰 가치를 부여하지 않았는지 후에 자기 작품의 전집 시리즈의 목록에서 이를 제외시킨다. 그러나 매력 없는 이 여성의 이야기는 제임스의 사후에 여러 차례 시나리오로 각색되어 연극 무대에 올랐고 1949년에 와일러(William Wyler) 감독에 의해 『상속녀』(The Heiress)라는 제목으로, 1997년에는 홀랜드(Agnieszka Holland) 감독에 의해 소설과 동명 제목인 『워싱턴 스퀘어』(Washington Square)로 영화화되는 등 지금까지도 제임스의 가치를 증명하는 고전 명작으로서 꾸준히 사랑받고 있다.

제임스는 이 작품을 집필할 당시 친분이 두터웠던 켐블 부인(Mrs. Fanny Kemble)으로부터 결혼 문제로 아버지와 갈등을 겪고 있는 부유한 젊은 상속녀의 이야기를 듣게 되었고 이 실화를 모티프로 하여 『워싱턴 스퀘어』를 창조했다. 제임스의 편지들 속에서 켐블 부인은 그가 가장 좋아하는 지인들 중 하나로 언급되는데 무엇보다 그녀의 고상함과 깊이 있는 인간적 본성이 그가 환멸을 느끼는 세상 사람들의 상스러움과 크게 대조된다고 기술되고 있다(Edel, *Letters* 212). 켐블 부인과의 교류가 언급된 제임스의 편지들을 보면 당시 영국에 머물면서 활발하고 폭넓은 사교적 교류를 갖고 있던 그가 인간의 속물적인 마음과 이를 교묘하게 감추는 겉모습의 위선에 대해 크게 실망하고 있었다는 것을 알 수 있다. 켐블 부인이 들려준 젊은 상속녀의 이야기는 제임스의 이런 고민이 작품 창작으로 이어지는 완벽한 매개가 되었다. 어느 저녁에 있었던 다과 모임에서 켐블 부인은 자신의 남매인 해군 소위 H. K.(Henry Kemble)의 약혼에 대해 이야기하며 K와 그의 약혼 상대인 T 양(Miss T)이 처한 상황의 자세한 내막을 들려준다(Singer 88-89).

켐블 부인에 의하면 K는 매우 잘생겼지만 사치가 심하고 이기적인데다 무일푼인 반면, 그의 연인인 T 양은 둔하고 못생긴 재미없는 여성이지만 킹스칼리지(King's Coll) 학장의 외동딸로서 아주 매력적인 규모의 상속이 예정된 여성이었다. T 양은 K에게 깊이 빠졌고, 그녀의 아버지는 당연하게도 이 약혼을 격렬하게 반대하여 K와 결혼할 경우 단 한 푼의 유산도 남겨주지 않겠다는 결심을 딸에게 통보하기에 이른다. K는 부유한 아내를 얻어 쾌락을 추구하는 안이한 삶을 원했다. 그는 T가 자신을 포기하지 않고 버텨준다면 나이 든 학장의 노기는 머지않아 수그러들 것이니 결국 유산을 상속받게 될 것이라는 입장을 고수했다. 곤란에 처한 T 양이 조언을 구해왔을 때, 켐블 부인은 자신이 T 양에게 K와 어떤 일이 있어도 결혼하지 말 것을 당부했다고 말한다. 이유인즉, 학장의 마음이 누그러져서 결심을 번복한다면 K는 제법 온화한 남편이 될 수 있을 것이지만, 일이 뜻대로 풀리지 않아 결국 그들이 가난해진다면 K는 매우 고약한 동반자가 될 것이며 실망과 불만으로 그녀를 응징할 것이고 T 양은 그야말로 비참해질 것이기 때문이다.

T 양은 한동안 숙고에 빠졌고 그를 깊이 사랑하니만큼 아버지에게 불복종하고 그에 따르는 결과를 받아들이기로 한 반면, 정작 K 쪽에서는 학장의 입장이 너무나 단호하여 그로부터의 용서는 기대할 만한 것이 못 된다는 사실을 간파하게 되었으니, 그만 그녀를 훌훌 털어버린다. 그들은 결별했고 세월이 흘러 학장이 죽은 후 그녀는 재산을 상속받았지만 그러나 다른 어떤 남자의 구혼도 받아들이지 않았으며 K를 마음에 품은 채 미혼으로 살아가기로 결심한다. K는 군인으로서 세계 여러 곳에서 복무하다가 10년여가 지난 후 영국으로 돌아왔는데, 여전히 잘생겼고 이기적이었으며 무일푼이었다. T 양의 지고지순을 믿고 있던 켐블 부인의 자매 중 하나가 켐블 부인에게 두 사람의 재회를 주선하라 했을 때, 부인은 T 양의 지고지순이라는 것은 추측에 불과하고 K는 이미 오래전에 그녀에 대한 모든 권리를 박탈당했다는 사실로 자매의 제안을 일축한다. 그러나 켐블 부인은 T 양이 여전히 K를 사랑하여 다른 어떤 남자와도 결혼하지 않았던 것은 사실이며, 그러나 그의 이기심은 도를 지나쳤고 이것은 시간의 응징이라는 말로 이야기를 맺는다. 고통스러운 경험을 한 사람에게 시간은 대개 치유를 제공하건만, 시간이 응징이 되어버린 이 불행한 여성과 이기적인 남성은 곧바로 헨리 제임스의 새로운 주인공이 된다.

그러나 켐블 부인의 이야기와 『워싱턴 스퀘어』는 몇 가지 점에 있어 근본적인 차이를 보인다. 우선 켐블 부인의 이야기는 K와 그의 연인 T 양의 관계가 중심이 되며 이 관계에 대한 T 양의 아버지인 학장의 반대는 매우 현명하고도 정당하다는 것이 자명하다. 제임스는 『워싱턴 스퀘어』에서 부유한 상속녀 캐서린 슬로퍼와 그녀에게 구애하는 남성 모리스 타운젠드(Morris Townsend), 그리고 캐서린의 아버지 오스틴 슬로퍼(Dr. Austin Sloper) 세 사람의 갈등을 그리되 그 갈등의 무게 중심을 연인 관계보다 아버지와 딸의 관계로 옮겨놓는다. 이 작품의 전지적 화자는 등장인물에 대한 제법 친절한 정보들을 수시로 제공하면서도 이들의 속마음을 처음부터 뻔하게 묘사해주지는 않기 때문에 독자 입장에서 이들의 갈등 관계 양상을 꿰뚫고 각자의 진의를 파악하기까지는 상당히 면밀한 분석을 필요로 한다. 그러나 갈등을 초래한 매개는 어느 날 어딘가로부터 등장한 모리스이되 극이 후반부로 다가갈수록 모리스를 매개로 결코 끝나지 않는 치열한 전쟁을 치르는 것은 슬로퍼 부녀라는 사실이 매우 분명해지는 것이다.

갈등의 중심이 부녀 관계로 옮겨가면서 더욱 치밀해진 것은 아버지인 오스틴 슬로퍼 박사에 대한 묘사이다. 제임스는 호손(Nathaniel Hawthorne)에 관한 글을 출간했을 때 로맨스 장르를 뒤로하고 일상적 실제를 직접적으로 묘사하는 완벽한 사실주의 작품의 집필에 대한 소망을 드러낸 바 있고 이로부터 일 년 이내에 『워싱턴 스퀘어』를 집필했다. 그는 자신이 태어난 곳이기도 하며 일생 중 약 12년여의 시간을 보냈던 뉴욕의 워싱턴 스퀘어를 공간적 배경으로 하여 슬로퍼 가족의 이야기를 구성했고, 그리고 이 공간적 배경을 작품의 제목으로 결정했다. 보다 정확하게는 워싱턴 스퀘어에 위치한 슬로퍼의 저택을 주요한 공간적 배경으로 한정한 채 이 저택에 살고 있는 슬로퍼 가족의 이야기를 펼쳐 보이는 것이다. 한층 흥미로운 것은 작품의 제목에 지명을 붙여놓고 정작 도입 부분에서 장황하게 설명하고 있는 것은 오스틴 슬로퍼의 직업, 즉 의사라는 직업에 관해서이다. 켐블 부인의 이야기에서는 대학의 학장이었던 아버지의 직업이 제임스의 소설에서는 의사로 바뀌면서 성공한 의사라는 직업적 배경이 오스틴 슬로퍼에게 부여하는 인물적 특징은 이 작품의 사실주의적 기법을 가장 돋보이게 만드는 요소로 작용한다.

『워싱턴 스퀘어』는 비교적 짧은 길이의 소설이고 등장인물도 주요 가족관계로 한정된다. 줄거리 또한 요약하자면 지극히 단순하여 딸의 결혼 문제로 인한 부녀의 갈등이 작품 전체의 중심이다. 그럼에도 불구하고 이 작품이 '아버지와 딸', 혹은 '결혼과 전쟁', 혹은 '어느 가족의 초상'과 같은 제목 대신 『워싱턴 스퀘어』라는 제목을 갖게 된 것과 아버지의 직업이 의사라는 이 두 가지 요소는 당시의 시대적 혹은 사회적 특징이 슬로퍼 부녀의 갈등 관계에 결정적인 역할을 하고 있다는 것을 의미한다. 제임스는 그가 그의 시대의 두드러진 특징들 중 하나로 간주했으며 그에게 가장 환멸을 주었던 인간의 위선과 속물근성을 가족이라는 가장 근본적인 단위의 인간관계 안으로 끌어들여서 그로 인해 인간 본성의 가장 깊은 부분이 철저히 파괴되어가는 과정을 가장 교묘한 방식으로 재현하고 있다.

II. 워싱턴 스퀘어: 가족 가치의 현장

특정 지명을 작품의 제목으로 차용하고도 제임스의 공간적 배경에 대한 설명은 지극히 절제되어 뉴욕이 "1820년에 작지만 전도유망한 수도"였다거나 "당시의 뉴욕시는 배터리 공원 근처의 만이 내려다보이는 곳에 밀집해 있었는데 그 외곽의 경계인 운하로는 풀이 무성한 길이었다" 정도의 묘사에 그친다(4)[1]. 외곽으로는 아직 풀이 무성한 이 작은 도시의 전도유망성은 그 지역에 사는 사람들의 특징을 통해 차츰 보충설명된다. 모리스의 사촌인 아서 타운젠드(Arthur Townsend)는 "더 높은 곳으로"(Excelsior)라는 기치를 내걸고 경계를 확장해가고 있는 뉴욕의 변화에 대단히 민감한 증권업자로 "5년 주기로 죄다 새로 발명되는" 신상품을 "따라잡으려고 노력하는" 삶을 살고 있다(26). 슬로퍼 박사의 경우 점점 더 업타운 쪽으로

---

[1] Henry James. *Washington Square*. New York: Vintage, 1990. 앞으로 이 작품의 인용은 괄호 안에 쪽수만 표기한다.

확장되어 가는 뉴욕시의 상업화에 대해 비판적인 시각을 갖고 외곽의 한적한 곳으로 비켜 앉은 상류층의 일원이다. 제임스는 도시의 상업화를 경계하는 상류층 슬로퍼 박사에게 "진보적이라는 형용사"(4)로 수식되는 성공한 의사라는 직업적 정체성을 부여하면서 그를 통해 미국이라는 나라가 표방해 온 실용주의의 이면에서 인간성의 정수를 잠식해가는 횡포한 과학의 눈가림을 발견하게 한다. 작품의 도입부를 지나가면서 워싱턴 스퀘어는 뉴욕의 한 지역명이라기보다 치열한 심리전의 전장으로서, 워싱턴 스퀘어에 있는 슬로퍼 박사의 저택으로 사실상 그 의미를 축소한다. 생후 2주 만에 어머니를 여읜 캐서린은 홀로 남은 아버지와 "동성의 말동무"(8)인 고모와 함께 이 저택에서 "삶의 대부분을"(16) 보낸다. 워싱턴 스퀘어가 갖는 지리적 특성과 캐서린의 삶을 특징짓는 비극성은 불가분의 관계에 있는 것이다.

『워싱턴 스퀘어』는 3인칭 전지적 시점의 화자를 통해 서술된다. 이 화자는 종종 자기 존재를 노출하고 독자에게 직접 말을 걸어 생각을 전하기도 하는데, "여주인공을 놓고 이렇게 말하기는 좀 어색한 고백인데, 그녀에게 뭐랄까, 식탐 같은 것이 있었다는 것을 말해야만 하겠다"(10)와 같은 식이다. 화자가 이렇게 자신의 의견을 직접 피력하는 경우라고 해서 이것이 등장인물을 판단하는 데 있어 반드시 도움이 되는 것만은 아니다. 특히 작품의 초반부에 그려지는 등장인물들 간의 관계묘사는 독자에게 오히려 혼란을 주기도 하는데, 가령 슬로퍼 박사와 캐서린의 관계를 암시하는 화자의 설명이 바로 그런 경우이다.

닥터 슬로퍼가 가엾은 딸아이에게 실망감을 내비치거나 자신의 기대에 전혀 부합하지 못한다는 사실을 눈치 채게 했으리라고 생각해선 안 된다. 그와는 반대로, 딸애를 부당하게 평가 절하할 수도 있다는 생각에 그는 귀감이 될 만큼 열성적으로 아버지로서의 의무를 다했고, 그녀가 진실하고 사랑에 넘치는 아이라는 점을 인정했다. 게다가 그는 철학자였다. 실망에 잠겨 수많은 시가를 태웠고, 충분한 시간이 흐르자 익숙해졌다. 그는 약간 궤변을 펼쳐 자신은 아무것도 기대하지 않았노라고 스스로를 달랬다. "나는 캐서린에게 아무것도 기대하지 않아." 그는 자신에게 말했다. "그러니 예상을 뒤엎는다면 순익을 만회하는 것이고 그러지 못한다고 하더라도 손해는 아닌 셈이지."

It must not be supposed that Dr. Sloper visited his disappointment upon the poor girl, or ever let her suspect that she had played him a trick. On the contrary, for fear of being unjust to her, he did his duty with exemplary zeal, and recognised that she was a faithful and affectionate child. Besides, he was a philosopher; he smoked a good many cigars over his disappointment, and in the fulness of time he got used to it. He satisfied himself that he had expected nothing, though, indeed, with a certain oddity of reasoning. "I expect nothing", he said to himself, "so that if she gives me a surprise, it will be all clear gain. If she doesn't, it will be no loss." (11-12)

위와 같은 진술을 접한 독자로서는 슬로퍼 박사가 부정에 넘치는 과학자인지 아니면 궤변을 늘어놓는 철학자인지에 대한 판단이 쉽게 서지 않으며, 나아가 기대에 못 미치는 부족한 외동딸에 애써 만족해야 하는 슬로퍼 박사를 동정해야 할지, 혹은 나름의 노력을 기울이는 데도 아버지의 높은 기대를 결코 만족시킬 수 없는 캐서린을 동정해야 할지를 판단하는 것도 어려워진다. 이런 혼란은 모리스 타운젠드를 파악하는 데 있어서도 발생하는데, 캐서린에 대한 그의 본심이 결혼적령기의 남성이 남들은 보지 못하는 고귀한 장점을 알아보고 첫눈에 반한 여성에게 보내는 구애인지, 아니면 순진한 상속녀를 획득하기 위해 정교하게 진행하는 연극에 불과한 것인지 쉽게 판단하기가 어렵다. 모리스에 대한 닥터 슬로퍼의 진술들 또한 그 진심이 캐서린에 대한 순수한 부성인지 혹은 과도한 자기 확신에서 비롯된 우월의식의 횡포인지를 해석해야 하는 경우가 생긴다. 이런 방식의 상황묘사는 우선 작품 전체를 통해서 별다른 사건 사고 없이도 극의 긴장을 늦추지 않는 효과를 가져온다. 애매한 묘사는 또한 전체적으로 독자로 하여금 등장인물의 입장에 일부 공감하면서도 한동안 적당한 거리를 두고 관찰하게 만들기도 한다. 위의 인용문을 통해 독자는 슬로퍼 박사가 어떤 사람인지에 대한 판단은 유보할지라도 최소한 아버지로서의 슬로퍼 박사의 태도를 정확하게 읽는 단서는 제공받을 수 있는 것이다.

　작품이 진행되어 가면서 캐서린을 대하는 슬로퍼 박사의 태도의 경우 그것이 부정(父情)이 아닌 심리적 가해임이 점차 분명해지는 동안, 캐서린의 어떤 행동들은 이전까지의 그녀에 대한 독자의 판단을 빗나가게 만드는 예측불허의 묘미를 주며 안타까움을 더한다. 흥미로운 점은 캐서린의 주변 인물들의 경우 이야기가 진행될수록 각자의 이기심이 확실성을 더해 가는 반면, 단순하고 솔직한 평면적인 성격의 인물로 여겨지던 캐서린의 속내는 점점 그 진의를 파악하기가 어려워진다는 것이다. 하지만 이 경우 역시 아버지에 대한 캐서린의 마음이 어떻게 변해가는지는 비교적 정확하게 판단할 수 있도록 묘사된다. 따라서 이 작품은 지금까지 열거한 모든 쟁점들에 대한 올바른 판단을 위해 각각의 상황과 인물의 입장을 섬세하게 분별해가며 읽어야만 한다. 슬로퍼 박사, 캐서린, 그리고 모리스가 자기의 내면을 드러내기 위해 사용하는 표현의 방식은 서로 매우 상이하다. 슬로퍼 박사는 지극히 분석적이고 논리적인 언어의 발화를 통해 상대방에 대해 수사학적 우위를 유지하는 방식으로 자신의 질서를 관철시키는 반면, 캐서린은 말하지 않음으로써 자신을 드러낸다. 모리스의 경우 진심을 전달하기보다 목적에 따라 의도되고 계획된 발언을 하므로 말보다는 그 시선과 행위의 태도로 진의를 파악해야 한다. 각자의 방식에 의한 치열한 심리전이 일어나는 주요한 공간이 바로 워싱턴 스퀘어, 더 구체적으로 말해 워싱턴 스퀘어의 슬로퍼 저택이다.

워싱턴 스퀘어에서 일어나는 세 인물들의 주요한 경험은 구혼자의 동기를 의심하여 딸의 결혼을 포기시키려는 아버지의 심리전과, 자신이 선택한 구혼자에 대해 확신을 갖고 낭만적 감정에 충실하고자 하는 딸의 고집, 그리고 낭만적 본심보다 획득할 목표물에 대한 집착이 점점 강해지는 남성의 구애로 정리될 수 있다. 워싱턴 스퀘어에서의 경험은 어떤 측면으로든 이 세 인물에게 삶의 많은 부분, 혹은 전체를 의미한다. 특히 결혼이라는 인생의 기로에 선 여성을 두고 관철하고자 하는 두 남성의 목적, 즉, 워싱턴 스퀘어의 가치를 지키거나 획득하는 일은 결과적으로 이들 세 사람의 모든 경험과 지혜가 발휘되어야 하는 구체적인 목표가 된다. 슬로퍼 박사에게 워싱턴 스퀘어의 가치는 "품위 있는 은거의 이상"을 실현하기 위한 그의 사회적 지위의 표지라고 할 수 있다(15). 슬로퍼 박사는 이전의 거주 지역이 "저속한 상업적 용도로 빠르게 전용되는 것을 목격"한 후 "당시 건축 과학의 최고 결실이면서 목가적 은둔의 낭만을 반영할" 이 저택을 새로 짓는다(15). 이 저택의 묘사는 연 1만 달러의 상속녀와 "사랑해서"(for love) 결혼한 바 있으며(9), "이류 명사들이나 부리는 잔재주나 가식 없이도 꽃길을 가는"(8) 슬로퍼 박사의 이미지와 절묘하게 중첩된다.

1835년에 조용하고 품위 있는 은거의 이상은 워싱턴 스퀘어에서 찾을 수 있었다. 우리의 의사 선생은 그곳에, 응접실 앞으로 커다란 발코니가 있고, 흰 대리석 계단을 오르면 역시 흰 대리석으로 꾸며진 현관문으로 연결되는, 정면이 널찍한 신식의 근사한 집을 지었다. 40년 전만 해도 주변에 닮은꼴이 많은 이런 건물을 건축 과학의 최종 결실로 여겨졌고, 이들은 오늘날까지도 매우 견고하고 훌륭한 거처로 남아있다.

The ideal of quiet and of genteel retirement, in 1935, was found in Washington Square, where the doctor built himself a handsome, modern, wide-fronted house, with a big balcony before the drawing- room windows, and a flight of white marble steps ascending to a portal which was also faced with white marble. This structure, and many of its neighbours, which it exactly resembled, were supposed, forty years ago, to embody the last results of architectural science, and they remain to this day very solid and honourable dwellings. (15)

건축 과학이 발휘된 신식 대리석 저택의 정면이 주는 차갑고 고정된 기하학적 이미지는 매사를 다각도로 보지 못하고 일차원적인 인식의 틀을 고집하는, 슬로퍼 박사의 융통성 없는 사고방식을 닮아있다. 이는 상업 구역을 벗어난 은둔의 장소에 살지만 캐서린의 화려한 드레스에 대해 "매년 팔만 파운드를 벌어들이는 사람처럼 보이는 드레스"(22)라는 구체적인 금액을 비유로 들어 논평할 만큼 경제 논리를 벗어난 적이 없는 그의 냉정한 사고의 틀과 일치하는 이미지이다. 슬로퍼 박사의 누이인 아몬드 부인(Mrs. Almond)이 캐서린과 모리스에 대해 마음을 누그러뜨릴 의향은 없는지 물었을 때, 실제로 슬로퍼 박사는 "기하학 명제가 누그러지더냐"(Shall a geometrical proposition relent)고 되묻는 것으로 자기 입장의 불가역성을 확인시키기도 한다(109). 드레스의 논평에 앞서 화자는 슬로퍼 박사가 "공화주의의 검약"으로 대변되는 당시 뉴욕의 기풍에 따라 자신의 딸이 고전적인 우아함을 드러내기를 바라왔다는 속내를 넌지시 알려주고 있다. 그러니 캐서린이 스무 살이 되어서야 큰맘 먹고 장만한 화려한 드레스는 슬로퍼 박사가 우려했던, 사교계에 만연한 졸부 티를 드러내는 현상이었던 것이다(13). "조용하고 품위 있는 은거의 이상"인 워싱턴 스퀘어는 슬로퍼 박사의 이런 보수적인 가치가 구현된 공간이다.

워싱턴 스퀘어에 거주하는 사람들의 삶의 방식을 묘사한 것을 면밀히 들여다보면 정서적 공감이 오가는 에피소드의 양이 극히 부족하다는 것을 알게 된다. 슬로퍼 박사에게 캐서린의 탄생은 애초에 그 "보잘것없는 성별"로 인해 "남다른 재능이 있다고 굳게 믿었던 세 살배기 아들의 죽음을 대신하기에는 불충분"했다(5). 그는 생명을 구하는 직업을 갖고도 아내를 살리지 못한 것에 대한 자책으로 어린 딸에게 죽은 아내의 이름을 부여한다. 이 대목에서 뉴욕의 사교계가 그와 같은 불행으로 그를 "더욱 흥미롭게" 여기게 됐으며 캐서린에게 부여된 죽은 어머니의 이름은 "가족을 잃은 것이 명예로운 선례"가 된 젊은 의사가 딸에게 행사한 "무궁무진한 권위의 음덕"이었다는 화자의 해석은 상당히 아이러니하다(6). 아내와의 5년간의 역사 중 그가 만족했던 "매혹적인 눈과 그에 부수하는 자질들"(4) 중 그의 인생에 실질적인 이득을 제공하는 "부수하는 자질들"이 상류층 아내의 이름으로부터 비롯된다는 것은 의심의 여지가 없어 보인다. 아내의 요절에도 불구하고 슬로퍼 박사는 "상류 계층과 친분이 있는" 그녀 덕분에 이후 20년 동안 하층계급보다 "더 일관성" 있는 증세를 보이는 상류계층의 환자를 경험하고 관찰할 수 있었던 것이다(5).

슬로퍼 박사의 관찰의 대상은 그를 찾아오는 환자에 국한되지 않는다. 슬로퍼 박사와 캐서린 간의 긴장 관계는 주로 딸의 모습을 묵묵히 관찰하다 "이따금 혼잣말로"(6) 딸을 평가하는 아버지와 그런 아버지를 기쁘게 하는 일에 "열렬한 효심"(10)을 발휘하는 딸 사이에서 발생한다. 캐서린에게 "행복은 아버지를 기쁘게 하는 데 성공했다고 생각하는 것"(10)이라는 화자의 진술 속에서 슬로퍼 박사는 불변의 기준으로 존재하는, 타협 불가능한, 세상의 중심이며, 캐서린은 그 일방적인 기준에 의해 자신의 가치가 평가된다는 사실을 내면 깊은 곳으로부터 습득해가는 존재라는 사실을 알수 있다. 화자는 캐서린이 슬로퍼 박사를 기쁘게 하는 데 "어느 정도 이상으로는 성공하지 못했다"(10)고 첨언하는데, 그렇다면 독자가 캐서린의 "조용하고 반응이 없는"(12) 둔감함 속에서 아버지와의 관계에서 비롯된 그녀의 깊은 좌절을 읽어내는 것이 무리는 아닐 것이다. 그녀의 둔감함을 설명하는 대목에서 화자는 "대체로 딸에게 잘해주는" 슬로퍼 박사에게 그 이상의 기쁨을 선물하는 것이 캐서린의 "진짜 삶의 목표"였지만 자신이 "그의 기대에 턱없이 못 미친다는 사실을—의사가 서너 번 거의 대놓고 이야기했음에도—그녀로서는 알 도리가 없었다"고 말한다(17). 화자가 직접 전해주는 정보임에도 불구하고 이 증언은 후에 자신에게 관심을 보이는 모리스에게 캐서린이 "난 못생기고 멍청해요"(51)라고 외치는 순간 그 신빙성을 의심받으면서 독자로 하여금 캐서린이라는 인물의 입체성에 대해 다시숙고해야 할 시점이 왔음을 알려준다.

"무덤덤하게 못생긴" 혹은 "조용하고 숙녀다운" 여성으로 평가받는 캐서린이 자신을 표현하는 방식은 말보다 "옷에 대한 강렬한 취향"이나 "글쓰기"를 통해서이다(13). 작품의 화자는 예상을 깨는 놀라움을 야기하지못하거나 놀라움을 느낄 수 있을지마저 의심스러운 캐서린의 조심스럽고무반응적인 성격이 지능과 감성의 결여라기보다는 "불편할 정도로 고통스러운 수줍음" 때문이라고 설명한다(12). 캐서린은 워싱턴 스퀘어에서 아버지에 대한 완전한 솔직함과 절대 복종을 원칙으로 하며 살아왔다. 그런 그녀가 모리스 타운젠드라는 새로운 인물을 경험하면서 처음으로 아버지에게 솔직한 대답을 회피하는 장면은 매우 인상적이다. 화자는 모리스를 처음 만난 파티가 "즐거웠는지" 묻는 아버지의 질문에 캐서린이 "지금 좀 피곤하다"는 우회적인 대답을 한 것이 그녀가 감정을 숨기기 시작한 매우 의미심장한 사건이라고 서술한다(22). 모리스가 워싱턴 스퀘어를 방문한 어느 날, 슬로퍼 박사는 "오늘은 그가 청혼하더냐"고 물어본 뒤, 문손잡이를 잡은 채 대답 없이 서 있는 캐서린을 바라보며 "단언컨대, 내 딸에게 재치라고는 없다"고 생각한다. 그러나 이 생각을 하자마자 캐서린은 "아마 다음번에는 청혼을 하겠지요"라고 대답하고, 딸이 자신의 비꼬는 말을 농담으로 받아넘길 수 있을 거라고 상상조차 해본 적 없는 슬로퍼는 그녀의 대답이 진심인지 농담인지조차 판단하지 못한다(33). 이는 앞으로 캐서린이 슬로퍼 박사가 견고하게 구축해온 질서를 깨고 나올 수도 있다는 것을 암시하는 중요한 대화라고 할 수 있다.

스무 살에 아몬드 부인의 파티에서 선보인 화려한 드레스는 작품의 화자가 이제까지 던져온 캐서린 슬로퍼에 대한 단서들이 장차 어떻게 해석되어야 하는지에 관한 의미 있는 방향을 제시한다. 자신이 숙녀가 되어간다는 사실을 한참 더디게 깨달을 만큼 정서적인 발달이 뒤처진 캐서린은 어느 순간 갑자기 옷에 대한 강렬한 취향을 드러낸다. 화자는 말로써 하지 못하는 것을 의상의 과감함으로 보상함으로써 스스로를 드러내고자 하는 캐서린의 잠재된 욕구의 분출이라고 설명한다. 휴즈(Hughes)는 옷 입은 사람을 "서른 살로 보이게 하는"(14) 캐서린의 드레스 취향은 그녀의 정서나 감각뿐 아니라 그녀의 사고방식 역시 그녀의 나이보다 약 10년쯤 뒤처져 있다는 것을 드러내는 상징적인 장치라고 해석한다(29). 아버지의 보수적인 권위 안에서 성장한 캐서린이 가정의 테두리 바깥에서 일어나는 시대의 빠른 흐름을 감각적으로도 정서적으로도 따라잡고 있지 못하고 있다는 의미이다. 캐서린은 모리스를 처음 만났을 때 누구로부터도 이견이 없을 것 같은 그의 멋진 외모에 감탄한다. 그러나 이는 일종의 심미적인 감상에 가까우며 아직 남녀 간에 있을법한 감정의 화학반응은 아니었던 것이, 춤을 추느라 그의 손길이 머문 자신의 허리를 두고 "신사의 팔이 머물기에 특이한 부위"(20)라는 따위의 맥락 없는 생각에 빠지는 캐서린의 모습이 이를 반증한다. 그러나 슬로퍼 박사의 즉각적인 빈정거림을 불러일으킨 그 드레스에 대해 후에 페니먼 부인(Mrs. Penniman)이 "그 애[캐서린]의 드레스가 아름답다고 하더라"는 모리스의 말을 전했을 때, 그 말의 "풍성함 때문에"(23) "1분간 침묵에 빠졌던"(24) 캐서린은 드레스를 칭찬한 그 청년의 이름이 무엇이더냐는 아버지의 물음에 생애 처음으로 "나도 모른다"고 거짓말을 한다. 이는 그 순간이 그녀에게 전부를 의미했던 세상의 중심축이 흔들리기 시작한 중요한 시점이라는 것을 암시한다.

모리스 타운젠드는 캐서린과의 결혼을 통해 워싱턴 스퀘어로의 입성을 꿈꾸지만 슬로퍼 가족의 일원이라는 정서적 유대감의 내부로 들어가고자 하기보다 가문의 경제적·사회적 가치를 공유하고 향유하기를 꿈꾸는 인물이다. 사촌을 동행함으로써 손쉽게 성사됐던 첫 번째 워싱턴 스퀘어 방문에서 모리스는 캐서린 대신 고모인 페니먼 부인을 대화 상대로 선택한 채 "이따금 그가 하는 말을 캐서린도 들었으면 좋겠다는 듯 그녀를 바라보고 미소 짓는" 것으로 캐서린을 안달 나게 한다. 두 번째 만남에서 캐서린에게 자기 자신에 대해 "간략하게 스케치" 해달라고 주문한 모리스는, 그녀가 문학을 그닥 좋아하지 않는다고 하자, 그 역시 책은 지루하다고 맞장구치며, 다만 그 사실을 알게 되기까지 아주 많이 읽어야 한다고 덧붙인다. 책에서 묘사한 곳에 가보았는데 조금도 비슷하지 않더라는 모리스의 말은 그가 "자기 눈으로 보는 것"에 대단한 중요성을 부여하고 있다는 사실을 말해준다. 워싱턴 스퀘어의 저택에서 "생의 대부분을 보내"(16) 경험의 폭이 제한된 캐서린에게 모리스는 "그녀의 상상력을 무한히 발현할 수 있는 대상"(25)으로서 삽시간에 막강한 존재감으로 다가오게 된다. 모리스 타운젠드에게는 직접 보는 것이 바로 경험이며, 그에게 경험이란 곧 소유하고 향유하는 것으로 연결된다. 이는 그가 "즐기기 위해 태어난 사람"이라는 슬로퍼 박사의 판단과도 일치한다(66). 풍부한 경험을 가진 근사한 외모의 모리스는 워싱턴 스퀘어에서 발휘하는 캐서린의 빈약한 상상력 속에서 매우 비현실적인 낭만의 화신이 되어 그녀의 마음을 순식간에 사로잡는다.

이번 방문은 길었다. 그는 저택 입구 쪽 응접실의 제일 큰 팔걸이 의자에 한 시간 이상이나 앉아 있었다. 이번에는 익숙해진 듯 훨씬 편해 보였다. 의자에 느긋이 기대, 단장으로 가까이에 있는 쿠션을 툭툭 건드려 보기도 하면서, 캐서린은 물론 방 안에 있는 살림살이들을 충분히 둘러보았으니, 이번에는 마음껏 캐서린을 감상했던 것이다. 근사한 눈에 담긴 정중한 미소는 캐서린에게는 거의 장엄하게 아름다워 보였다. 그의 눈은 시에 나오는 젊은 기사를 떠올리게 만들었다.

The visit was a long one; he sat there—in the front parlour, in the biggest armchair—for more than an hour. He seemed more at home this time—more familiar; lounging a little in the chair, slapping a cushion that was near him with his stick, and lookng round the room a good deal, and at the objects it contained, as well as at Catherine; whom, however, he also contemplated freely. There was a smile of respectful devotion in his handsome eyes which seemed to Catherine almost solemnly beauriful; it made her think of a young knight in a poem. (32)

그의 시선이 닿는 것이 그가 진정으로 원하는 것이라고 한다면, 이와 대조적으로 그의 말은 치밀한 의도에 따라 순서대로 발화되는 연극적 성격을 띤다.

"저도 노래를 좀 해요", 그가 말했다. "언제 한번 직접 불러 드릴게요. 오늘 말고 다음에요."

그리고 나서 그는 가겠다고 일어섰다. 그는 그녀가 반주를 해준다면 노래를 하겠노라고 덧붙이는 것을 깜빡했다. 거리로 나서고 난 다음에야 그 생각이 났지만, 애석해할 일은 아니었다. 그녀는 '다음번'이라는 말에 듣기 좋은 울림이 있다는 생각뿐이었다. 그 말이 미래로 열려 있는 것 같았다.

"I sing a little myself," he said; "some day I will show you. Not to-day, but some other time."

And then he got up to go; he had omitted, by accident, to say that he would sing to her if she would play to him. He thought of this after he got into the street; but he might have spared his compunction, for catherine had not noticed the lapse. She was thinking only that "some other time" had a delightful sound; it seemed to spread itself over the future. (33)

그는 슬로퍼가 인정하는 영리한 사람이면서도 슬로퍼와 마찬가지로 캐서린이 어떤 사람인지를 그르게 판단하는 누를 범함으로써 워싱턴 스퀘어의 출입을 제한당한다. 슬로퍼 박사에게 초대되었던 저녁 만찬 이후, 그는 자신이 자존심에 상처를 입었으니 앞으로 저택 이외의 곳으로 만남의 장소를 변경하자고 제안한다. 그의 제안은 슬로퍼 박사의 심기를 거스를 의사가 없는 캐서린이 집 밖에서의 만남을 떳떳지 않게 여기는 바람에 자연스럽게 무시될 수 있었다. 그러나 아버지와 갈등을 겪은 캐서린이 당분간 모리스와의 만남을 중단하면서 그는 불가피하게 워싱턴 스퀘어의 출입을 금지당한다. 페니먼 부인은 캐서린과의 만남이 중단된 상태의 모리스와 밀회를 갖고 슬로퍼 박사가 그를 재산 사냥꾼(fortune-hunter)으로 여기고 있다는 사실과 함께 그러나 캐서린에게는 슬로퍼 박사로부터의 유산 외에도 어머니 쪽의 유산이 상당함을 상기시키며 비밀결혼을 권한다. 타운젠드는 자신이 "유산에 마음이 있다"는 것을 인정하면서도 캐서린보다 재산에 더 마음이 있는 것은 아니지 않은가 확인하는 페니먼의 말에 즉답을 하지 못한다. 그러나 그가 욕심내는 재산의 규모가 캐서린의 어머니 쪽 유산에 국한되지 않는다는 사실은 회피한 그의 말에서보다 페니먼 부인과 헤어지는 길에 보여준 그의 시선을 통해 더욱 분명해진다.

그들은 슬로퍼 박사 저택의 흰 대리석 계단 발치에서 잠시 밍기적거렸다. 반짝이는 은색 문패로 장식된 티끌 하나 없는 새하얀 문이 모리스에게는 닫혀 있는 행복의 문을 상징하는 것 같았다. 그러고 나서 페니먼 부인의 동반자는 우울한 눈을 들어 집의 윗부분에 있는 불 켜진 창문을 바라보았다. [. . .] 작별하고 나서, 혼자 남은 모리스는 잠시 서서 그 집을 올려다보았다. 그러고 난 다음 음울하게 돌아서서 반대편 나무 펜스 근처를 한 바퀴 돌았다. 그런 다음 제자리로 돌아와 1분간 슬로퍼 씨의 집 앞에 머물렀다. 그는 그 집을 유심히 살펴보았다. 심지어는 페니먼 부인의 붉은색 창문에 눈길이 머무르기도 했다. 지독히도 안락한 집이었다.

They lingered a moment at the foot of Dr. Sloper's white marble steps, above which a spotless white door, adorned with a glittering silver plate, seemed to figure, for Morris, the closed portal of happiness; and then Mrs. Penniman's companion rested a melancholy eye upon a lighted window in the upper part of the house. [. . .] On this they separated, and Morris, left to himself, stood looking at the house a moment; after which he turned away, and took a gloomy walk round the Square, on the opposite side,

close to the wooden fence. Then he came back, and paused for a minute
in front of Dr. Sloper's dwelling. His eyes travelled over it; They even rest-
ed on the ruddy windows of Mrs. Penniman's apartment. He thought it a
devilish comfortable house. (89)

모리스가 워싱턴 스퀘어에서 자유를 만끽할 수 있었던 시간은 슬로퍼
박사와 캐서린이 유럽여행을 떠난 동안, 즉 슬로퍼가 워싱턴 스퀘어에 부
재하는 동안이었다. 그는 유럽 여행 중에 캐서린이 조금만 영리하게 굴면
아버지를 설득하여 재산 전부의 상속이 보장된 결혼을 승낙받을 수 있을
것으로 기대한다. 하지만 6개월로 예정되었었던 여행이 1년으로 늘어나고
도 달라진 것은 없으며, 오히려 여행을 통해 자신을 바라보는 아버지의 부
정적인 시각이 애정의 부재에서 기인한다는 잔인한 현실을 깨달은 캐서린
에게 더 이상 슬로퍼와의 악화된 관계를 개선할 의지가 없음을 알게 된
모리스는 페니먼 부인을 이용해 캐서린과의 관계를 정리하려 한다. 모리
스의 퇴각 이후 워싱턴 스퀘어는 슬로퍼 박사와 캐서린만의 전장이 되지
만, 자기 가치관의 상징인 워싱턴 스퀘어가 사후에라도 오염되지 않을까
하는 불쾌감을 떨치지 못했던 슬로퍼 박사, 그리고 그곳에서 "평생을 그럴
듯이"(189) 자수 조각을 붙들고 응접실을 지키는 독신의 캐서린, 그 누구도
독자의 마음에 행복의 잔상을 남기지 못한다.

III. 직업윤리의 무목적성과 부성애

슬로퍼 박사는 "과학"과 "실용"의 실현이라는 의사로서의 자기 직업의
특성을 직업의 분야에서뿐 아니라 자기 삶 전체의 철학으로 삼고 있다(3).

그가 자신의 감정 혹은 감성을 이성으로 증류시키는 화법과 논리를 가장 적나라하게 보여주는 예로써, 모리스의 누이인 몽고메리 부인(Mrs. Montgomery)을 방문한 날 나눈 두 사람의 대화를 살펴보자. 그의 방문은 모리스가 자격 미달이라는 것이 이론(異論)의 여지가 없는 기정사실임을 공고히 하기 위해서이다. 초면의 몽고메리 부인이 슬로퍼 박사를 맞이하고서 "만나서 반갑다"라는 의례적인 인사말을 했을 때, 그는 "반가우라고 온 것이 아니다, 유쾌하지 않은 말을 하러 왔으므로 반가울 수 없을 것이다"라는 반박할 수 없는 이성적인 논리로 기선을 제압한다(71-72). 실례를 무릅쓴 자신의 집요한 질문과 추측이 바로 "귀납법이라는 철학적 방법"이라는 해설까지 덧붙여가며 모리스가 실상 그의 누이의 자녀 양육에 경제적으로 기여하기는커녕 그녀의 돈을 축내며 그저 얹혀살고 있다는 것을 인정할 수밖에 없게 만드는 것이다. 슬로퍼는 자신이 의사로서의 오랜 경험과 과학적 관찰에 의해 "사람들을 몇 개의 부류로, 몇 개의 타입으로 나누는 습관"을 갖게 되었고, 이에 따라 모리스가 "여성의 도움으로 쾌락을 누리는" 유형으로, 나아가 몽고메리 부인은 "이런 일을 가능하게 하는" 여성들의 유형으로 분류되었음을 마치 증세에 따라 환자를 진단하듯 통보한다. 사람을 유형으로 분류했을 때의 오판 가능성의 희박함을 설명하며 모리스에 대한 자신의 판단을 불변의 진리로써 받아들이도록 한 슬로퍼 박사는 결국 그녀로부터 "두 사람을 절대로 결혼시키지 말아달라"는 의도했던 대답을 이끌어 내고 이 방문을 성공적으로 마무리한다(75-78).

워싱턴 스퀘어는 슬로퍼 박사의 논리와 질서가 구축된 공간이다. 이곳에서 페니먼 부인은 한때 조카들의 "찬탄의 대상"으로서 "외경심을 불러일으키기도" 하지만, 실제 그녀는 캐서린이 나이를 먹어감에 따라 "있어도 좋겠다"고 생각한 "대화를 나눌 동성의 말동무"(8)로서, 즉 "캐서린의 존재에 부수적일 뿐 본질이 아닌"(16) 존재로 슬로퍼 박사의 묵인하에 이 저택의 구성원이 되어 살고 있다. 그녀는 자신이 이 저택에 머무르며 캐서린의 교육을 책임지고 있다고 주변에 말하면서도 자신의 오빠에게만은 감히 그런 말을 하지 않는 것을 최소한의 유머감각이라고 설명하지만, 화자는 그것이 평생 자신에게 얹혀살아야 할 누이의 처지를 눈감아주는 슬로퍼 박사 쪽의 풍부한 유머감각이라고 바로잡는다. 페니먼 부인이 슬로퍼 박사에게 할 말을 가리는 "꼭 집어 말할 수 없는 이유"가 바로 이 저택에 존재하는 확실한 방식의 질서인 것이다.

> 그는 라비니아에게 극도로 공손하게, 빈틈없이 형식을 갖춰 공손하게 대했다. 그녀는 그가 화를 내는 것을 평생 한 번밖에 본 적이 없었다. 작고 한 그녀의 남편과 신학 토론을 하다 울화통을 터뜨렸던 것이다. 그는 그녀와 신학을 토론한 적이 없었고, 아니, 아무것도 토론하지 않았다. 캐서린에 관한 그의 요구를 명료한 최후통첩의 형식으로 아주 분명하게 알리는 것으로 족했다.

> He was extremely polite to Lavinia, scrupulously, formally polite; and she had never seen him in anger but once in her life, when he lost his temper in a theological discussion with her late husband. With her he never discussed theology, nor, indeed, discussed anything; he contented himself with making known, very distinctly, in the form of a lucid ultimatum, his wishes with regard to Catherine. (8)

슬로퍼 박사의 화법 중 눈에 띄는 특징은 자신의 발언을 언제나 상위의 담론으로 마무리 지음으로써 주고받는 대화에 서열을 부여하고 자기 발언의 우위를 굳히는 것이다. 가령, 캐서린을 영리한 여자로 만들어 보라는 슬로퍼 박사에게 페니먼 부인은 "착한 것보다 영리한 게 낫다고 생각하는지" 물음으로써 소심하나마 그의 원칙에 도전해본다. 슬로퍼는 즉각적인 대답 대신 "착해서 무엇에 쓰려고?"라고 되물은 뒤 "영리하지 않으면 착해 봐야 아무 소용없다"라는 정해진 답으로 페니먼의 말문을 막는다. 슬로퍼는 캐서린을 가리켜 "좋은 식빵처럼 좋은"이라는 프랑스 속담을 차용하며 착한 것 또한 가치 있는 성품이라는 일반적인 명제에 잠시 동의하지만, "지금으로부터 6년 후 내 딸을 버터 바른 좋은 식빵에 비유하고 싶지는 않다"라는 최종적인 자기 비유로 대화를 마무리함으로써 더 이상의 이의 제기를 차단한다(8-9). 자기와 개인적인 이해관계를 갖는 사람들에게 일반적인 명제를 적용시켜 범주화시킴으로써 자신의 지배력 안에 상대를 굴복시키는 슬로퍼 박사의 방식은 그것이 이성과 추론을 통한 과학적인 방법이라는 이유로 거부할 수 없는 진리로서의 힘을 발휘한다.

슬로퍼 박사의 이성이 작동하는 방식은 독자에게 상당히 설득력 있게 다가갈 수도 있지만 감정적 영역이 무시된 그의 무자비한 이성의 발휘는 부녀 관계에 있어 결코 긍정적으로 작동하지 못한다. 아몬드 부인은 슬로퍼 박사의 화법과 논리에 쉽게 설득당하지 않을뿐더러 그의 논리의 맹점을 지적해 낼 만큼 그녀 자신도 상당히 논리적이다. 이미 언급했듯이 슬로퍼 박사의 시각은 하얗고 차가운 대리석으로 지어진 그의 저택의 압도적인 전면만큼이나 일면적이다. 관찰이니 유형이니 혹은 비유와 같은 슬로퍼 박사의 냉정하고 화려한 수사에도 불구하고 아몬드 부인은 그의 시각이 근본적으로 그릇된 방향으로부터 출발한다는 것, 따라서 적용상의 오류와 그릇된 결론의 도출을 야기할 수 있다는 점을 지속적으로 상기시키며 그에게 입체적으로 사고할 것을 청한다. 그녀는 "해부학적인" 객관적인 눈으로 모리스의 골격을 칭찬하는 슬로퍼 박사에게 그가 의사가 아닌 캐서린의 아버지로서, 딸의 배우자감을 바라보는 시각에서 그를 판단해야 한다는 점을 일깨우거나, 모리스의 친숙함과 환심을 사는 태도를 들어 그를 신사가 아닌 상스러운 계층으로 단정할 때 그 역시 만만치 않은 가문 출신이니 쉽게 속단하지 말 것을 충고하기도 한다(41). 아몬드 부인의 이런 지적에 대해 슬로퍼 박사가 반성하거나 자기의 입장을 굽히지는 않지만, 적어도 독자는 슬로퍼 박사와의 사이에 약간의 거리를 유지한 채 서로의 입장을 객관적으로 바라보려는 자세를 갖게 되는 것이다.

아몬드 부인은 모든 면에서 페니먼 부인과 정반대의 자질을 겸비했으며 슬로퍼 박사가 인정할 정도의 매력적인 외모와 영리함, 안정적인 사회 경제적 지위를 갖춘 여성으로 슬로퍼 박사가 유일하게 의논의 상대로 여기고 대화하는 인물이다. 무엇보다 그녀는 워싱턴 스퀘어에 대해 직접적인 이해관계를 갖고 있지 않음에도 이 전장의 추이를 누구보다 분명하게 읽어낼 만큼의 균형감각과 감정적 절제를 갖추고 있다. 이는 간혹 독자를 오히려 혼란스럽게 만들기도 하는 화자에 비해서도 부족함이 없는, 단연코 독자들에게 보다 안정적인 판단의 근거를 제시하는, 이 작품의 훌륭한 길잡이가 되는 자질이다. 작품 전체를 통틀어 그녀가 캐서린 혹은 모리스와 직접적으로 대화를 나누는 장면은 등장하지 않으며, 슬로퍼 박사에게 직언하기를 주저하지 않는 아몬드 부인이지만 실상 그리하여 슬로퍼 박사가 그녀의 조언을 반영하고 생각을 바꾸는 경우 또한 거의 없다. 그럼에도 불구하고 적재적소에 등장하여 화자 이상의 통찰력으로 치열한 전투의 본질을 꿰뚫게 하는 그녀의 도움은 이 싸움의 세 당사자의 의식의 변화를 보다 분명하게 파악해 볼 수 있는 중요한 시각을 제시한다.

아몬드 부인의 시각에 독자가 신뢰를 보낼 수밖에 없는 이유는 그녀가 슬로퍼 박사의 논리에 뒤지지 않는 설득력과 위트를 가지고 반박하면서도 슬로퍼 박사와는 다른 따뜻한 인간미를 갖추고 있기 때문이다. 슬로퍼 박사가 모리스 타운젠드의 진심을 믿지 않는 결정적인 이유 중 하나는 캐서린이 부유한 상속녀라는 것이다. 슬로퍼는 아몬드 부인의 딸들이 캐서린과 달리 어린 나이에 제법 괜찮은 남자들의 구혼을 받아 결혼할 수 있는 것이 그녀들이 캐서린과 달리 싱싱하고 매력 있기 때문이라고 생각한다. 그러나 아몬드 부인은 요즘과 같은 세태에 큰돈 없이도 청혼을 받고 결혼에 성공하는 것은 혼인 당사자들이 아직 물정을 다 알지 못할 만큼 "어리기" 때문에 가능하다는 것을 간파하고 있다. 그녀는 캐서린이 조금 나이 들어 보이는 점을 인정하며, 그녀가 마흔 살쯤 먹은 세상 이치에 능숙한 남자의 청혼을 받을 수도 있다는 말로 캐서린의 재산이 구혼자에게 훌륭한 매력이 될 수 있다는 점을 인정한다. 그러나 그것은 모리스에 대한 슬로퍼 박사의 의견에 동의하기 위한 것이 아니라 아직 서른밖에 되지 않은 모리스가 아직은 돈보다 사랑에 목매달 수 있는 구혼자일 가능성을 깨우치기 위한 것이었다(35-36).

　앞서 기하학 명제의 불변성을 들어 자신의 입장을 불변의 진리에 비유했던 슬로퍼 박사는 아몬드 부인으로부터 "기하학은 표면을 다루는 학문"이 아니냐는 지적을 당한다(109). 이때까지 캐서린과 모리스의 속마음을 다 꿰뚫고 있다고 생각하는 슬로퍼 박사는 캐서린과 모리스의 표면을 관찰하는 것이 곧 그들의 속셈을 파악하는 것이라고 착각한다. 아몬드 부인은 적어도 캐서린에 관한 한 슬로퍼 박사가 보지 못하고 있는 그녀의 속마음이 언젠가는 그에게도 치명타가 될 수 있다는 점을 경고하지만-"다른 감정이 시작하는 지점에서 [아버지에 대한 딸의] 숭배는 멈추겠지요"(109)-그는 그녀의 표면으로부터 자신의 예측을 벗어난 다른 결과가 도출될 수 있다는 가능성 자체를 고려하지 못한다. 캐서린이 "감수성이 예민하지는 않지만 한 번 각인된 것은 간직하는" 여성임을 간파하고 있는 아몬드 부인은, 표면밖에 보지 못하는 슬로퍼 박사의 수준에 맞춰, 그녀를 윤이 나게 닦을 수는 있을지언정 지울 수는 없는 "흠집이 난 구리 주전자"로 비유한다(110). 그녀의 이 말이 예언이 되어 후에 그대로 실현되는 것을 독자들은 작품의 결말 부분에서 확인하게 된다. 캐서린을 향한 진정한 이해심과 따뜻함을 가지고도 아몬드 부인이 이 이야기의 전체 흐름에, 즉 슬로퍼 박사에 대해 어떤 영향력도 미치지 못하는 인물이라는 점이야말로 이 작품의 가장 쓰라린 아이러니라고 할 수 있다.

슬로퍼 박사의 견고함을 깨달은 후 모리스는 페니먼 부인을 이용해 캐서린과의 관계를 정리하려 하다가 이것이 여의치 않자 직접 결별을 통보하기로 한다. 헤어지기 위해 어색한 분위기를 만드는 상황에서 캐서린은 모리스에게 자신을 더 다정하게 대해줄 것을 요구한다. 모리스를 선택하면서 자신이 많은 것을 잃고 있다고 느꼈기 때문이다(136). 아버지를 상대로 일방적인 애정을 쏟던 캐서린이 모리스를 상대로 애정의 득실에 있어서의 균형을 의식하게 된 것은 실로 커다란 변화라고 할 수 있다. 지금껏 워싱턴 스퀘어에서의 삶에서 부족함을 느끼지 않던 캐서린은 집안의 다른 사물들처럼 슬로퍼 박사의 의식의 범주 안에서 머무르며 그가 구축한 질서의 일부로 살아왔다. 열여덟 살에 이른 캐서린을 "영리하지 못한" 여자로, 혹은 "기막히게 좋은 성격을 가진" 여성으로 규정한 슬로퍼 박사와 페니먼 부인의 판단이 잘못된 것이라는 사실은 작품 초반에 이미 직접적으로 서술된 바이다. 슬로퍼 박사는 캐서린이 페니먼 부인으로부터 기막히게 좋은 성격을 가진 여성으로 평가되는 이유가 "고모가 감상적인 멍청이라는 사실을 알아채지 못할 만큼 현명하지 못하고, 이런 지적 한계가 페니먼 부인의 마음에 드는 것"이라는 논리적 해석을 가한다. 그러나 화자는 캐서린이 사실상 페니먼의 전부를 단박에 파악했으되 사랑하고 감사하는 마음에 아버지를 대할 때와 같은 두려움이 없을 뿐이라고 설명한다(11). 이는 사실상 꿰뚫어 보는 능력에 있어 캐서린이 슬로퍼 박사에 못지않다는 것을 방증하는 진술이다.

피상적인 현상만으로 모든 것을 판단하는 페니먼과 슬로퍼 박사는 캐서린의 감수성과 지적 능력을 사실상 영원히 깨닫지 못한다. 그러나 아몬드 부인만큼은 캐서린이 뛰어난 직관의 소유자임을 알고 있다. 모리스에게 청혼받은 후 캐서린은 그를 평가절하하는 슬로퍼 박사에게 이유를 묻는다. 이때 슬로퍼 박사는 잘 알지는 못해도 필요한 만큼 충분히 알고 있으며 그 충분함이 그가 모리스에 대해 갖고 있는 나름의 "인상" 때문이라고 말한다(59). 후에 아몬드 부인이 캐서린의 감수성을 단순한 수준으로 여기는 슬로퍼 박사에게 캐서린이 한 번 각인된 "인상"(impression)을 간직하는 아이라는 점을 상기시키는 부분은 더욱 의미심장하다(110). 인간을 유형과 타입으로 분류하여 갖게 되는 인상에 대한 슬로퍼 박사의 고집이 마찬가지로 캐서린에게도 지울 수 없는 인상을 남겨 그녀의 여생을 고립으로 내모는 것이 이들 부녀의 비극이기 때문이다.

슬로퍼 박사가 아버지로서 캐서린을 보호하려는 사실에는 의심의 여지가 없다. 보다 근본적인 문제는 캐서린을 하나의 인격체로 대해야 하는 상황에서 슬로퍼 박사의 관점 자체가 딸을 대하는 것이라기보다 그녀를 그저 한 유형의 여성으로 대한다는 것이다. 화자는 아내였던 "캐서린 해링턴과 사랑에 빠졌을 때를 제외하고" 슬로퍼 박사가 어떤 종류의 여성적 자질에도 감탄해 본 적이 없으며 여성의 복합성에 대해 오직 호기심을 느끼는, 즉 자기 직업에 이익이 되도록 탐구하는 대상에 머무른다는 사실을 밝혀준다(7). 그는 자기 누이들에 대해서도 호불호를 분명히 할 만큼 감정적인 절제에 있어 냉정하다. "여자들은 하나같이 똑같다"(75)고 선언하는 슬로퍼 박사의 근본적 인식 속에서 여성은 한 명 한 명 고유한 특질을 가진 인격체로서가 아니라 이미 탐구가 끝난 한 종류의 유형에 불과한 존재로 전락하는 것이다. 슬로퍼 박사는 함께 살게 된 누이 페니먼 부인이 캐서린의 정서에 지대한 영향을 미칠 수 있는 가능성에도 불구하고 누이를 "형식을 갖춰 극도로 공손하게"(8) 대한다. 독자를 상당 부분 설득해왔던, 딸을 염려하는 마음과 보호해야 한다는 책임감은 환자의 예후를 관찰하고 기록하여 규칙을 발견하는 그의 직업의식이 모리스와의 관계 속에서 고통을 겪는 딸을 관찰 대상으로 삼아 발현된 즈음에 이르러서는 설득력을 잃게된다.

모리스와 헤어진 후 캐서린은 연애관계의 종식과 관련한 어떠한 정보도 제공하지 않음으로써 "모든 것을 아는" 과학자이자 철학자인 슬로퍼 박사를 진실로부터 영원히 따돌린다. 그녀의 침묵은 모든 것을 유형으로 분류함으로써 한 개인으로서라면 잘못 파악할 수 있는 것도 쉽게 드러낼 수 있다고 확신하던 슬로퍼가 자기 딸에 대해서만큼은 범주화에 마저 실패하였으며, 사실상 처음부터 끝까지 잘못 파악하고 있었음을 드러낸다. 연애와 구혼이라는 새로운 경험을 통해 일어난 캐서린의 변화에 있어 주목할 만한 것은 그녀가 모리스 타운젠드의 워싱턴 스퀘어로의 편입 여부를 최종적으로 결정하는 온전한 결정권자가 된다는 것이다. 처음에 모리스는 자신을 유산바라기로 취급하는 슬로퍼 박사 때문에 자존심이 상해 워싱턴 스퀘어의 출입을 거부한다. 그리고 모리스를 끝까지 반대하는 슬로퍼 박사로 인해 캐서린을 포기하면서 다시 워싱턴 스퀘어를 포기한다. 슬로퍼 박사가 죽은 후 다시 찾아온 모리스를 캐서린은 침착하고 단호하게 영원히 거부함으로써 그를 워싱턴 스퀘어로부터 완전히 배제한다.

IV. 공감의 결여와 예정된 비극

『워싱턴 스퀘어』를 통해 헨리 제임스는 19세기 미국 부르주아 계급의 가치관과 도덕관의 한 단면을 결코 낙관적이지 않은 시각으로 그리고 있다. 벨(Bell)은 슬로퍼 박사의 비극은 전적으로 삶의 방식의 비극이자 이 시기의 미국 역사에서 흔히 볼 수 있었던 부르주아 계층의 진보적 세계관의 비극이라고 말한다(75). 워싱턴 스퀘어의 하얀 대리석 저택처럼 슬로퍼 박사는 자신이 세워놓은 견고한 지성의 요체에서 과학과 실용이라는 자기 직업의 가치를 신봉하며 일생을 보낸다. 그러나 슬로퍼 박사의 고집스러운 일생은 그가 일관되게 신봉하는 과학과 실용이 실상은 삶의 외양과 본질의 간극을 좁히는 데 실패했을 뿐 아니라 오히려 그 간극을 감추기 위한 방패막이에 불과하다는 것을 보여준다. 젊은 시절 "연 1만 달러의 지참금"을 갖고 온 "작지만 전도유망한 수도" 뉴욕의 "풀이 무성한 운하로의 건너"에 위치한 맨해튼에서 "가장 매혹적인 눈을 가진 상류사회 아가씨"였던 아내와 "사랑해서" 결혼했다는(4) 다소 우스꽝스러운 묘사가 남긴 뉘앙스의 의미는 이후 전개되는 그의 삶에서의 반복되는 이미지들을 통해 점점 그 실체가 선명해진다고 볼 수 있다. 즉, 구차하리만치 장황한 수식어로 설명하고 있는 아내와의 5년간의 역사 중 그가 만족했던 것은 "매혹적인 눈과 그에 부수하는 자질들"(4)이었다는 사실과 저속한 상업적 분위기를 피하려 마련한 "품위 있는 은거의 이상" 워싱턴 스퀘어에서 "딸의 마음에서 인출할 수 있는 상당량의 존경과 애정"(66)을 담보로 밀어붙인 딸의 지참금을 노리는 남자와의 힘겨루기가 동일한 가치관에서 비롯한 일관된 삶의 방식이라는 것이다. 나아가 자신이 죽고 난 뒤에도 그와 결혼하지 않겠다고 약속할 것을 요구하는 것과, 이를 거절하는 캐서린의 유산을 삭감한 모습까지도 역시 일관된 삶의 방식에 의해 되풀이된 장면일 것이며, 그 일관성을 증명하는 가장 결정적인 증거는, 역설적이게도, 이 모든 장면이 그가 일생을 통해 관철해 온 과학과 실용의 태도를 반영하고 있다는 사실이다.

안타깝게도, 『워싱턴 스퀘어』를 통해 헨리 제임스가 그리고 있는 과학과 실용의 세계는 아몬드 부인이 끊임없이 요구하지만 워싱턴 스퀘어라는 전장에서 전투를 치르는 세 사람 중 그 누구에게서도 결코 아름답게 구현되지 못한, "공감"이 결여된 진보의 모습으로 나타나고 있다. 공감이 결여된 진보의 모습은 합리와 실용의 외양을 하고 있지만 속물적이며 파괴적이다. 워싱턴 스퀘어가 상징하고 있는 가치는 아서 타운젠드(Arthur Townsend)가 추구하는, 5년을 주기로 새로 발명되고 있는 개선된 설비와 점점 '더 높은 곳으로' 옮겨가는 새 집이 갖는 가치와는 분명 다르다. 헨리 제임스는 자본에 대한 노골적인 집착보다도 더 교묘한 방식으로, 자본주의가 과학과 실용이라는 합리의 외피를 쓰고 저지르는 손상된 인간 존엄의 비극을 그리고 있으며 그 비극을 가족이라는 인간사회의 가장 기초적인 단위에서 가장 잔인한 방식으로 펼쳐 보이고 있다.

닥터 슬로퍼의 세계에서 모리스 타운젠드는 결코 자신과 같은 영역에 공존할 수 없는 존재이다. 돈을 벌지도, 버는 것처럼 보이지도 않는 모리스는 그가 분류한 유형에 의하면 외양과 영리함을 갖췄을 뿐 실용과 과학이 결여된 속물인 것이다. 슬로퍼 박사의 결혼에 대해 화자가 그의 아내의 매력과 그녀에 대한 슬로퍼 박사의 사랑을 그토록 구차한 방식으로 강조한 것은 부유한 아내를 만나 삶의 안정을 이룬 슬로퍼 박사에게서 속물성을 걷어내려는 교묘한 눈가림이었으며, 그토록 감추고 치장했던 속물성은 이후 슬로퍼 박사의 삶의 방식에서 마찬가지의 교묘한 방식으로 되풀이됨으로써 그 비극성이 속물성 이상으로 더욱 강조되는 극적 효과로 나타나고 있는 셈이다. 슬로퍼 박사와 모리스는 여러모로 닮았다. 모리스가 순진한 캐서린을 다루는 방식과 페니먼 부인을 "허위의식으로 도배한 멍청이"(83) 부류로 치부하는 모습은 슬로퍼 박사가 순종적인 캐서린을 다루는 모습이나 타운젠드 남매를 유형으로 분류하는 모습과 다르지 않다. 또한 "뛰어난 자질을 가진 신사가 보잘것없는 아가씨를 선택하는 호의를 베풀었다가 냉대를 받았을 때 느낄 법한 불쾌감에 기분이 상한"(83) 모리스의 모습은 죽은 아내만큼 훌륭하지 못한 못생긴 딸에게 가공한 인내심을 발휘해왔건만 끝내 구혼자에게로 돌아가겠다는 캐서린으로부터 불쾌감을 느끼는 리버풀 호텔에서의 슬로퍼 박사의 모습과 다르지 않다. 홀로 밤거리를 헤매다 워싱턴 스퀘어를 올려다보며 "닫힌 행복의 문"(89)을 바라보는 모리스는 결국은 슬로퍼 박사가 되고 싶었던 것이었다.

　워싱턴 스퀘어에 홀로 남게 될－페니먼 고모가 떠날 미래에－캐서린의 결말이 아버지의 가부장적인 독단주의에 의한 희생인지 심적 고통을 극복하고 획득한 주체적인 의식인지에 대한 판단은 정해진 것이 아니다. 이 이야기를 아버지와 딸의 관계에 있는 두 인물의 의지가 빚어낸 충돌이라는 관점에서 바라본다면 캐서린은 분명 일방적인 희생자가 아닌, 아버지와의 극한 대립에서 한 치의 양보도 허락하지 않은 딸이기 때문이다. 모리스와 결별한 이후 캐서린이 모리스를 만나기 이전처럼 건강하고 치장도 하는 밝은 생활을 하는 것에 대해 아몬드 부인은 "다리가 으스러진 사람이 다리 절단을 반기는 것"(171)에 비유한다. 일찍이 어리석은 딸의 그른 선택에 "수술용 칼"(101)을 댄 것으로 비유되었던 슬로퍼 박사는 그러다 "그 애[캐서린]를 죽이겠다"(101)는 원망을 들은 바 있으며, 목적 달성이 어려워지자 태도가 돌변한 모리스에게 캐서린은 "당신은 날 죽이고 있다"(158)고 절규했던 것이다. 모리스와 결별한 이후 아버지의 기꺼운 인정을 받을 만큼 훌륭한 구혼자들이 있었는데도 슬로퍼 박사가 죽을 때까지 그를 성심으로 돌보며 독신의 삶을 고집하는 캐서린의 모습은 주체적인 홀로서기라기보다 마음의 상처로 인해 정서적 죽음을 선택한 것으로 해석하는 것이 타당할 것이다. 누구에게도 굴복하지 않았지만 워싱턴 스퀘어에 홀로 남아 "평생을 그럴 듯이"(189) 뜨개질감을 잡고 있는 캐서린의 모습은 생명력이 고갈된 흑백의 잔상으로 남는다.

인용문헌

Bell, Ian. F. A. *Washington Square: Styles of Money.* New York: Twayne, 1993.

Edel, Leon. ed. *Henry James Letters: Volume II 1875-1883.* London: Macmillan, 1978.

_____. *Henry James.* New York: U of Minnesota P, 1960.

Hughes, Clair. "The Ironic Dresses of *Washington Square.*" *Henry James and the Art of Dress.* New York: Palgrave, 2001. 29-44.

James, Henry. *Washington Square.* New York: Vintage, 1990.

Singer, Irving. "*The Heiress* and *Washington Square.*" *Cinematic Mythmaking: Philosophy in Film.* Cambridge: MIT, 2008. 83-138.

제4장

『여인의 초상』:
미완의 초상화

● ● ● 이효인

I. 미국 여인 그리기

　제임스의 많은 작품에 표현된 국제 주제(International Theme)는 미국적 가능성에 대한 상상력과 그에 따른 의문을 구심점으로 삼는 탐구에 관련한다. 다시 말해 유럽에 비해서 비교적 짧은 문명 역사를 구축한 미국에서 나고 자란 미국인이 그 태생적 한계를 선명하게 느낄 수 있는 유럽 사회에 놓였을 때에 나타나는 경험적 대립은 두 사회가 가진 명과 암을 각각 조명할 수 있는 효과적인 방식으로서 기능한다. 따라서 이러한 주제를 중심으로 하는 작품에서 주요인물은 유럽사회를 경험하는 미국인이다.

　제임스의 첫 성공작으로 꼽히고『데이지 밀러』에서 충분히 해명되지 못한 미국인, 고유한 미국적 정체성의 가능성에 대한 밑그림은『여인의 초상』(*The Portrait of a Lady*, 1881)에서 보다 입체적인 묘사와 복합적 색채를 지닌 인물의 초상으로 재현되었다. 흥미로운 점은 더 풍요로운 인물의 재현은 물론 불가해한 모호함을 그대로 남겨두었다는 것이다. 1881년 작품의 출간 당시 『스펙테이터』(*Spectator*)지에 실린 서평은 명백하게 모습이 그려지는 다른 등장인물들과는 달리, 주인공인 이사벨 아처(Isabel Archer)는 "독자들이 지칠 때까지 탐색하더라도 끝내 초상이 주어지지 않은 유일한 여성"이라고 말한다(Gard 93). 그 결과 독자는 그녀의 초상을 그리려고 부단히 애쓰지만 그 노력은 헛된 수고로 돌아가고 만다는 것이다. 또 다른 평론지인 『애서니엄』(*Athenaeum*)에서도 마찬가지로 "작품에는 여인들의 선명한 초상이 충분히 등장하지만, 독자들이 이해할 수 있을 만큼 묘사되지 않은 단 한 사람은 주인공이다"(Hayes 121)라고 평했다.

자연스럽게 『여인의 초상』에 대한 연구 동향은 그처럼 모호한 이사벨의 초상을 해명하기 위해 그녀가 로마로 회귀하는 이유, 즉 자신을 억압하고 구속하는 오스몬드(Gilbert Osmond)에게 돌아가는 이유에 초점이 집중되었다. 누구보다 자유로운 삶을 꿈꾸는 여성이 불행한 결혼생활로 인해 그 자유가 억압받는 현실을 직시하면서도, 다시 자발적으로 그 현실로 돌아가는 것은 이사벨이라는 인물의 특성이 가지는 복합성과 모호함을 더해준 셈이다.

제임스는 뉴욕판 서문에서 『여인의 초상』이라는 작품을 건축하는 초석이 되는 구상은 한 젊은 여성이 "자신의 운명을 직면하는 것이다"라고 밝혔다("The Preface" 8). 파워즈(Lyall H. Powers)는 이사벨을 경험의 세계인 유럽에 의해 타락하지 않은 순수성을 가진 미국적인 인물로 분류하고, 이러한 인물이 경험을 겪게 되는 과정이 작품 속에서 그려진다고 본다. 파워즈는 이사벨의 여정이 "속죄라는 익숙한 형태"("The Portrait" 155)를 띠고 있는데, 그녀는 오스몬드로 인해 "악에 직면"하고 일종의 도덕적 타락을 경험하지만, 결국은 "새로운 순수"를 얻는다고 주장한다("The Portrait" 153). 그렇기 때문에 독자들은 이사벨이 스스로의 억압을 선택했다고 보지 않고, 대신에 그녀가 이 과정 속에서 어떤 내적 경험을 하고 그로 인해 무엇을 얻는지를 주목한다는 것이다. 메티슨(F. O. Matthiessen) 또한 제임스가 이사벨을 통해 "불운한 표면" 안에 있는 "충만하고 생기 있는 내적 의지의 표현"을 묘사한다고 말한다(186). 이러한 비평들은 공통적으로 이사벨의 내적 변화와 경험의 묘사에 비중을 두는데 이는 제임스의 서술 기법과 밀접한 연관을 맺는다.

밀러(James E. Miller, Jr)는 제임스가 그려내고자 하는 현실이 대부분의 19세기 소설가들의 것과는 다르다는 점에 주목한다. 소설가의 임무가 현실을 사실적으로 묘사해야 하는 것이라면 이제까지의 현실은 외부에 있는, 외적으로 드러난 것이었다. 반면 제임스에게 의미 있는 것은 외적 현실이 아닌 그 현실을 지각하는 인식자의 내적 현실이다. 왜냐하면 삶이나 현실은 결코 "정적인 상태로 있을 수 없는" 것으로서 "인식자의 시각"에 따라 의미가 부여되고 그 형태가 형성되기 때문이다(Miller 589). 그렇기 때문에 제임스는 자신의 작품에 인식하는 시선과 인식 대상이라는 두 축 사이의 "상호 작용"(Miller 590)을 담으려고 시도한다. 따라서 작품 속 등장인물들은 서로 인식 대상과 인식 주체로서의 상호작용 속에 놓이며, 이러한 관계 속에서 일어나는 작용을 통해 서로의 내적 현실을 드러낸다. 다시 말해 한 등장인물은 자신의 관점으로 다른 인물들과 사물을 인식하고 독자는 그 관점을 따라감으로써 그 인물에게 일어나는 내적 변화를 감지할 수 있는 것이다. 이러한 서술 방식은 필연적으로 인식 대상을 바라보는 인물의 시각적 재현을 담게 되며 "초상"이라는 작품의 제목 또한 이를 암시한다.

본 글은 이러한 맥락에서 이사벨의 초상에 주목하여 그녀의 초상이 결국 미완성으로 남겨지게 됨으로써, 오히려 아이러니컬하게 그 의미의 다면적 풍요성을 갖게 된다고 보고 이사벨의 미완의 초상이 갖는 그러한 의미의 다면적 풍요성을 파악하는 것을 시도할 것이다. 파워즈는 제임스가 『여인의 초상』에서 이사벨을 묘사하는 데에 강조하고자 하는 바는 "마침내 그녀가 무엇이 되는가?"하는 것이라고 말한다(*The Portrait* 14). 이 질문은 보다 근본적으로 그녀가 자신의 운명, 즉 삶에 직면해 어떤 모습으로 변모하게 되는가 하는 것과 관련이 있다. 그런데 이 변화는 이사벨의 외적 모습에 관한 것이라기보다는 그녀의 내적 인식과 깊이 관련한다. 주지하다시피 작품 속에서 시선, 혹은 시각이라는 감각은 인식적 영역을 드러내는 수단으로 활용되기 때문이다. 등장인물들 간에 얽히는 시선들 속에서 이사벨은 재현되는 대상이자 재현하는 주체가 된다. 그 결과 인물들 간의 시각의 이러한 '상호 작용'을 통해서 이사벨의 내적 변화가 다각도로 구체화된다. 따라서 본 글은 이러한 내적 변화가 작품의 다른 주요 인물들의 시선을 통해 어떻게 드러나는지를 추적하고 그 입체적인 인물의 생생한 묘사에도 불구하고 여전히 미완으로 남겨진 이사벨의 초상이 어떤 의미를 지니는지 알아볼 것이다.

II. 문화적 복합체로서의 이사벨의 초상

제임스는 미국인이 된다는 것을 '복잡한 운명'이라고 여겼다. 그가 볼 때 미국인들의 운명은 여러 가닥의 "실들이 엉켜있는"(Porte 1) 상황이었다. 먼저 유럽으로부터 온 세습의 잔재가 남아있는 가운데 완벽하게 도덕적인 결함이 없는 상태로 돌아가지는 못하더라도 유럽의 악과 타락으로부터 벗어나야 했다. 게다가 유럽에 비해 짧은 역사를 가진 미국 사회는 전통과 역사가 없는 문화적인 불모지였다(Porte 1). 다시 말해서 미국은 유럽으로부터 독립해 나왔기 때문에 유럽에서 선행된 과오를 반복하지 않으면서 사회의 기반을 정립하고 그 지점에서 자신들만의 고유한 정체성을 확립해야 했다. 즉 유럽의 도덕적 타락을 답습하지 않아야만 했고 그 결과 인간의 도덕성을 중시하는 억압적인 청교도주의가 강조되었다. 이 청교도주의는 개인의 자유보다 공공의 목표를 지향하는 편이었는데, 새 땅에서 삶의 터전을 일궈야 했던 미국인들은 이러한 이념을 자신들이 정체성을 형성해 가는 데 밑바탕으로 받아들인다.

하지만 제임스는 이처럼 억압적인 도덕적 시각이 미국인들이 자신들의 정체성에 대해 느끼는 '복잡한 운명'에 엉켜있는 실타래를 풀어내기에는 역부족이라고 보았다. 아버지로 인해 어릴 때부터 한곳에 정착하지 못하고 유럽과 미국을 왕래했던 제임스는 비록 "정신적인 집의 부재"(Kazin 213)라는 불안정함을 겪었지만 결과적으로는 유럽과 미국을 동시에 조망할 수 있는 있는 시야를 갖게 되었다. 그에게 있어서 미국인들에게 무엇보다 필요한 것은 '문화'였다. 그는 홀로 유럽에 머물게 되면서 자신의 가족들과 많은 서신을 주고받는다. 그중 플로렌스(Florence)에서 어머니에게 보낸 편지에서 제임스는 "내가 지적하고자 하는 우리의 결함은 현대 인류의 요소로서 문화를 전혀 고려하지 않는다는 것"이며, 일반적으로 미국을 여행하며 받는 인상은 "놀랍고도 완전무결한 문화의 부재"(*The Letters* 22)라고 말한다. 제임스가 볼 때 미국은 불완전했다. 그러한 불완전함은 그가 유럽 속에 있을 때 더욱 선명하게 부각되는데, 그는 그 불완전함이 유럽의 환경이 지닌 성질에 의해 교정될 수 있다고 생각했다(Powers, *The Portrait* 5).

소위 국제 주제를 다루는 작품들 속에서 주인공들은 대부분 그러한 미국적인 결핍을 지니고 있다. 그들의 도덕적 경직성은 그들로 하여금 순수하기는 하지만 삶에 대해 원숙한 시각을 갖지 못한 인물들로 나타나게 한다. 그리고 제임스는 그러한 순수함을 지닌 등장인물이 상대적으로 역사가 축적된 문명사회인 유럽에서 어떻게 문화적 경험을 하는지 그것이 어떠한 변화를 일으키는지를 다루고자 한 것이라고 볼 수 있다. 이사벨 또한 기본적으로 그러한 미국적인 특성을 보여주는 인물이지만, 나아가서 그녀는 미국과 유럽의 문화에 대해 복합적인 수용력을 가진 인물로 나타난다. 그것은 이사벨의 태생적 성향이 앞으로 살펴보고자 하는 당대의 문화적 요인들을 기반으로 하고 있기 때문이다.

II-1. 에머슨의 초월주의적 자아관

이사벨의 성격적 특질 중 가장 두드러진 것은 그녀가 가진 풍부한 상상력이다. 화자는 "그녀의 상상력은 지나치게 활발해서 문이 닫혀있을 때는 [그 상상력이] 창밖으로 뛰쳐나가는"(39)[1] 정도라 묘사한다. 특별히 이사벨은 "삶에 대해 무한한 호기심을 갖고 바라보며 끊임없이 의문을 품는"(41) 인물이다. 삶이란 그녀에게 해명되지 않은 문제 같은 것이다. 따라서 그 문제를 어떻게 풀어내는가는 전적으로 그녀 자신의 개인적인 관점에 달려있다. 그런데 이사벨이 유럽에 가기 전까지는 올바니(Albany)의 작은 저택만이 그녀가 삶을 경험할 수 있는 유일한 장소였다. 서재 밖에 있는 더 넓은 세계에 대한 경험은 스스로의 상상으로밖에 채울 수 없었으며, 그 상상력의 근원을 구성하는 대부분은 이사벨이 서재에서 읽었던 많은 책들이다. 결국 이사벨이 지닌 "삶에 관한 전반적인 인상"(56)은 이 상상력에 기반한다. 다시 말해 그녀가 세상을 바라보는 관점의 밑바탕이 되는 것은 실제적인 경험이 아닌 자신의 상상력인 셈이다.

---

[1] Henry James. *The Portrait of a Lady*. New York: Norton, 1995. 앞으로 이 작품의 인용은 괄호 안에 쪽수만 표기한다.

이곳의 신비스러운 우울감은 이 장소에 정식으로 들어오려면 사용하지 않아 온 저택의 두 번째 문을 통해야 하고, 빗장이 걸린 그 문을 유난히 체구가 가느다란 작은 소녀가 열 수 없다는 사실에서 기인했다. 그녀는 이 꼼짝 않고 침묵을 지키는 문이 길 쪽을 향해 있다는 걸 알았다. 채광창에 초록색 종이가 부착되어 있지 않았다면 다갈색의 현관 앞 계단과 닳아빠진 보도블록을 내려다볼 수 있을 것이다. 그러나 그녀는 밖을 내다보고 싶지는 않았다. 문 저편에 낯선 미지의 세계가 있을 것이라는 그녀의 이론이 방해받을지도 모르기 때문이었다. 그곳은 그 아이의 상상 속에서 그때그때의 기분에 따라 즐거운 곳이 되기도 했고, 두려운 곳이 되기도 했다.

The place owed much of its mysterious melancholy to the fact that it was properly entered from the second door of the house, the door that had been condemned, and it was secured by bolts which a particularly slender little girl found it impossible to slide. She knew that this silent, motionless portal opened into the street; if the sidelights had not been filled with green paper she might have looked out upon the little brown stoop and the well-worn brick pavement. But she had no wish to look out, for this would have interfered with her theory that there was a strange, unseen place on the other side—a place which became to the child's imagination, according to its different moods, a region of delight or of terror. (33)

빗장이 걸린 문과 초록색 종이가 붙은 채광창은 이사벨이 세상을 바라보는 제한된 관점과 인식을 상징적으로 반영한다. 제임스는 뉴욕판 서문에서 소설을 집에 비유한다. 그는 "소설이라는 저택에는 하나의 창문이 아닌 셀 수 없는 무수한 창문"(7)이 존재하며, 개인의 관점이나 필요에 의해 그 창문들이 생겨날 수 있다고 말한다. 이는 제임스의 에세이 「소설예술론」("The Art of Fiction")[2]을 살펴보면 더욱 분명해진다. 그는 소설가가 "실재 (reality)에 대한 감각"("The Art" 387)을 지니지 않고서는 좋은 소설을 쓸 수 없다고 말한다. 하지만 제임스는 이러한 실재를 이미 정해진 어떠한 "방법"(387)을 통해서는 드러낼 수 없다고 보는데, 이는 실재를 지각하는 데에는 무수한 방법이 있을 수 있다는 의미이다. 왜냐하면 "인류는 거대하고, 실재는 무수한 형태를 지니기"("The Art" 387-88) 때문이다. 제임스의 묘사처럼 창문을 개인이 지닌 관점의 상징으로 본다면 종이에 가려진 창문은 이사벨이 보고 싶어 하는 바깥 세계로 통하지만 아직 그녀의 시각에는 열려 있지 않다. 그녀는 이 창문을 사이에 두고 자신만의 상상과 함께 외부로부터 격리되어 있다.

이사벨은 세상과 삶에 대해 "많은 이론들"을 가진 여성이다(52). 이 이론들은 그녀가 가진 활발한 상상력으로부터 온다. 화자는 그녀가 주변 사람들에 비해 비교적 "넓은 시야"를 지녔고 다른 젊은 여성들과는 다르게 "익숙하지 않은 지식에 대해 관심을 보이는" 비범함이 있다는 것을 인정한다(52). 그런데 이사벨의 이러한 특성은 주변에 의해 약간 과장된 것처럼 보인다. 예를 들어 바리안 부인(Mrs. Varian)은 이사벨이 글을 쓰고 있다는 소문을 퍼트리며, 그녀가 유명한 작가가 될 것이라고 생각한다. 정작 이사벨 자신은 글을 쓰려는 시도조차 해본 적이 없는데도 불구하고 사람들이

---

[2] 제임스의 에세이 「소설예술론」은 소설의 기술에 관한 발터 베산트(Walter Besant)의 강의에 대해 자신의 견해를 밝힌 글이다. 베산트는 소설가가 현실을 정확하고 꼼꼼하게 반영함으로써 소설의 목적을 충실히 이행할 수 있다고 주장한다. 왜냐하면 소설이 존재하는 이유는 소설이 삶을 묘사하려 시도한다는 점에 있기 때문이다. 반면 제임스는 소설의 등장인물이나 상황이 현실처럼 다가오는 것이 독자를 흥미롭게 할 수 있지만 현실에 대한 척도(the measure of reality)는 고정하기 어려운 것이며, 작품 속에 묘사된 현실의 '정확함과 정밀함'의 정도가 작가의 관점에 따라 달라질 수 있다고 보았다.

그녀에게 우수한 자질을 지녔다고 말하는 의견을 막연하게 맞다고 생각한다(53). 자신이 일반적인 여성들과 구분되는 훌륭한 자질을 갖고 있다는 일종의 오만은 스스로의 삶에 대한 구체적이지 않은 막연한 기대를 부추기게 된다.

　이사벨이 스스로를 독립적인 존재라고 생각하는 것은 그녀의 이러한 이론 가운데 하나이다. 그녀는 자신의 독립적인 상태가 외부의 어떤 제재도 받지 않고 유지될 수 있다고 생각한다. 일례로 가든코트(Gardencourt)에서 이사벨은 저녁 시간에 사촌인 랄프(Ralph Touchette)와 랄프의 친구 워버튼(Lord Warburton)과 함께 대화하면서 밤늦게까지 남아있기를 원한다. 토체트 부인(Mrs. Touchette)은 이를 금하며 "영국의 젊은 여성들은 늦은 시각까지 남자와 함께 있지 않기 때문에" 영국에 와 있는 이사벨 또한 그 관습을 따라야 한다고 말한다(67). 이때 이사벨은 이러한 관습을 행하는 것이 자신의 선택에 달렸다고 생각한다. 그렇게 함으로써 사회의 규범과는 무관하게 자신의 독립적인 위치를 유지할 수 있고 "자신의 방식대로" 살아갈 수 있다고 생각하기 때문이다(67). 이사벨은 삶에서 자신이 선택한 그대로 길을 잃지 않고 나아갈 수 있으리라는 믿음을 가지고 있다. 이 믿음은 화자가 이사벨의 "과오"라고 말하는 "자기 존중"(self-esteem)에 근원을 둔다(53).

　　그녀는 많은 시간을 아름다움과 용기와 관대함에 대해 생각하며 보냈다. 그녀는 이 세계가 밝고, 자유롭게 펼쳐져 있으며, 행동에 제약이 없는 장소라는 확고한 생각을 가지고 있었다. 두려워하거나 부끄러워하는 것은 혐오해야만 하는 것으로 생각하고 있었다. 무엇이든지 부정한 일은 절대로 하지 않으려는 끝없는 소망을 갖고 있었다.

> She spent half her time in thinking of beauty and bravery and magna-
> nimity; she had a fixed determination to regard the world as a place of
> brightness, of free expansion, of irresistible action: she held it must be de-
> testable to be afraid or ashamed. She had an infinite hope that she should
> never do anything wrong. (54)

이사벨의 '자기 존중'은 곧 "자아에 대해 의심하는 것은 자신의 가장 친한 친구를 의심하는 것"(54)이라고 여길 만큼 자신의 자아에게 보내는 전적인 신뢰이다. 세상은 '밝고, 자유롭게 펼쳐져' 있어서 스스로의 자아에 대한 견고한 믿음을 바탕으로 삶 속에서 어떤 제약도 받지 않고 자유롭게 자아를 실현하면 되는 것이다. 이러한 그녀의 '자기 존중'은 에머슨(Ralph Waldo Emerson)이 주창한 "자기 신뢰"(self-reliance) 개념과 유사하다. 에머슨은 자신의 에세이 「자기 신뢰」("self-reliance")에서 무엇보다 자신의 내면에 있는 생각을 믿는 것을 강조한다. 한 개인의 내면에서 진실하다 여기는 것이 모든 사람에게 진실한 것이며 이러한 개인의 내면에 대한 확신이 "보편적인 의식"이라는 것이다(Emerson 30). 블룸(Harold Bloom)은 이사벨을 "에머슨의 딸"이라고 지칭하며 에머슨적인 분위기가 제임스의 작품에 감돌고 있다고 평한다(7). 한편 화자에 의해 기술된 이사벨의 이러한 특성은 에머슨의 관점에 대한 제임스의 암묵적인 평가를 엿볼 수 있게 한다. 이는 화자가 이사벨에 대해 "그녀는 세상의 악을 거의 보지 못한다"(67)라고 묘사할 때 단적으로 나타난다. 제임스는 에머슨의 '자기 신뢰'가 "악에 대한 진정한 통찰력"을 제공하지 못한다고 보는 것이다(Bloom 9).

에델(Leon Edel)은 제임스가 "자기 확신에 찬 이사벨"을 통해 미국적인 삶의 방식을 구성하는 자기애적인 요소로서의 "근본적인 이기주의"를 드러낸다고 지적한다("The Myth" 13). 에델은 신대륙을 개척해야 했던 미국인들이 필연적으로 에머슨주의를 받아들일 수밖에 없다고 본다. 왜냐하면 개척은 본래 그들이 살았던 "낡은 낙원", 즉 유럽에서 나와 자신들이 지배할 새로운 세계를 찾는 행위이기 때문이다(Edel "The Myth" 14). 제임스가 삶을 낙관하는 이사벨을 유럽이라는 문명사회에 배치한 것은 에머슨적인 자아관에 보완이 필요하다고 본 것이라고 할 수 있다. 다시 말해서 제임스는 개인의 내면을 억압한 청교도주의에 반해 등장한, 개인의 가능성과 자아실현 문제를 지나치게 긍정적으로 보는 에머슨주의도 미국인들의 근본적인 문제를 해결할 수 없다고 본 것이다.

이사벨은 에머슨의 초월주의적 자아관에 강하게 영향을 받은 인물이다. 이사벨은 자신이 앞으로 직면하게 될 현실, 즉 자신의 미래의 운명을 자신의 의지대로 자아실현을 이룰 수 있는 가능성으로 본다. 특히 그녀는 유럽에서의 자신의 결혼생활을 자신이 가진 풍부한 상상력을 동원해 독립적으로 자신의 자아를 마음껏 실현할 수 있는 기회일 것이라고 추정한다. 그러나 불행하게도 삶에 대한 이사벨의 이러한 긍정적인 관점은 '초록색 종이로 가려진 창'이 상징하듯 극히 제한되어 있다. 결과적으로 이 관점은 어떠한 성찰도 거치지 않고 무조건적으로 자신의 내면을 신뢰하는 그녀의 특성을 드러내는 것으로 귀결된다. 에덜은 이러한 제임스의 의도에 대해 문명화된 사회에서는 에머슨적인 자기 신뢰가 "법과 기준, 관습, 전통, 역사"를 고려할 수밖에 없음을 나타내고자 하는 것이라고 평한다(14). 이처럼 이사벨의 에머슨적인 자아는 미국이 가진 불완전함을 반영하고 있다. 그리고 제임스가 볼 때, 이는 '유럽의 환경이 지닌 성질'에 의해 보완될 수 있는 것이다.

II-2. 빅토리아조 사회의 감상주의적 결혼관

이사벨은 기본적으로 미국적 순수성을 지닌 인물이지만 그녀의 결혼 관은 영국 빅토리아조의 감상주의적 관점을 어느 정도 수용한 것으로 볼 수 있다. 작품의 초반에 이사벨이 가든코트에 도착하면서 전면적으로 부 상하는 주제는 결혼에 관한 것이다. 독립적인 여성상을 지향하는 영민한 이사벨의 등장은 영국의 부호인 워버튼의 시선을 사로잡아 그로 하여금 이사벨에게 청혼하게 한다. 뿐만 아니라 이사벨에게는 이미 미국에서부터 그녀에게 구혼해온 또 다른 구혼자인 굿우드(Casper Goodwood)가 있다. 제 임스는 이사벨의 구혼자들과 그녀 사이의 결혼 문제를 전개하면서 작품이 결혼을 소재로 하는 19세기 소설들과 비슷하게 진행될 것처럼 보이게 한 다. 슈라이버(Mary S. Schriber)는 제임스가 이사벨을 중심으로 결혼 문제를 부각시킨 것은 그가 19세기 여성의 사회적 위치가 갖는 복합성을 잘 이해 하고 있기 때문이라고 말한다(441). 당대의 시대적 배경은 여권 신장과 더 불어 여성의 독립 문제가 진지하게 제기된 시기였음에도 불구하고 여성이 자신의 자아를 사회 속에서 실현하기 위해서 할 수 있는 선택은 결혼으로 제한될 수밖에 없는 시기였다. 슈라이버는 제임스가 여성의 그러한 모순 된 사회적 지위를 충분히 의식하고 있었다고 본 것이다.

제임스는 특히 "여성에 대한 빅토리아조 풍의 의식"(Schriber 442)에 주 목한다. 그의 또 다른 작품인 『워싱턴 스퀘어』(*Washington Square*)에 등장하 는 페니먼 부인(Mrs. Penniman)은 제임스가 바라보는 빅토리아조 여성의 특 성을 그대로 반영한 인물이다. 이러한 인물의 유형은 주로 매우 감상적이 고 '낭만적인' 상상으로 자신의 삶을 충족하려 한다. 그리고 결혼은 그러한 인물이 자신의 감상적인 상상을 실현할 수 있는 수단이다. 반면 이사벨은 자신의 삶을 자유롭게 개척하겠다는 의지에 차 있으며, 매사에 대해 스스로 판단을 내리겠다고 주장한다(143). 또한 그녀는 대부분의 다른 여성들이 사회적 현실에 대해 지나치게 무지하거나 무관심하다고 생각하며, 자신은 그러한 상태에 빠지지 않겠다는 의도를 내비친다(50). 즉 이사벨은 당대의 다른 여성과는 다르게 자신의 지적인 면을 고양하는 데에 강한 욕구를 가지고 있다. 그녀는 자신의 경험적 한계를 신장하기를 강하게 원하는 "대담한 여성"(Schriber 441)이지만 사회에서 빅토리아조 여성의 지위는 그녀가 이 갈망을 실현하기에는 제약이 있다. 한정된 환경에 놓인 이사벨의 자유로운 경험에 대한 욕구는 그녀가 사회에서 자아를 실현하고자 하는 갈망과 빅토리아조의 요소가 반영된 결혼관을 동시에 내재하는 모순적인 상황을 통해 드러난다.

이사벨은 랄프에게 "결혼하는 것으로 삶을 시작하고 싶지 않다"(133)고 말하며 당대 여성의 삶에 대한 견해를 밝힌다. 독립적인 여성상을 지향하는 이사벨의 갈망은 그녀의 친구인 헨리에타를 동경하는 것에서 잘 나타난다. 이사벨은 헨리에타를 독립적인 여성의 전형으로 여긴다. 실제로 헨리에타는 자신만의 직업에 종사하고 있으며 매사에 "분명한 관점"(55)을 갖고 있다. 그녀는 『인터뷰어』(*Interviewer*)지의 저널리스트로서 유럽 사회의 타락상을 비판하고 이를 개혁해야 한다는 의지를 지닌 급진적인 여성이다. 랄프는 그녀가 "미래의 향기"(88)를 지녔으며 그 향기가 "사람을 압도시킬 정도"(88)라 말한다. 다시 말해 헨리에타는 여성의 독립성과 권리를 주장하는 사회적 움직임과 함께 등장한 확고한 이념을 가진 여성이다. 헨리에타는 이사벨이 가진 막연한 상상력의 위험성에 대해 아래와 같이 말한다.

너는 낭만적인 관점을 가짐으로써 내키지 않은 의무를 피할 수 있다고 생각해. 그게 너의 거대한 환상이야, 아가씨. 우리는 그렇게 할 수 없어.

다른 사람은 물론 너 자신조차도 만족시킬 수 없는 삶의 많은 상황들을 대비할 준비를 해야만 해.

You think we can escape disagreeable duties by taking romantic views—that's your great illusion, my dear. But we can't. You must be prepared on many occasions in life to please no one at all—not even yourself. (188)

헨리에타와 이사벨은 모두 여성의 사회적 독립을 추구한다는 점에서 공통적인 목표를 지향하지만, 서로 다른 기질적인 차이로 인해 두 사람의 진보적인 시각은 양극적인 방향으로 작용한다. 랄프는 헨리에타의 눈이 "잘 닦인 커다란 단추에 [. . .] 주변의 대상을 그대로 반영"(80)하는 것 같다고 묘사한다. 이 묘사는 사회를 바라보는 그녀의 관점이 다소 평면적일지라도 그 현실을 그대로 직시할 수 있다는 의미로 해석할 수 있을 것이다. 당시 사회를 비판적으로 바라보며 현실적 감각을 잃지 않는 여성인 헨리에타는 이사벨이 가진, 빅토리아조의 감상주의적 요소가 가미된 상상, 환상을 정확히 지적한다. 헨리에타는 랄프에 의해 부유한 여성이 된 이사벨이 단지 자신만의 상상 속에서 충족하는 자유의 한계를 넘어서 이제 사회적 자유를 누릴 수 있는 실질적인 수단을 확보하게 되었다고 판단한다. 이에 헨리에타는 그 실질적 수단과 결합한 이사벨의 "우아한 환상"(188)이 그녀[이사벨]의 삶을 불행에 빠뜨릴 수도 있는 위험 요소로 작용할 수 있음을 예견한다. 즉 그녀는 이사벨의 '낭만적인 관점'이 사회의 부정적인 요소를 파악할 수 없는 불완전함을 지녔다고 보며, 이로 인해 그녀가 앞으로 맞닥뜨리게 될 "이기적이고 냉혹한 사람들"(188)의 진의를 파악하지 못할 것이라고 생각한다. 이처럼 제임스는 당시 여성의 사회적 지위에 관해 각기 다른 대응 방식을 나타내는 두 여성 인물을 대조적으로 제시함으로써 이사벨이 여성과 결혼에 대한 빅토리아 시대의 사상을 불완전하게 수용하고 있음을 부각시킨다.

특히 이사벨이 올바니에서 읽었던 감상주의적 책들이 그녀의 상상력에 많은 영향을 끼쳤다는 점을 고려하면, 다른 등장인물들에게 자신의 독립을 강하게 주장하면서도 정작 자신의 삶에는 그에 일치하지 않는 태도를 보이는 이사벨의 성향을 이해할 수 있다. 이사벨은 많은 책을 읽었지만 "독서광"으로 보이는 것을 원하지 않아 몰래 책을 읽거나 책에서 참조한 문구를 인용하는 것을 꺼렸다(41). 하지만 이사벨이 처음 가든코트에 당도해 워버튼을 만나는 순간 그녀는 그가 귀족인 것을 알고 "마치 소설 같다!"(27)는 감탄사를 내뱉는다. 이는 그녀가 상상력을 구성하는 재료로 삼았던 책들과 그로 인해 형성되는 당대 사회의 가치관, 빅토리아조의 보통의 상상과 가치관을 벗어날 수 없다는 것을 드러낸다. 게다가 워버튼은 소설 속에서 있을 법한 일처럼(97) 이사벨에게 첫눈에 반했다고 그녀에게 털어놓는다. 이러한 진행은 감상 소설에서 전개되는 이야기의 흐름의 특성을 두드러지게 하며, 이사벨의 감상주의적 상상이 실현되는 듯한 인상을 준다.

워버튼의 청혼을 거절할 때의 이사벨의 감정 묘사는 그녀가 가진 빅토리아조 여성의 감상주의적 요소를 극적으로 잘 드러낸다. 그녀는 순간적으로 워버튼에게 "여자로서 당신에게 모든 것을 맡기는 것보다 더 좋은 것은 이 세상에 없습니다"라고 말하고 싶은 강렬한 충동에 사로잡힌다(100). 슈라이버는 이사벨에게 관습적인 여성의 역할을 따르기 위해 빅토리아 여성의 역할을 수행하고자 하는 충동이 있다고 말한다(444). 이는 그녀의 내부에 존재하는 전통적인 여성 역할에 대한 불완전한 수용이 충동적으로 나타나는 것으로 볼 수 있다. 독립적인 여성을 선망하고 그렇게 되길 원하는 이사벨의 욕구가 그녀의 상상력에서 기인한다면 빅토리아조의 결혼관을 따르려고 하는 충동 또한 감상주의적 요소를 지닌 그녀의 상상력으로 부터 오는 것이다.

이사벨은 사회에서 자신만의 독립적인 위치를 확립하고자 하는 의지를 지닌 동시에 불완전하게 빅토리아조 여성의 역할을 수용하고 이를 따르고자 하는 충동을 갖고 있다. 그녀의 이러한 양가적 성향은 또한 그녀의 활발한 상상력에서 근원한다. 제임스는 이사벨의 이러한 복합적인 성향을 통해 당시 사회에서 여성의 사회적 지위가 지닌 복합적이고 불안정한 위치를 표현하고, 또한 이사벨의 상상력이 내포하고 있는 빅토리아조 풍의 감상주의를 드러내고자 했다고 볼 수 있다. 헤베거(Alfred Habegger)는 제임스 역시 19세기 낭만주의적 소설의 "열정적인 독자"(54)였을 것이라고 추정한다. 독자로서 그는 이러한 소설들에서 자주 등장하는 결혼 문제에 대해 일종의 의문을 품는다. 독립적인 삶을 지향하는 여성 등장인물이 강한 남성성을 지닌 상대에게 종속되는 결말에는 모순이 있다고 보았기 때문이다. 헤베거의 지적에 따르면, 이러한 결말은 주인공이 어렵게 성취한 자신의 독립과 상대 남성 인물을 향한 "어린아이 같은 의존"상에서 생겨나는 "모순"을 의식하지 못한 것이다(Habeggar 54). 헤베거는 제임스가 근본적으로 이러한 결합에 반감을 가진 것으로 보았다. 이에 19세기 영국 소설에 나타난 결혼이 다분히 낭만적 상상력에서 비롯된 산물이라는 작가의 관점을 이사벨의 결혼을 통해 드러낸 것이라고 볼 수 있다. 제임스는 자신만의 방식으로 독립성을 열망하는 여성이 어떻게 삶을 살아가는가 하는 문제를 풀어보고자 한 것이다.

III. 선의가 초래한 해악

『여인의 초상』에는 동화적인 요소가 포함되어 있다. 우선 주인공인 이사벨에게 마법과도 같은 행운이 주어진다는 점이 그렇다. 그 행운은 그녀의 이모인 토체트 부인이 그녀를 유럽으로 데려오는 것으로부터 시작되어 사촌인 랄프가 자신 몫의 유산에서 막대한 금액을 이사벨 앞으로 남기는 것으로 구체화된다. 특히 랄프의 경우, 자신이 상속받을 막대한 유산을 친분이 깊다고 할 수 없는 친척인 이사벨에게 건네주는 일은 보통의 선의 그 이상이다. 게다가 이 유산 상속은 7만 파운드라는 그 금액이 가지는 무게만큼이나 이사벨의 삶에 큰 영향을 끼친다. 랄프는 이를 통해 그녀의 삶에 직접적으로 관여하게 될 뿐만 아니라 거기에 비극적 아이러니의 동인을 제공한다. 랄프의 욕망과 의도가 담긴 응시와 그에 따른 개입이 이사벨의 삶에 극적인 변화를 일으킨 것이다.

랄프는 출생과 성장 배경의 관점에서 볼 때 제임스와 상당히 유사한 조건을 가지고 있다. 제임스는 국외자로서 미국과 유럽을 조망하는 관찰자였고, 랄프 또한 국외자이자 작품 속에서 통찰력을 지닌 관찰자의 역할을 수행한다. 랄프는 미국 대학에서 학위를 받았지만 그의 아버지 토체트 씨(Mr. Touchette)는 아들이 "지나치게 미국적"(43)이라는 인상을 받아 랄프를 옥스퍼드(Oxford) 대학에 3년간 재학하게 한다. 이로 인해 랄프는 마침내 "상당히 영국사람처럼"(43) 되었다. 특히 건강이 좋지 못한 랄프가 사촌인 이사벨에게 가지게 되는 애정과 제임스가 그의 사촌인 미니 템플에게 지녔던 감정 사이에는 간과할 수 없는 유사성이 있다. 랄프는, 의도적이든 그렇지 않든 간에, 이사벨의 운명을 지켜보는 관찰자이자 그녀의 인생을 조정하는 역할을 한다. 4년에 걸친 시간 동안 병으로 죽어가고 있는 이 기묘한 인물은 이사벨에 대해 성적 욕망이 없는 특별한 사랑을 품고 있다.

이는 (미니를 향한) 제임스 자신의 감정 상태를 우회적으로 반영한 것으로 여겨진다(Habegger 70).

랄프는 폐병으로 인해 살아갈 날이 많이 남지 않았다. 이는 그가 삶에서 즐거움을 취할 수 있는 방법이 여러모로 제한된다는 뜻이다. 스스로를 "게으른 사람"(84)이라 지칭하는 그는 이사벨이 가든코트에 나타나기 전까지 별다른 직업도 갖지 않은 채로 무료한 삶을 지속하고 있다. 작품이 시작할 때 등장하는 가든코트의 묘사는 이러한 분위기를 더해준다. "여름의 태양 빛이 점점 약해지고 공기가 선선해지며, 매끄럽고 조밀한 잔디 위에 그림자가 길게 드리워진"(17) 모습은 오후의 나른함을 표현하고 있기도 하지만 여름의 생생함이 사라진 생명력 없는 풍경을 잘 나타낸다. 이 와중에 랄프에게 유일하게 남은 즐거움은 무언가를 관찰하는 것이다. "분명히 지루하지 않을 것 같은 젊은 처녀"인 이사벨의 등장이 "단번에 랄프의 흥미를 자극한 주요 이유는 아마도 관찰에 의하여 맛보는 즐거움 때문이라는 것이 틀림없었다"(46).

랄프의 이러한 관심은 먼저 이사벨의 외적인 부분으로 향한다. 랄프는 이사벨의 아름다움을 예술품에 비유한다. 그는 그녀를 "그리스의 조각품"이나 이탈리아의 화가인 "티티안의 작품" 또는 "고딕 성당" 같은 "훌륭한 예술작품보다 더 훌륭한 작품"이라고 평한다(63). 특히 이사벨이 그림을 감상하는 모습을 면밀히 살펴보는 랄프의 시선은 이를 잘 드러낸다.

그녀가 촛불을 높게 쳐들고 있을 때 랄프는 자신이 화랑의 중앙에 서서 그림보다 그녀의 모습에 시선을 더 집중하고 있다는 사실을 알아차렸다. 사실상 이런 곁눈질로 그가 잃을 것은 없었다. 왜냐하면 대부분의 미술 작품보다 그녀가 더 볼 만했기 때문이다.

She lifted it high, and as she did so he found himself pausing in the middle of the place and bending his eyes much less upon the pictures than on her presence. He lost nothing, in truth, by these wandering glances, for she was better worth looking at than most works of arts. (50)

작품 속에서 '본다'는 행위는 행위 그 자체 이상의 의미를 지닌다. 작품 제목의 "초상"이라는 표현이 암시하듯, 작품에는 중심인물인 이사벨 말고도 여러 사람의 초상이 나타난다. 이사벨은 이러한 초상들을 관찰하고 서술하는 중심 역할을 맡는다. 한편 이사벨 또한 다른 이들에 의해 관찰의 대상이 된다. 따라서 이사벨이나 랄프, 오스몬드 등을 포함하는 주요 인물들은 종종 관찰의 주체이자 대상이 된다. 이사벨은 대상으로서 다른 주체들에게 다양한 의미로 드러나며, 동시에 그녀는 주체로서 그녀가 바라보는 세상을 인식하여 드러낸다(Izzo 42). 그리고 독자는 다른 주체의 시선을 통해 이사벨을 읽고 이사벨의 시선을 통해 다른 인물들을 바라본다. 이사벨을 바라보는 랄프의 시선도 역시 복합적인 의미를 갖는다. 왜냐하면 독자는 랄프의 시선을 통해 제시된 이사벨을 인식할 뿐만 아니라 인식 주체인 랄프라는 인물 자체를 파악할 수 있기 때문이다.

반 겐트(Dorothy Van Ghent)는 제임스가 인상적인 상황을 다룰 때에 관찰자의 인식 변화에 강조를 두어 시각적이거나 극적인 특징을 제시한다고 지적한다(681). 여기서 '본다'라는 행위에 모호함이 생겨난다. 눈은 감각 기관으로서 단지 사물의 외양을 파악하는 수단이다. 그런데 어떤 관찰자가 시각을 이용해 파악한 사물에 대한 정보를 서술하게 되면 거기에는 그 관찰자의 의식이 드러난다. 따라서 사물에 대한 시선은 "이중적 기능"(Van Ghent 681)을 갖는다. 한 가지는 "관찰자의 의식을 통과하는 간접적 표현에 의해 외형적인 자극이 묘사되는 것이고 또 다른 하나는 이를 통해 관찰자 그 자신을 드러내는 것이다"(Van Ghent 681). 즉 감각을 통해 얻은 정보는 관찰자의 의식에 따라 서술되고 그렇기 때문에 관찰자 자신의 감정이나 사고가 반영된다고 말할 수 있다.

흥미로운 점은 이사벨의 아름다움에 대한 랄프의 생각이 오스몬드의 왜곡된 예술적 애호와 비슷한 성질을 지녔다는 것이다. 이사벨을 '예술 작품들'에 견주어 비교하는 랄프의 시선은 오스몬드가 그녀를 자신의 "수집품 컬렉션"(258) 중 하나로 간주하는 방식과 서로 닮아있다. 즉 이들은 작품이 지닌 가치를 알아보는 수준 높은 차원의 감식안을 지녔으며 이사벨을 마치 "낡은 장이나, 그림들, 실로 수놓은 비단 벽걸이"(208) 등과 같은 예술품으로서의 가치로 평가한다.

하지만 이 두 남성의 시각에는 중요한 차이점이 존재하며, 이러한 차이점은 랄프의 다음 행보에서 드러난다. 랄프는 이사벨을 그저 선반에 전시해놓을 수 있는 예술품으로만 여긴 것은 아니다. 오스몬드가 이사벨을 철저히 자신을 위한 가치 있는 소장품으로만 여기는 데 반해서, 랄프는 그녀를 자신의 의식에 근본적인 변화를 불러일으키는 존재로 여기기 때문이다. 랄프에게 이사벨은 이제 막 삶의 출발선에 서서 아직 어떤 모습으로 변모할지 알 수 없는 "꼭 오므린 여린 장미 봉오리"(192) 같은 존재이다. 이에 반해 랄프는 이제 살아야 할 날보다 죽음을 향해 열려있는 거리가 더 짧다. 이때 이사벨은 랄프의 쇠약해진 삶의 밑바탕에 남아있는 무언가를 자극한다. 그것은 바로 그의 미적, 도덕적 상상력이다. 즉 랄프는 이사벨을 만나면서 자신이 "사랑받는 존재가 되는 것과는 별개로 사랑하는"(46) 존재가 되는 상상을 할 수 있게 되는 것이다.

랄프는 등장인물 가운데 비교적 편향되지 않은 시선을 가졌음에도 불구하고 자신의 상상을 바탕으로 한 "광적인 환상"(133)을 이사벨이 충족시켜 주리라 믿는다. 이 때문에 그는 이사벨의 의사와는 관계없이 그녀에게 무한한 기대를 갖는다. 다시 말해 랄프는 이사벨이 가진 불분명한 수많은 상상들을 그녀가 삶 속에서 적극적으로 실현해 나갈 것이라고 생각한다. 이사벨의 내면 의식과 상상력 그리고 그녀가 지닌 삶의 가능성 등을 공간적 이미지로 은유화한 다음 묘사가 랄프의 이사벨에 대한 기대를 잘 보여준다.

그가 창문에서 안을 들여다보니 실내도 외부와 동일하게 넓다는 인상을 받았다. 그러나 그는 겨우 힐끗 보았을 뿐 아직 집 안에 있어 보지 않았다는 느낌이 들었다. 문은 잠겨 있었고, 비록 호주머니에 몇 개의 열쇠는 있지만 어느 것도 맞지 않을 것이라는 확신이 들었다. 그녀는 지적이고 관대했다. 이러한 성격은 고결하고 자유로운 그녀의 본성이었다. 그러나 그녀는 스스로 무엇을 할 것인가? 이런 질문은 올바르지 않다. 왜냐하면 대개의 경우 우리는 여자한테 이런 대답을 들을 기회가 없기 때문이다. 대개 여자들은 스스로 무엇을 하지 않는다. 여자들은 얼마간 품위 있는 수동적 태도로 남자가 들어와서 그들에게 운명을 제공해 주길 기다리기 마련이다. 이사벨의 독창적인 점은 그녀에게는 자신의 어떤 의도가 있다는 인상을 다른 사람에게 주는 데에 있었다. "언제든 그 의도들을 실행할 때" 랄프는 말했다. "내가 직접 볼 수 있기를!"

He looked in at the windows and received an impression of proportions equally fair. But he felt that he saw it only by glimpses and that he had not yet stood under the roof. The door was fastened, and though he had keys in his pocket he had a conviction that none of them would fit. She was intelligent and generous; it was a fine free nature; but what was she going to do with herself? This question was irregular, for with most women one had no occasion to ask it. Most women did with themselves nothing at all; they waited, in attitudes more or less gracefully passive, for a man to come that way and furnish them with a destiny. Isabel's originality was that she gave one an impression of having intentions of her own. "Whenever she executes them," said Ralph "may I be there to see!" (64)

랄프는 이사벨이 '스스로 무엇을 할 것인가?'를 확인하고 싶은 것이다. 그의 이러한 욕구는 '젊은 여성이 자신의 운명에 직면하는 것을 보여주려는' 제임스의 의도와 맥을 같이한다. 이에 대해 에덜은 『여인의 초상』에서 제임스가 "매우 자의적인 규범 안에서 그리고 자신의 운명을 제어할 수 있는 범위 내에서 얼마만큼의 자유를 개인이 지닐 수 있는가"("Introduction" 10)를 탐색하고자 시도했다고 밝힌다. 이사벨에게서 랄프는 다른 여성들이 주지 못하는 '그녀 자신만의 의도가 있다는 인상'을 받는다. 그는 이것이 그가 아직 열 수 없는 문 너머의 영역에 있는 이사벨이 가진 알 수 없는 가능성이라고 생각한다. 문제는 사회라는 규율적인 공간에서 그녀가 어느 정도까지 이 의도들을 실현할 수 있는가 하는 것이다. 궁극적으로 랄프가 이사벨에게 갖는 호기심은 훌륭한 예술품으로서 그녀가 가진 외면적 아름다움이라기보다 그녀의 내면에 있는 아직 현실 속에서 모습을 갖추지 않은 자유로운 상상력이다.

이로써 이사벨에 대한 랄프와 오스몬드의 시각의 차이가 분명하게 드러난다. 이들은 예술가의 두 가지 유형을 나타낸다. 오스몬드는 이사벨을 자신을 돋보이게 하고 그의 감식력에 대한 최고의 증거가 될 작품을 만들 기회로 여긴다. 그녀의 총명함은 단지 "그의 식탁을 장식하기 위해 과일을 쌓을 수 있는 은쟁반"(296)과 같은 것이다. 반면 랄프는 이 작품을 완전하고 빛나게 만들어 전시하고자 한다. 그는 하나의 완벽한 초상을 완성하고 싶은 것이며, 그 완성된 초상을 감상하기를 원하는 것이다. 랄프는 자신에 대한 스스로의 욕구를 지워버리고 대신에 이사벨이라는 대리인을 통해서 하나의 충만한 삶의 작품이 탄생하기를 기대한다(Gass 697). 즉 오스몬드는 자신을 위해서 이사벨을 이용하지만 반대로 랄프는 스스로의 희생을 촉매제로 삼아 이사벨이 인생의 "모든 면을 조망"(288)하고 완성된 하나의 작품이 되기를 바라는 것이다.

워버튼의 청혼에 대한 이사벨의 거절은 랄프의 상상에 결정적 불씨를 당겨준다. 워버튼의 경제적인 능력이나 영국 내에서의 지위를 고려하면 그는 이사벨에게 훌륭한 배우자가 될 수 있는 자질을 지녔다. 이사벨은 워버튼에게 호감을 느끼고 있었음에도 불구하고 자신이 인생에서 결혼보다 더 큰 어떤 일을 해야 한다는 막연한 기대감으로 인해 그의 청혼을 받아들이지 않는다. 그녀는 워버튼과의 결혼이 "삶에 대한 자유로운 탐색"(101)을 원하는 자신과 맞지 않다고 생각한다. 하지만 이사벨의 탐색은 어떤 구체적인 행위나 비전을 수반하지 않은 모호한 몽상과 같은 것이다.

반면 랄프는 자신이 이사벨에게서 받은 '인상'을 기반으로 그녀의 몽상을 해석한다. 그는 워버튼과 결혼하지 않겠다는 이사벨을 바라보는 "전율"(133)을 느끼는 것이 그녀를 기대 없이 흠모하는 것에 대한 "보상"(132)의 차원이라고 말한다. 즉 랄프는 이사벨로부터 받은 자신의 인상에 근거해서 앞으로 전개될 그녀의 삶을 관찰하는 데에서 자신의 삶의 의미를 찾으려는 것이다. 그는 이사벨의 삶으로 대리만족의 심리를 추구한다고 말할 수 있다. 한편 그러한 랄프에게 반응하는 이사벨의 태도에는 그의 이러한 기대와 불일치하는 대목이 있다.

"경험의 잔을 다 마셔버리길 바라는구나."
"아니요. 경험의 잔에는 손을 대고 싶지 않아요. 그 잔은 독잔이에요! 다만 제 눈으로 직접 보고 싶어요."

"너는 단지 보고 싶어 할 뿐, 느끼려고 하지 않는구나", 랄프가 말했다.

"You want to drain the cup of experience."

"No, I don't wish to touch the cup of experience. It's a poisoned drink! I only want to see for myself."

"You want to see, but not to feel," Ralph remarked. (134)

랄프와는 달리 이사벨은 앞으로 펼쳐질 자신의 삶을－비록 그것이 고통에 찬 것일지라도－스스로 보고 싶어 한다. 이사벨은 경험의 잔이 '독잔'이라는 것을 알고 있다. 그녀가 올바니의 오래된 집에서 토체트 부인을 만났을 때, 자신의 아버지가 이 집에서 생을 다한 슬픈 일이 있다고 해도 자신은 "삶으로 가득 찬"(35) 이 집을 좋아한다고 말한 바 있다. 이어서 그녀는 삶은 경험이며 경험은 사람들의 감정과 슬픔이라 말한다. 토체트 부인에게 이사벨이 말하는 경험은 그녀가 직접 체험한 실제적인 경험에 토대를 두고 있다고 볼 수 없다. 이사벨이 직감적으로 경험이라는 것이 사람들의 고통스러운 감정들로 이루어진다고 느꼈을지라도 여전히 삶에 대한 그녀의 관점은 낭만적인 상상력에 기반을 두고 있다. 따라서 삶을 직접 보고 싶다는 이사벨의 말은 자신의 삶에서 앞으로 펼쳐질 그녀 자신의 긍정적인 상상들이 실현되는 것을 보고 싶다는 말과 같다.

하지만 랄프의 기대는 이사벨이 경험이라는 독잔에 손대고 싶어 하지 않는 망설임과는 상관없이 계속된다. 그는 그녀가 세상에 흥미를 갖고 있으며 "그 세상 속으로 뛰어들기를 원한다"(134)고 믿는다. 이사벨은 랄프의 이러한 믿음에 분명한 반감을 표현한다. 그녀는 자신이 "모험적인 영혼"을 지닌 사람이 아니며 "여성은 남성과 다르다"고 말한다(134). 이는 이사벨이 누군가의 기대에 의해 자신이 정의되는 것에 대한 거부라 볼 수 있다. 비록 낭만적인 관점을 지니고 삶을 바라본다고 할지라도 이사벨에게는 분명히 자신의 삶을 스스로 살아나가고자 하는 의지와 욕구가 있다. 이러한 의지는 필연적으로 현실의 벽과 맞닥뜨린다. 반 겐트는 등장인물의 운명이 가진 "의미의 비극적 중대함"은 "의지의 힘(자유)과 환경의 힘(불가피성) 간의 긴장"에서 기인한다고 본다(678). 다시 말해서 이사벨이 가진 자유로운 상상과 의지들은 환경에서 오는 피할 수 없는 불가피한 요구들에 맞서야만 하며, 그 충돌의 결과는 그녀의 삶에 비극적인 색조를 띠게 하는 것이다.

랄프는 이사벨의 상상력이 현실적 조건들에 의해서 방해받지 않기를 원한다. 그리고 그것은 오로지 랄프의 욕망이라 할 수 있다. 왜냐하면 얼마 남지 않은 그의 짧은 생애 동안 "형태가 갖추어지지 않은 찰흙"(Gass 696)인 이사벨이 완성된 작품으로 변모한 모습을 하루라도 빨리 지켜봐야 했기 때문이다. 따라서 랄프는 이사벨이 막대한 유산을 상속받게 함으로써 그녀의 인생에 직접적으로 개입한다. 이 유산 상속은 "이사벨의 항해에 약간의 바람"(160)을 불어주고자 택한 랄프의 선의이다. 분명한 것은 이를 통해 이사벨이 자신의 상상력을 실현할 수 있는 가장 큰 수단을 얻는다는 것이다.

그러나 그의 아버지인 토체트 씨가 지적한 바대로 이는 랄프의 즐거움을 위한 이기적인 행위이자 그 자체로도 위험성을 갖고 있다. 첫 번째는 앞서 말한 바와 같이 랄프가 이사벨의 인생에 그녀의 의지와는 관계없이 무단으로 개입하는 것이다. 그는 이사벨의 삶에 장애가 될 수 있는 요인을 인위적으로 제거해 그녀가 위험을 경험할 기회 자체를 박탈한다. 따라서 이사벨은 부족한 통찰력을 지닌 채로 부유한 여성이 되는 엄청난 자유 속에 내던져진다. 두 번째로 랄프는 이사벨의 안에 그는 소유할 수 없는 삶에 대한 기회가 있음을 알았다. 자신이 갖지 못한 삶에 대한 대리적인 욕구 충족을 위해 그는 이사벨의 비행에 힘을 부여한다. 그런데 그녀가 자유롭게 날아오르게 됨으로써 이사벨은 "사냥꾼의 주의"를 끈다(Gass 697). 이 사냥꾼은 다름 아닌 토체트 씨가 우려한 그녀의 재산을 노리는 이들이다. 결과적으로 이사벨은 사냥꾼의 숨겨진 무기를 볼 수 있는 눈을 갖지 못한 채 사냥꾼의 표적에 노출된다.

자유 속에 내던져진 이사벨에게는 즉각적인 변화가 일어난다. 토체트 부인은 이사벨이 이전에도 세상에 대한 경험을 추구하려는 성향을 가진 사람이라는 것을 알고 있었지만 이제 그것을 실행할 수단을 확보한 상태에서 그녀가 완전히 "자신의 주인이 되어 나뭇가지 위에 새처럼 자유롭게"(190) 되었다고 말한다. 실제로 이사벨은 우연히 얻은 재산을 통해 가난할 때는 할 수 없었던 많은 일들을 주체적으로 자유롭게 실행할 수 있게 된 것이다. 하지만 다른 한편으로 갑작스러운 이 자유는 이사벨에게는 두려움으로 다가온다.

> "그렇습니다. 저는 두려워요. 막대한 재산은 자유를 의미하죠. 그리고 그것이 두려워요. 재산이란 좋은 것이며, 이 재산을 유익하게 사용하지 않으면 안 돼요. 만일 그렇게 하지 않는다면 그것은 부끄러운 일이겠죠. 계속 그것을 생각해야 해요. 이것은 끊임없는 노력을 필요로 해요. 힘이 없는 것이 오히려 더 행복하지 않을까, 라는 생각이 들어요."

> "Yes, I'm afraid; I can't tell you. A large fortune means freedom, and I'm afraid of that. It's such a fine thing, and one should make such a good use of it. If one shouldn't one would be ashamed. And one must keep thinking; it's a constant effort. I'm not sure it's not a greater happiness to be powerless." (193)

이사벨은 실수를 범할 것에 대해 지나치게 의식하는 경향이 있다. 그녀는 자신이 "잘못된 일을 하지 않으리라는 무한한 기대"(54)를 갖고 있고 이 기대에 따라 살기를 원한다. 재산은 생각을 실행으로 옮길 수 있는 힘이다. 그녀는 우연히 그 힘을 얻게 되었지만, 아이러니컬하게도 막상 실행해야 하는 순간에 이르자 자신의 삶을 실행하는 데 대해 두려움을 느낀다. 이는 보다 근본적으로 이사벨이 자유가 갖는 책임을 의식하게 되었고 무언가를 실행하면 짊어져야만 하는 책임의 무게를 피하기를 원하는 의미로 볼 수 있다.

공교롭게도 이 책임의 무게는 이사벨이 오스몬드와 결합하는 주요 동기로 작용한다. "돈은 그녀의 마음을 짓누르는 짐이 되어 다른 생각이나 준비된 은신처로 그 무거움을 넘겨버리고 싶은 욕구"가 그녀의 마음에 가득 찼다(358). 재산을 유익하게 사용해야 한다는 책임감과 자신의 무한한 상상을 실제로 실행하는 것에 대한 두려움은 결국 자신의 재산을 다른 고결한 목적을 위해 사용해야 한다는 의무감을 이사벨의 마음속에 불러일으킨다. 이 때문에 이사벨은 그녀의 재산을 오스몬드의 "훌륭한 취향"(358)이라는 제단 앞에 봉헌한다. 오스몬드가 처한 물질적 수단의 "완벽한 부재"(293)라는 조건을 이사벨의 재산이 채우기만 한다면 그의 고상한 목적이 실현될 수 있기 때문이다. 또한 이는 재산을 유익하게 사용해야만 한다는 이사벨 자신의 목적과도 부합한다. 따라서 오스몬드가 이사벨의 재산을 얻기 위해서는 단지 자신의 이기심을 교묘하게 위장한 채로 그가 추구하는 목적이 숭고한 것이라는 인상을 이사벨에게 충족시켜주기만 하면 되는 것이다.

랄프는 누구보다 이사벨이 행복해지기를 원했던 인물임에도 불구하고 아이러니컬하게도 그녀의 삶에 불행을 끌어들이는 원인을 제공한다. 또한 그의 선의는 단지 이사벨만을 위한 것이 아니었다. 랄프는 이사벨을 위해

"고결한 운명을 계획하는 것"(291)을 통해서 일종의 대리만족이나 대리성취의 즐거움을 느끼는 것이다. 그는 비록 선의의 목적을 갖고 있었지만 다른 한 사람의 삶을 '계획'하고자 했다. 게다가 그 계획이 이뤄지는 것을 보며 자신의 상상이 실현되고 자신이 살지 못하는 삶의 대리만족적인 경험에서 오는 즐거움을 얻고자 했다. 이는 오스몬드가 이사벨의 삶을 자기의 목적을 이루기 위한 수단으로 이용하는 것과 일맥상통한다. 이것이 랄프의 선의 아래 가려진 그의 이기심이자 그것이 미처 예기치 못한 잔인함이다.

하지만 앞서 말한 바 있듯이 랄프와 오스몬드가 명백한 차이점을 지닌 것 또한 사실이다. 랄프는 작품 속 누구보다도 이사벨에게 애정 어린 시선을 보내는 조력자이다. 그의 입장에서는 탐탁지 않은 이사벨의 선택은 결국 랄프의 상상을 충족시켜 주지 못한다. 그리고 이사벨이 그녀의 결혼 상대로 오스몬드를 선택함으로써 그녀의 삶에 예정된 불행에 대해 가장 괴로워하는 사람은 다름 아닌 랄프이다. 이는 그의 상상이 이뤄지지 못한 것에 대한 괴로움이라기보다 자신의 호의로 인한 그녀의 선택에 대해 책임을 느끼고 있기 때문이라고 보는 편이 더 적절할 것이다. 랄프는 이사벨의 삶을 하늘에서 항해하는 것에 비유하며 그녀가 추락하는 일이 "마치 자신이 떨어지는 것처럼"(294) 고통스럽다고 호소한다. 그러나 이는 시기의 문제일 뿐 이사벨의 자유로운 상상은 언젠가는 현실에 발을 딛지 않을 수 없다. 결국 랄프는 비록 자신이 바라던 방향은 아니지만 "여린 장미 봉오리"(192)를 억지로 연 셈이며, 스스로를 촉매제 삼아 이사벨로 하여금 단지 경험의 잔을 바라보는 것이 아니라, 직접 느끼고 체험하게 하는 계기를 제공한다.

랄프는 이사벨에게 물질적 자유를 제공함으로써, 그리고 대리만족이 내포된 선의를 실행함으로써 그녀를 완벽한 자기성취를 이룬 여성의 모습으로 구상한다. 그의 그러한 의도는 이사벨이 자신의 의지를 끝까지 실행한다는 점에서 부분적으로 실현되는 것으로 볼 수 있다. 그러나 동시에 그것으로 인해 결과적으로 그녀의 삶이 오스몬드에 의해서 철저히 파괴되는 계기가 된다는 점에서 보면 랄프의 시도는 비극적인 실패로 돌아가는 것으로 해석될 수 있다. 따라서 랄프가 구상한 이사벨의 초상화는 결국 미완성되었거나 불완전한 상태로 남겨진 것으로 여겨진다.

IV. 악의가 초래한 성숙

랄프가 그린 이사벨의 초상화가 불행으로 돌아간 선을 표현하는 모습인 데 반해서, 오스몬드가 구상하는 그녀의 초상화는 성숙으로 귀결되는 악의 모습을 반영한다. 이사벨은 종종 '행복한 타락'(felix culpa)을 겪는 낙원에서 추방된 인간상에 비유된다. 오스몬드의 "꽃들 속에 숨어있는 뱀 같은 이기심"(360)에 직면하여, 마치 아담과 이브가 선악과를 따먹고 순수의 상태를 벗어나 선악을 분별하게 된 것처럼 이사벨 또한 자신의 순수한 본성에 가려져 보이지 않았던 악이라는 그림자를 통찰할 수 있게 되는 것이다. 아담과 이브는 사물의 이치를 분별하면서 신의 보호 아래 고통도 슬픔도 알지 못한 채로 행복하게 살 수 있는 에덴이라는 낙원을 저버리게 되었지만 인간의 자유 의지라는 값비싼 가치를 얻었다. 마찬가지로 이사벨도 악을 통찰하게 되면서 그녀의 순수성이 무기력하게 무너지지만, 그 결과 삶에 대한 성숙한 지각을 얻게 된다. 제임스가 생각하는 악이 의인화된 인물은 오스몬드이다. 이사벨이 오스몬드와 대면하는 경험은 제임스가 여주인공의 성숙을 위해 준비한 그녀가 겪어야 할 필연적인 관문이다. 따라서 오스몬드라는 인물을 분석함으로써 제임스가 악으로 간주하는 도덕적/

부도덕적 상태를 구체화할 수 있다. 오스몬드와의 결혼 생활을 통해서 이사벨은 마침내 인간의 슬픔과 감정이 스며든 경험의 무게를 느낄 수 있는 모습으로 변모한다.

오스몬드는 이사벨이 워버튼과 굿우드의 청혼을 거절한 뒤, 그녀가 결혼 상대자로 택한 인물이다. 랄프가 자신이 애정을 갖고 있는 이사벨이 그와 결혼하는 것에 대해 크게 실망하는 것은 그가 오스몬드의 본질을 직관적으로 간파할 뿐만 아니라 객관적으로도 앞선 두 구혼자들에 비해 오스몬드의 조건이 좋지 않기 때문이다. 그는 지위도 재산도 없으며 심지어 딸 팬지와 함께 살고 있는 홀아버지이다. 왜 이사벨이 그러한 결혼을 택한 것인가에 관한 문제는 앞 장에서 잠시 논의한 바 있다. 첫째는 그녀가 자유의 책임이라는 짐을 어디론가 넘겨버리고 싶었다는 것과, 두 번째는 그녀의 재산을 목적으로 한 타인의 의지가 그녀의 선택에 관여하게 된 것이다. 이 의지가 바로 오스몬드와 마담 멀(Serena Merle)의 것이다. 이사벨은 그들이 자신들의 목적을 성취하기 위해 설치한 사악한 덫에 걸려든다.

오스몬드는 애초부터 이사벨과 그녀의 재산을 자신의 숨겨진 사악한 목적을 실현시켜줄 가장 이상적인 대상으로 구상한다. 그는 그녀가 지닌 미국적 순수성과 낭만적 기질 때문에 자신이 꾸며놓은 계략에 쉽게 걸려들 것이고 게다가 그녀의 막대한 재산은 자신의 재정적·사회적 지위를 끌어올려 줄 것이라고 예견한다. 즉 오스몬드는 이사벨에게서 그의 완벽한 아내의 모습을 그려본 것이다. 그런데도 이사벨이 주변의 반대를 무릅쓰고 누구보다 강력하게 오스몬드를 변호하며 그와의 결혼을 직접 선택하는 것은 그녀 자신의 의지와 결정에 의한 것이라는 인상을 남긴다. 오스몬드와 마담 멀의 계획은 은밀히 숨겨진 것이며, 그렇기 때문에 이사벨의 삶에는 더욱 치밀하고 사악한 덫으로 작용한다. 그들은 이사벨을 직접 조정하거나 움직여서 목적을 성취하려 하지 않는다. 오히려 이사벨이 무엇을 원하는지를 간파하고 그것을 보여줌으로써 이사벨이 선택을 했다고 착각하게끔 만든다. 따라서 오스몬드와 마담 멀이라는 인물의 특성을 살펴보면 이사벨이 근본적으로 무엇을 원했는지를, 즉 그녀의 내면의 근본 욕구의 또 다른 모습을 파악할 수 있을 것이다.

오스몬드에 대해 랄프는 "미국인인 것을 잊어버린 미국인"(253)이라 말한다. 또한 오스몬드는 자신 스스로를 "인습 그 자체"(265)라 칭한다. 그의 의식은 유럽 문화의 영향에 의해 깊이 잠식되어서 예술에 대한 각별한 애호가 있고 "속된 것을 대단히 혐오"(214)하는 성향을 지녔다. 그의 이러한 성향과 잘 맞는 인물이 바로 "거대한 세상 그 자체"(216)인, 즉 인간 경험의 모든 부정적 요소를 포괄하는 인물인 마담 멀이다. "오스몬드와 멀은 오랫동안 그들이 출생한 대지와 절연하고 유럽에 의해 타락한" 인물들(Edel, *A Life* 261)이며, 이미 태어난 나라로부터 오는 고유한 정체성을 상실해서 그들의 조상도 근원도 알 수 없는 "모호하고 설명할 수 없는 미국인"(214)들이다.

한편 에덜은 오스몬드가 제임스 자신의 숨겨진 한 측면이라고 지적한다. 권위를 선호하고 문학적 혹은 예술적 감각이라는 수단을 통해서 그것을 얻으려고 하는 제임스의 숨겨진 성향을 오스몬드가 나타낸다는 것이다("Introduction" 12). 제임스는 자신이 가진 권력욕을 오스몬드에게 불어넣었고, 동시에 오스몬드가 가진 내적 전제주의에 자신이 감염될 수도 있다는 위험성을 감지했다. 그 위험성은 다름 아닌 오스몬드와 같은 제한된 존재의 수중에 있는 권력에 대한 갈망은 딜레탕티즘(dilettantism)이나 옹색한 폭정으로 끝나기 마련이라는 것이다. 하지만 에덜은 제임스의 경우 오스몬드와 달리 그러한 욕구와 동시에 그 욕구에 수반된 타락에 빠지지 않아야 한다는 의지가 결합되어 그것이 그에게 오히려 무한한 창조적 에너지로 작용했다고 본다("Introduction" 12). 오스몬드는 예술에 있어서 속된 것에 대한 제임스의 거부가 극단까지 밀어 붙여진 인물로 볼 수 있다. 제임스는 그러한 자신의 모습을 오스몬드로 재현해냄으로써 스스로가 속물근성에 빠질 수 있는 위험성에 대해 스스로 경계하는 것으로 해석할 수 있다.

오스몬드가 제임스가 경계하는 타락을 구현하는 인물이라는 사실이 제임스에게 어떤 의미를 갖는지는 이사벨이 유럽 문화를 동경하는 것과 오스몬드가 거기에 타락한 방식으로 몰입된 정도를 비교해보면 분명해진다. 바이스부흐(Robert Weisbuch)는 이사벨과 같은 인물이 "아직 진행되고 있는 에머슨의 변형"(105)이라고 설명한다. 이러한 인물은 (에머슨처럼) "악이 내재되지 않은 관념이라는 똑같은 출발점"에서 여정을 시작해 청년기를 넘어 성장할 수 있을지 없을지에 대해 시험받는다. 정작 에머슨은 이러한 성장에 실패했지만 이 딜레마를 끝내기 위해서는 최소한 그의 일부분을 지니고 있거나 아니면 에머슨을 마음속에 두고 있어야 한다. 이것이 실패를 초래할지도 모르지만 에머슨을 잃는다는 것은 "그 자신의 영혼을 잃어버리는 일이기 때문이다"(105). 오스몬드나 마담 멀처럼 문명화된 유럽에 완전히 침잠해 자신의 뿌리를 잃어버리는 것은 제임스가 제시하길 원했던 미국적 정체성이라고 할 수 없다. 제임스가 볼 때 미국은 천박함을 벗어야 했지만 그것은 미국이 완전하게 유럽의 인습을 따라야 한다는 뜻이 아니라 그들이 가진 고유의 영혼을 간직하면서 양극 간의 균형을 잃지 않아야 한다는 의미이다. 오스몬드와 마담 멀은 문명사회의 문화적 고상함을 추구하고 있음에도 불구하고 그것에 너무 치우친 나머지 천박함을 벗어나는 것이 아니라 도리어 철저히 타락한 상태로 전락하고 만다.

"지나치게 완벽한 사회적 동물"(167)로 묘사되는 마담 멀과 랄프에 의해 "취향의 화신"(291)이라고 명명된 오스몬드가 삶에서 중요시하는 것이 무엇인지는 인간과 사회에 대한 마담 멀의 견해에서 드러난다.

"당신이 나만큼 살아보면 모든 인간이 각자의 껍질을 갖고 있다는 것을 알게 될 거예요. 그리고 당신은 그 껍질을 반드시 고려해야만 한다는 것도 알게 될 것입니다. 껍질이란 환경을 둘러싼 모든 것을 의미해요. 고립된 인간이란 있을 수 없어요. 우리들 각자는 부속물의 집합체로 만들어졌어요. '자아'를 무엇이라고 해야 할까요? 어디서 시작해서 어디로 끝나는 거죠? 자아는 우리들에게 속한 모든 것 속으로 흘러 들어갔다가 다시 나옵니다. 나는 나 자신의 대부분이 내가 선택해서 입는 옷에 있다는 걸 알아요. 나는 '사물'을 아주 중요시합니다! 타인에게 우리 자신은 옷, 읽는 책, 사귀는 친구들, 이런 모든 것들로 표현되거든요."

"When you've lived as long as I you'll see that every human being has his shell and that you must take the shell into account. By the shell I mean the whole envelope of circumstances. There's no such thing as an isolated man or woman; we're each of us made up of some cluster of appurtenances. What shall we call our 'self'? Where does it begin? Where does it end? It overflows into everything that belongs to us-and then it flows back again. I know a large part of myself is in the clothes I choose to wear. I've a great respect for things! One's self-for other people-one's garments, the books one reads, the company one keeps-these things are all expressive." (175)

마담 멀은 "집 같은 것은 아무래도 좋다"(175)는 이사벨의 말에 사람의 '자아'를 대변하는 것은 입고 있는 옷이나 읽고 있는 책과 같은 사물이라고 말한다. 그녀는 어느 누구보다 자신을 포장하고 사람들에게 어떻게 자신을 내보이면 자신이 생각하는 이미지대로 타인에게 스스로를 각인시킬 수 있는지를 잘 알고 있는 인물이다. 다시 말해 멀은 사회 속에서 개인의 존재는 스스로 정의내릴 수 있는 것이 아니라 타인에 의해 결정된다는 것을 알고 있다. 그렇기 때문에 그녀에게는 자신이 어떤 사람인지를 보여줘야만 하는 '사물'이 중요하다. 랄프는 이사벨에게 이러한 멀의 태도를 냉소적으로 언급하며 그녀는 알고 지내는 사람마저도 "최상의 사람들"(215)로 선별한다고 말한다. 멀이 사물을 자신을 표현해줄 것으로 여긴다면 이 관점은 사람에 관해서도 다르지 않다. 이러한 마담 멀의 눈에 이사벨은 그녀[마담 멀]의 사회적 지위를 향상시켜줄 수 있는 훌륭한 사물로 비치는 것이다.

이사벨은 멀의 이러한 태도에 반감을 갖는다. 이사벨은 아직 자신 내면 의식과 외적으로 드러나는 행위 사이에 불일치가 없다고 믿기 때문이다(54). 이사벨에게 스스로를 사회 속에서 나타내줄 수 있는 것은 사물이 아닌 그녀 자신이다. 이러한 이사벨의 성향은 아직 유럽의 복합성(sophistication)에 의해 오염되지 않은 미국적 성격을 표현한다. 하지만 오스몬드를 만나게 되면서 이사벨은 변화를 겪는다. 오스몬드의 저택에서 그가 수집한 예술품들을 감상하며 이사벨은 거의 처음으로 자신을 있는 그대로 드러내는 것에 대해 두려움을 느낀다. 이사벨은 오스몬드가 그녀를 어떻게 평가할지에 대해 우려한다. 왜냐하면 이사벨은 마담 멀이 그녀가 총명한 여성이라고 오스몬드에게 말했으리라 생각하기 때문이다. 이사벨은 그녀의 이해력이 둔하다는 것을 자칫 오스몬드에게 "드러내게 되지 않을까 하는 두려움"을 지나치게 의식한다(226). 오스몬드가 어떤 사람인지 파악하지 못하는 이사벨에게 오스몬드는 "건널 수 없는 막연한 장소"(265)와 같았고, 따라서 그녀는 본능적으로 스스로를 노출시키는 데에 불안감을 느낀 것이다.

오스몬드의 이러한 영향 때문에 이사벨은 점차 인습의 가면을 쓰는 데에 익숙해진다. 오스몬드와 결혼한 뒤 팔라쪼 로카네라(Palazzo Roccanera)

에서 그와 거주하게 된 이사벨의 모습은 어떤 완성된 형태를 띤 초상화를 보는 것 같은 인상을 준다. 그녀의 이러한 모습은 오스몬드의 딸 팬지에게 구애하는 로지애(Rosier)라는 청년에 의해 그려진다. 이사벨의 모습은 로지애에게 "우아한 여인의 초상"(310)처럼 다가온다. 로지애의 눈에 비친 이사벨은 "기민한 열정 같은 어떤 것"(310)을 잃어버린 채로, "참고 기다린다는 태도"(310)를 지니고 있다. 랄프 또한 그녀의 이러한 변화를 알아차린다. 랄프는 이사벨이 "무엇을 재현하고 있는가?"(331)를 스스로에게 묻는다. 그리고 그녀가 오스몬드를 재현하고 있다는 데까지 생각이 미치자 랄프는 염려와 더불어 흥미를 느낀다.

마담 멀과 마찬가지로 오스몬드 역시 자신의 존재를 표현하기 위해 자신이 수집하고 소유한 사물들을 이용한다. 예술 작품에 대해 남다른 감식안을 지닌 수집가인 오스몬드가 수집한 고고한 예술작품들은 그의 미적 감각을 표현할 뿐만 아니라 권력과 지배를 추구하는 그의 존재 자체를 대변하는 사물들이다. 그에게 예술작품은 그 자신을 빛내줄 수단인 것이다. 그런데 오스몬드의 이기심은 예술품만이 아닌 다른 사람을 자신의 목적을 달성하기 위한 도구로 생각한다는 점에서 문제시된다. 이사벨은 오스몬드의 수집품이 되기에 적합한 조건을 지녔다. 아름다운 외모와 막대한 재산, 귀족인 워버튼 경의 청혼에 대한 거절, 이 모두는 오스몬드에게 수집품으로서 이사벨의 가치를 높여주는 것들이다. 하지만 오스몬드가 이사벨에게 바라지 않는 것이 단 한 가지가 있다. 그것은 이사벨에게 "너무 많은 생각"(244)이 있다는 점이다. 오스몬드는 "그것들이 희생당했으면"(244) 하고 욕망한다.

이사벨이 가진 생각들의 '희생'을 바라는 오스몬드의 욕구는 매우 강렬한 것이어서 이를 통해 그의 극단적인 이기심이 반영된 내면의 의도가 드러난다. 이사벨이 오스몬드를 재현하는 것은 그가 그렇게 하기를 그녀에게 강력하게 요구하기 때문이다. 다시 말해 오스몬드는 이사벨이 자신을 그대로 반영하는 "은쟁반"(296), 즉 살아있는 예술 작품 그 자체가 되기를 원하는 것이다. 오스몬드는 자신이 가진 예술적 지식을 이용해 이사벨이 자신에게 헌신하도록 만든다. 이 헌신은 다름 아닌 그의 요구에 대한 이사벨의 부응이다. 즉 이사벨이 오스몬드의 저택에 갔을 때 그녀는 그가 자신을 영리하다고 생각한다고 믿게 되며, 따라서 그녀는 자신에 대한 오스몬드의 기대에 부합하기 위해 원래의 자신의 모습을 드러내지 않으려고 노력한다. 1876년부터 시작되는 결혼 이후 이사벨에 대한 묘사는 오스몬드의 은밀한 조정이 — 비록 작품 속에서 직접 묘사되지 않고 대부분 생략되었지만 — 오랜 기간 동안에도 지속되었음을 짐작할 수 있다. 이로 인해 이사벨은 무엇보다 활발했던 자신의 상상력을 깊은 곳에 묻어둔 채 단지 오스몬드 부인으로서의 역할을 충실히 이행한다. 따라서 오스몬드의 요구와 생각을 그대로 반영하는 예술작품으로서 이사벨은 오스몬드를 재현하는, 다시 말해 인습이 깊게 각인된 초상으로 묘사되어 간다.

자신을 위해 완벽한 예술 작품을 수집하는 오스몬드의 야망은 그의 딸 팬지에게도 예외 없이 반영된다. 수녀원에서 교육을 받은 팬지는 세속적인 때가 묻지 않은 소녀이다. 그녀는 아무것도 쓰이지 않은 "백지 한 장"(238)처럼 순수함을 지니고 있지만 행동이나 태도는 "매우 세련되고 다듬어져 있다"(238). 무엇보다 팬지의 두드러진 특성은 자신의 아버지인 오스몬드에게 전적으로 순종하는 태도를 보인다는 것이다. 오스몬드는 이사벨에게 자신이 세상에서 유일하게 부러워하는 이는 "로마의 교황"이나 "러시아의 황제"(227)라고 말한 바 있다. 이는 권력에 대한 그의 강한 갈망을 잘 보여준다. 주변에 대해 그만큼 강력한 지배력을 행사하고자 하는 오스몬드의 이러한 욕구는 팬지를 통해 드러난다. 그가 이사벨의 내면을 통제함으로써 그녀를 하나의 예술 작품처럼 소유하길 원했다면, 팬지도 마찬가지로 오스몬드가 원하는 조각품처럼 다듬어지고 있는 것이다.

오스몬드는 팬지가 워버튼과 결혼하기를 원한다. 이 결혼을 통해 팬지를 완벽하게 흠 없는 작품으로 완성할 수 있을 뿐만 아니라 자신의 가문이 귀족과 연을 맺게 되면서 명예를 얻을 수 있기 때문이다. 오스몬드는 이 계획을 성취하기 위해 이사벨에게 구혼한 적이 있는 워버튼이 여전히 그녀에게 갖는 호감을 이용하고자 한다. 다시 말해 워버튼의 결정에 영향을 미칠 수 있는 힘이 이사벨에게 있다는 점을 간파한 것이다. 그런데 이사벨은 워버튼이 진심으로 팬지에게 매력을 느꼈다고 생각하며, 오스몬드의 진의를 파악하지 못하고 자신이 이 계획에 가담하는 것이 남편을 기쁘게 해주는 일이자 워버튼과 팬지를 위한 것이라고 생각한다. 오스몬드는 이를 부추겨 팬지와 워버튼의 결혼이 성사되기를 바라는 마음이 있다면 그녀가 이 일을 "조정할 수 있을 것"(354)이라는 의미심장한 말을 남긴다. 이때 이사벨은 오스몬드가 그녀와 워버튼 사이에 있었던 일을 지나치게 강조하며 그녀에게 '조정'자의 역할을 부여한 것에는 자신이 이제까지 알지 못했던 무언가가 있다는 것을 감지한다.

정확히 말해, 이런 기분은 지금까지 없었던 일은 아니었다. 그러나 그녀는 무언가 새로운 느낌을 받은 것이었다. 그녀가 발걸음 소리를 내지 않아서 [그들을] 방해하기 전에 충분히 그 광경을 볼 시간적인 여유가 있었다. [. . .] 이사벨은 분명히 이런 광경을 이전에 몇 번 본 일이 있었으나 지금 그녀가 본 것, 혹은 적어도 알아차렸던 것은 두 사람의 대화가 잠시 동안, 말하자면, 친숙한 침묵으로 빠져들었다는 것이다. 그 때문에 그녀는 곧바로 자기가 들어가면 침묵에 빠져 있는 두 사람을 갑자기 놀라게 할 것이라는 생각이 들었다. 마담 멀은 벽난로 조금 떨어진 바닥 깔개 위에 서 있으며, 오스몬드는 깊숙한 의자에 앉아서 등을 뒤로 기대고 그녀쪽을 보고 있었다. [. . .] 그러나 이사벨에게는 이런 몸짓이 일순간의 일이었지만 갑자기 빛이 번쩍이는 것처럼 눈앞에 하나의 이미지를 만들어 주었다. 그들의 상대적인 자세, 서로의 시선에 푹 빠진 눈짓 등은 그녀에게 들켜버린 일로 여겨졌다.

The impression had, in strictness, nothing unprecedented; but she felt it as something new, and the soundlessness of her step gave her time to take in the scene before she interrupted it [. . .] Isabel had often seen that before, certainly; but what she had not seen, or at least had not noticed, was that their colloquy had for the moment converted itself into a sort of familiar silence, from which she instantly perceived that her entrance would startle them. Madame Merle was standing on the rug, a little way from the fire; Osmond was in a deep chair, leaning back and looking at her. [. . .] But the thing made an image, lasting only a moment, like a sudden flicker of light. Their relative positions, their absorbed mutual gaze, struck her as something detected. (343)

이사벨은 팬지의 결혼에 관련해 오스몬드와 논의하기 전, 그녀가 오후에 봤던 장면을 떠올린다. 마담 멀과 오스몬드가 서로 말없이 시선을 주고받는 광경은 순간 그녀에게 강렬한 잔상을 남긴다. 그런데 오스몬드의 말 속에 담겨 있던 "워버튼의 마음을 움직일 수 있는 명확한 힘이 이사벨에게 있다는 암시"(354)는 그녀가 그 장면에서 받은 인상을 다시금 상기시킨다.

응시하는 행위의 이중적 기능을 다시 살펴보면, 감각 기관인 눈은 인지 기능인 의식과 긴밀한 연관을 맺는다. 시각으로 특정한 상황의 외적인 정보를 받아들이고 난 뒤, 관찰자가 이를 인식하는 과정을 통해야만 비로소 그 상황은 의미를 지닐 수 있다. 따라서 인식하는 주체가 어느 정도까지 상황이 지닌 의미를 유추해낼 수 있는지에 관한 문제는 결국 보는 행위 다음에 의식 안에서 이뤄지는 인식 과정과 관련되는 것이다. 응접실에서 이사벨이 직면하는 장면은 관찰자인 이사벨에게 강한 인상을 준다. 그리고 이러한 장면에서 "시각은 통찰이 된다"(Van Ghent 681). 이는 감각적 기능으로서의 시각이 외부의 자극을 받아들여 사물의 외적 현상을 넘어서 내면의 의미를 파악한다는 의미이다. 그리고 이때 관찰자는 사물을 인식하고 그의 내적 인지는 일종의 경험이 된다.

> 보이는 것으로부터 보이지 않는 것을 추측하는 능력, 사물의 암시를 추리하는 능력, 유형에 의해 전체를 판단하는 능력 등은 일반적으로 매우 완전하게 삶을 느끼게 하는 조건이어서 결과적으로 삶의 길 구석구석에 대한 이해에 도달하게 한다. 그리고 이러한 재능들의 다발이 경험을 구성한다고 말할 수 있다. 그런데 이 재능들은 시골과 도시를 비롯해 매우 다른 교육 단계에서도 존재한다. 경험이 인상으로 이루어진다면, 인상이 경험이라 말할 수 있을 것이다. 인상은 (우리가 이미 알고 있지 않은가?) 마치 우리가 숨 쉬는 공기와 같다.

> The power to guess the unseen from the seen, to trace the implication of things, to judge the whole piece by the pattern, the condition of feeling life in general so completely that you are well on your way to knowing any particular corner of it—this cluster of gifts may almost be said to constitute experience, and they occur in country and in town, and in the most differing stages of education. If experience consists of impressions, it may be said that impressions are experience, just as (have we not seen it?) they are the very air we breathe. ("The Art" 389)

위에 인용한 「소설예술론」에 나타난 경험에 대한 제임스의 관점을 살펴보면, 그에게 있어서 경험은 순간의 '인상'을 토대로 구성됨을 알 수 있다. 제임스는 소설이 반드시 작가의 실제적인 경험을 밑바탕으로 창조되어야만 한다는 베산트(Walter Besant)의 주장을 일정 부분 수용한다. 다만 베산트가 주장하는 경험은 전적으로 작가의 환경에 의해 제한된다는 점에서 제임스와 이견이 생긴다. 제임스는 이에 대해 시골 마을에 사는 여성이 군대에 대해서는 말할 수 없다고 선언하는 것은 부당한 일이라고 말한다 ("The Art" 388). 그는 어느 뛰어난 여류 소설가가 파리에서 젊은 프랑스 신교도들이 테이블에 둘러앉아 있는 '인상'을 바탕으로 소설을 창작한 것을 예로 들어 경험이 환경적인 제약의 절대적 영향 아래 있지 않다고 주장한다. 만약 소설가가 제임스가 언급한 '재능들'을 지녔다면 자신의 "우연적인 거주지"나 "사회적 위치"(James, "The Art" 389)와는 관계없이 단지 그 인상만으로 소설 속 현실을 창조해낼 수 있는 것이다. 따라서 '인상'은 곧 '경험'이라고 말할 수 있다. 이사벨은 사물의 외적 인상을 재료 삼아 점차 사물의 내적인 의미를 구현한다. 즉 그녀는 그날 오후 응접실에서 얻은 강한 인식을 통해 내적 경험에 도달하는 것이다.

이사벨은 밤새도록 홀로 앉아 지속한 기나긴 명상을 통해 오스몬드의 이기심과 그것이 실행하는 악을 직면한다. 이 내적 성찰은 제임스가 개인이 자신만의 실재에 어떻게 도달하는지에 관한 문제를 잘 보여준다. 제임스에게 외적인 실재는 그 자체로서 존재할 수 없다. 따라서 외적인 실재 자체만으로는 내러티브의 대상이 될 수 없다. 외적인 실재는 반드시 어떤 주체에 의해서 내적인 실재로 인식될 때만 그 존재가 이루어지는 것이다. 이 내적인 실재는 다시 외적인 실재에 극도로 미묘한 변화를 가져온다. 따라서 단일한 실재와 외형은 존재하지 않는다. 다만 다른 수많은 관점이 있을 뿐이다(Izzo 41). 그렇기 때문에 제임스는 "인류는 무한하고 실재는 무수한 형태를 갖는다"(James "The Art" 387-88)고 주장한다. 이사벨은 자신과 오스몬드와의 관계, 그들의 결혼 생활, 그리고 그녀 자신의 내면에 대해 긴 성찰의 밤을 보낸 후에야 비로소 자신에게 주어진 외적인 실재를 관찰하는 것을 넘어서 그 내적인 실재를 자신만의 시각으로 통찰할 수 있게 된다.

> 길고 긴 로마 역사에 비할 때 그녀의 슬픔은 확실히 작은 것이었지만, 인간의 운명은 계속해서 이어지고 있다는 생각이 그녀 마음에서 떠나지 않고 있기 때문에 그녀의 생각은 사소한 것에서 큰 것으로 옮겨갔다. 그녀가 깊고 친숙하게 로마를 알게 되자, 그녀의 격정이 진정되었다. 그러나 그녀는 로마를 주로 사람들이 고통받은 곳으로 생각하게 되었다. 그녀가 황량한 교회 안에서 느낀 것도 이런 상념들이었다. 그 교회에서 이교도의 폐허에서 옮겨 온 교회 대리석 기둥은 고통을 견뎌내고 있는 그녀에게 벗이 되어주는 것 같았으며, 곰팡이 냄새도 오랫동안 소망을 성취하지 못한 기도의 합성물처럼 생각되었다.

> Small it was, in the large Roman record, and her haunting sense of the continuity of the human lot easily carried her from the less to the greater. She had become deeply, tenderly acquainted with Rome; it interfused and moderated her passion. But she had grown to think of it chiefly as the place where people had suffered. This was what came to her in the starved churches, where the marble columns, transferred from pagan ruins, seemed to offer her a companionship in endurance and the musty incense to be a compound of long-unanswered prayers. (431)

이사벨의 시각에 어떠한 변화가 일어났는지는 그녀가 로마의 고대 유물을 바라보며 생각에 잠기는 장면에서 잘 나타난다. 결과적으로 실현되지 못한 오스몬드의 계획, 즉 팬지의 결혼 문제로 마담 멀은 이사벨을 찾아간다. 그녀는 이사벨에게 워버튼을 "우리에게 맡겨요!"(430)라고 말하며 이사벨이 이 일을 해결하지 못한 책임이 있음을 강조한다. 이때 '우리'라는 마담 멀의 말은 이사벨에게 큰 충격을 준다. 이사벨은 마담 멀이 자신과 그리고 자신의 남편과 무슨 관계가 있는지를 그녀에게 묻는다. 멀은 이에 대해 "모든 것에 관계가 있다"(430)라고 답한다. 이사벨은 마침내 자신의 결혼에 마담 멀과 오스몬드가 깊게 관여했었고 스스로가 선택해서 살아간다고 믿었던 자신의 삶이 타인의 의지에 의해 결정되었다는 사실을 깨닫는다. 외적으로 드러난 사실이 아닌 그들의 이기적인 의지가 개입된 동기를 꿰뚫어 보게 된 것이다. 이사벨은 참을 수 없는 비통함을 느끼며 그녀가 혼자 있을 수 있는 로마의 장소를 찾아간다. 이사벨에게 로마는 더 이상 "숭고한 안식"을 느끼게 하거나 "과거의 깊은 정적이 금빛 햇살과 어우러지는"(256-58) 곳이 아니다. 이제 그녀는 그곳이 '사람들이 고통받은 곳'이라고 새롭게 인식한다. 이사벨은 비로소 오랜 역사 동안 쌓인 인류의 고통의 무게를 느낄 수 있게 된 것이다.

이사벨은 삶을 더 이상 단지 보이는 것만으로 판단하는 것이 아니라, 그것을 내적인 눈으로 통찰하고 인식할 수 있는 경험을 하게 된다. 낙원에서의 순수를 벗어나 진정한 자유 의지를 얻게 된 이브처럼 '행복한 타락'을 겪는 것이다. 오스몬드가 사악한 이기심의 눈으로 구상했던 이사벨의 초상화는 그녀의 모습에 구속과 고통의 색채를 더하게 하지만, 역설적이게도 그것은 그녀를 삶의 자유와 아름다움에 대한 피상적인 동경을 넘어서 도덕적으로 성숙한 모습으로 변모하게 한다.

V. 미완성 초상화

『여인의 초상』의 주인공인 이사벨 아처는 미국인이자 유럽에서 거주하게 되는 한 여성으로서 당시 미국과 영국 사회의 문화적 영향을 흡수하기도 하지만, 동시에 주체적 개인으로서 그녀는 유럽에서의 결혼생활이라는 경험을 통해서 자신만의 관점과 정체성을 찾고자 노력한다. 이 노력에는 독립적인 자기실현을 열망하는 당대 여성의 일반적인 욕구가 깃들어 있다. 『여인의 초상』에서 제임스는 문화적 영향과 개인의 정체성 사이의 이러한 문제를 자신만의 고유한 시각으로 탐색한다. 그것은 제임스가 한 여성이 경험을 통해 인간적으로 변모하고 성숙하게 되고 과정을 작품 속에 담아내고자 시도함으로써 실현된다.

에델은 헨리 제임스가 『여인의 초상』이라는 소설을 창조함으로써 세계 소설의 거대한 화랑에 미국 여성을 담은 "이상적인 그림"을 걸었다고 말한다("Introduction" 5). 제임스는 유럽과 미국 양쪽을 바라보며 그 가운데에서 자신의 위치와 스스로의 정체성에 대해 고민하고 탐구했다. 작품에 나타나는 이사벨의 여정은 제임스의 이러한 고민이 극화된 것으로 볼 수 있다. 그러한 사실은 워버튼을 제외한 나머지 등장인물들은 모두 미국인이거나 유럽에 거주하는 미국인이라는 것만을 보더라도 잘 나타난다. 그가 보기에 역사와 문화적 축적이 결핍된 환경에서 태어난 미국인은 문화적 깊이를 지닌 유럽이 가진 환경 속에서 시야를 넓힐 필요가 있었을 것이다. 그러나 동시에 경험의 세계를 상징하는 유럽 사회는 미국적 순수성을 파괴할 수 있는 도덕적 타락을 내포하고 있기도 했다.

미국 출신으로서 유럽에 정착한 오스몬드와 마담 멀은 미국적 순수성을 잃고 유럽의 도덕적 부패에 오염된 인물의 전형이다. 그리고 이들은 언제나 완벽하게 결점이 없는 것처럼 보이는 상태로 묘사된다. 하지만 그들은 이미 고착되어 있다. 마담 멀의 찻잔에 보이는 "아주 작은 미세한 금"(436)은 그들이 가진 도덕적 결함을 상징적으로 드러낸다.

이사벨은 사회로부터 그리고 다른 등장인물들, 구체적으로는 랄프와 오스몬드로부터 자신을 완성하라는 요구를 강요당한다. 그리고 그러한 강요에는 언제나 개인이 사회의 관습에 순응하기를 바라는 억압이나, 타인을 자신이 뜻하는 바대로 정의내리고자 하는 이기심이 작용한다. 이사벨은 랄프가 바라는 대로 삶 속에서 자유를 완벽하게 구현한 완성된 초상이 되는 것, 아니면 오스몬드의 요구에 따라 인습 그 자체를 체화해 그에게 걸맞은 순종적인 부인의 초상으로 남겨지는 것, 이 둘 모두를 거부함으로써 자신을 틀에 맞추려는 외부의 시선으로부터 벗어난다.

작품의 결말에 이르러 이사벨에게 어떤 변화가 있는지에 관해서는 아무런 확신도 남지 않는다. 이사벨이 끈질기게 그녀를 설득하는 굿우드의 청을 거절하고 로마로 돌아갔다는 암시만이 남을 뿐이다. 이에 대해 작가인 제임스 자신에게 쏟아질 비판들을 그는 예상한 것 같다.

물론 작품이 끝맺음 되지 않았다는 분명한 비판을 받을 것이다. 다시 말해 여주인공을 그녀가 처한 상황이 결말이 이르기까지 인식해내지 못했다는, 즉 그녀를 미결정 상태로 남겨두었다는 비판이 있게 될 것이다. 이는 진실이기도 하고 그릇된 것이기도 하다. 어떤 사태의 *전체*는 결코 표현될 수 없다. 우리는 단지 함께 모아놓은 것을 볼 수 있을 따름이다. 내가 행한 것은 그 통일성이다. 그 통일성이 그것들을 함께 모아준다. 그 자체로 이것은 미완성이다. 그리고 나머지는 아마도 훗날 재론될 수도 있고 혹시 그렇지 않을 수도 있을 것이다.

The obvious criticism of course will be that it is not finished—that I have not seen the heroine to the end of her situation—that I have left her en l'air.—This is both true and false. The *whole* of anything is never told; you can only take what groups together. What I have done has that unity —it groups together. It is incomplete in itself—and the rest may be taken up or not, later. ("From The Notebooks" 642)

제임스는 "삶 속에서는 누구나 불완전하다"(*Letters* 324)고 말한다. 그가 소설 속에서 이 삶을 충실하게 담아내고자 했다면 작품은 하나의 '전체'로서 완성될 수 없다. 또한 예술 작품이 지닌 힘은 삶의 불충분함을 "재생산" 하고 누군가가 "이것을 채우고 싶은 욕망을 느끼게 하는" 데에 있다(*Letters* 324). 그렇게 함으로써 단일한 삶이나 관점은 부정되고 더 이상 완결성이라는 가치는 존재하지 않는다. 따라서 이사벨의 초상화는 미완성으로 남겨졌기 때문에 보다 더 풍부한 의미를 계속해서 생산해내게 된다.

Bloom, Harold, eds. *Modern Critical Views: Henry James*. New York: Chelsea House, 1987.

Edel, Leon. "The Myth of America in *The Portrait of a Lady*." *The Henry James Review* 7.2-3 (1986): 8-17.

_____. *Henry James: A Life*. New York: Haper & Row, 1907.

_____, eds. "Introduction." *The Portrait of a Lady*. Boston: Houghton Mifflin, 1963. v-xx.

Emerson, Ralph Waldo. *Emerson's Essays*. London: Dent & Sons, 1955.

Freedman, Jonathan, eds. *The Cambridge Companion to Henry James*. Cambridge: Cambridge UP, 1998.

Gard, Roger. *Henry James: The Critical Heritage*. London: Barnes & Noble, 1976.

Gass, William H. "The High Brutality of Good Intentions." *The Portrait of A Lady*. Ed. Robert D. Bamberg. New York: W. W. Norton & Company, 1995. 692-700.

Habegger, Alfred. "The Fatherless Heroine and the Filial Son: Deep Background for *The Portrait of a Lady*." *New Essays on The Portrait of a Lady*. Ed. Joel Porte. New York: Cambridge UP, 1990. 49-93.

Hayes, Kevin J. *Henry James: the Contemporary Reviews*. Cambridge: Cambridge UP, 1996.

Izzo, Donatella. "*The Portrait of a Lady* and Modern Narrative." *New Essays on The Portrait of a Lady*. Ed. Joel Porte. New York: Cambridge UP, 1990. 33-48.

James, Henry. *The Portrait of A Lady*. Ed. Robert D. Bamberg. New York: W. W. Norton & Company, 1995.

_____. *Letters*. Ed. Leon Edel. London: Macmillan, 1978.

_____. "From The Notebooks." *The Portrait of A Lady*. Ed. Robert D. Bamberg. New York: W. W. Norton & Company, 1995. 639-43.

_____. *Partial Portraits*. London: Macmillan and Co., 1894.

_____. "Preface to the New York Edition." *The Portrait of A Lady*. Ed. Robert D.

Bamberg. New York: W. W. Norton & Company, 1995. 3-15.

_____. "The Art of Fiction." *Partial Portraits*. London: Macmillan and Co., 1894.

_____. *The Letters of Henry James*. Ed. Percy Lubbock. New York: Scribner, 1920.

_____. *The Portrait of a Lady*. Ed. Leon Edel. Boston: Houghton Mifflin, 1963.

Kazin, Alfred. *American Procession*. New York: Random House, 1915.

Matthiessen, F. O. *Henry James: The Major Phase*. London: Oxford UP, 1963.

Miller, James E., Jr. "Henry James in Reality." *Critical Inquiry* 2 (1976): 585-604.

Porte, Joel, eds. *New Essays on The Portrait of a Lady*. New York: Cambridge UP, 1990.

_____. "Introduction: *The Portrait of a Lady* and "Felt Life"." *New Esssays on The Portrait of a Lady*. Ed. Joel Porte. New York: Cambridge UP, 1990. 1-31.

Powers, Lyall H. *The Portrait of a Lady: Maiden, Woman, and Heroine*. Boston: Twayne Publishers, 1991.

_____. "*The Portrait of a Lady*: 'The Eternal Mystery of Things'." *Nineteenth-Century Fiction* 14 (1959): 143-55.

Schriber, Mary S. "Isabel Archer and Victorian Manners." *Studies in the Novel* 8 (1976): 441-57.

Van Ghent, Dorothy. "On *The Portrait of a Lady*." *The Portrait of A Lady*. Ed. Robert D. Bamberg. New York: W. W. Norton & Company, 1995. 677-91.

Weisbuch, Robert. "Henry James and the Idea of Evil." *The Cambridge Companion to Henry James*. Ed. Jonathan Freedman. Cambridge: Cambridge UP, 1998. 102-19.

제5장

『보스턴 사람들』:
미국 문화의 여성화와 비속화

● ● ● 이명하

I. 줄거리와 배경

헨리 제임스(Henry James)의 중기작에 해당하는 『보스턴 사람들』(*The Bostonians*, 1886)은 이른바 '국제 상황 주제'(international theme)로 잘 알려진 제임스의 작품들과는 사뭇 다른 특징을 보여주는 소설이다. 이는 『보스턴 사람들』이 그의 어떤 작품보다도 미국적인 상황을 가장 뚜렷하고도 집약적으로 조명하고 있기 때문이다. 제임스는 『보스턴 사람들』의 집필 의도에 대해 "[소설] 전체는 최대한 지역적이고, 미국적이며, 보스턴으로 가득차 있는데, 이는 내가 미국의 이야기를 쓸 수 있다는 것을 보여주기 위한 시도"(*Notebooks* 47)라고 밝힌 바 있다. 실제로 제임스는 이 소설의 배경을 오로지 미국으로 한정했으며, 대부분의 여성 등장인물들을 19세기 후반기에 뉴잉글랜드를 휩쓸었던 개혁 운동의 참가자들로 설정해 놓았다. 아울러 그는 '보스턴 결혼'(Boston Marriage)[1]을 소재로 삼아 미국 소설가로서는 거의 처음으로 여성 동성애를 다루기도 했다. 제임스는 또한 여성 해방 운동, 신흥 종교 세력의 등장, '황색 저널리즘', 대중문화 등 19세기 중·후반의 미국의 독특한 시대상을 『보스턴 사람들』의 지면에 고스란히 옮겨 놓았다. 당시의 이러한 사회상은 큰 축에서 보자면 올리브 챈슬러(Olive Chancellor), 베이질 랜섬(Basil Ransom), 버리나 테런트(Verena Tarrant)라는 세 명의 주인공들 사이에서 벌어지는 삼각 구도를 중심으로 제시된다.

『보스턴 사람들』은 미시시피(Mississippi) 주에 살고 있는 베이질이 보스턴에 거주하는 부유한 사촌인 올리브를 방문하는 장면으로 시작된다. 베이질은 올리브와의 저녁 식사 후 그녀의 권유로 우연찮게 미스 버즈아이(Miss Birdseye)의 집에서 열리는 정치 회합에 참석하게 되는데, 그는 이 모임에서 버리나를 비롯하여 수많은 급진적인 여성 해방론자들과 불편하고도 불쾌한 조우를 하게 된다. 올리브를 포함하여 이곳에 모인 급진적인 개혁론자들만큼이나 극단적인 보수주의자인 베이질은 버리나의 여성 해방 연설을 듣고 그 내용에 대해서는 거부감을 느끼지만 그녀의 아름답고 순수한 외모에 이끌리게 된다. 특히, 버리나가 아버지에 의해 조종되고 이용당하는 장면은 베이질로 하여금 그녀에 대한 깊은 연민을 느끼게 만든다. 올리브 또한 버리나에게 매력을 느끼게 되는데, "태양계마저도 개혁하고 싶을"(6)[2]만큼 개혁에 대한 의지가 강하면서도 말주변이 부족한 올리브는

---

[1] '보스턴 결혼'은 『보스턴 사람들』을 통해 만들어진 신조어로서, 두 명의 비혼 여성이 장기간 동거하는 관계를 의미한다. 이러한 여성 간 동거는 19세기 후반부터 20세기 초에 미국에서 유행했는데, 자본주의의 발달로 인해 여성들이 점차 경제권을 획득함에 따라 전통적인 이성 간 부부관계에 종속되지 않는 여성들 간의 새로운 연대 형태로 제시되었다.

[2] Henry James. *The Bostonians*. NY: Modern Library, 2003. 앞으로 이 작품의 인용은 괄호 안에 쪽수만 표기한다.

버리나의 유창한 언변에 감동을 받고 그녀를 자신의 편으로 끌어들여 여성 해방 운동을 계획하고자 한다. 그 후 올리브는 버리나의 부모를 찾아가 금전적인 보상을 지불한 후 버리나를 자신의 집으로 데려와 동거를 시작하게 된다.

성장 환경과 사상 면에서 극과 극에 있는 베이질과 올리브가 동시에 버리나에게 마음을 둠으로써 둘 사이에는 버리나를 차지하기 위한 팽팽한 경쟁이 벌어지게 된다. 개업 변호사가 되기 위해 뉴욕으로 온 베이질은 버리나를 자주 방문하게 되는데, 버리나는 이 과정에서 점차 베이질에게 호감을 느낀다. 베이질은 버리나와 가까워짐에 따라 그녀에게 올리브와의 여성 해방 운동에서 손을 떼고 자신만을 바라보는 아내가 되어 달라고 구애한다. 이 같은 사실은 베이질을 향한 올리브의 반감을 더욱 자극하게 되고, 급기야 그녀는 베이질을 따돌리고 버리나를 대중 연설가로 데뷔시키고자 한다. 그러나 베이질은 데뷔 직전에 무대 뒤에서 버리나를 끈질기게 설득하여 그녀의 데뷔를 포기하게 만드는 데 성공한다. 결국 버리나가 올리브, 부모님, 청중을 뒤로 한 채 눈물을 흘리며 베이질과 함께 도주하는 것으로 이 소설은 끝이 난다.

이러한 플롯을 통해 미국적 상황을 충실히 재현하는 『보스턴 사람들』은 그러나 출판 당시 독자와 비평계로부터 좋은 반응을 이끌어내지 못해 제임스에게 큰 당혹감과 좌절감을 안겨주었으며, 이로 인해 그는 이후 한동안 소설보다는 극작에 관심을 보이기도 했다. 미국 사회에 대한 노골적인 비판, 특정 역사적 인물을 연상시키는 등장인물에 대한 불편한 묘사, 그리고 더디게 진행되는 서술체 등은 『보스턴 사람들』에 대한 혹평의 이유로 꼽힌다. 이러한 이유 때문인지 이 작품은 『유럽인들』(*The Europeans*, 1878), 『워싱턴 스퀘어』(*Washington Square*, 1880)와 함께 『헨리 제임스 뉴욕판 전집』(*New York Edition of the Novels and Tales of Henry James*, 1907-09)에서 제외되어 있다. 그러나『보스턴 사람들』은 미국 사회의 현실에 대한 제임스의 참여 의식이 매우 진지하게 드러나는 "미국의 삶에 대한 비판적인 평가"(Jacobson 21)가 된다는 점에서 그 자체로서 충분히 의미 있고 주목할 만한 작품이다.

『보스턴 사람들』뿐만 아니라 같은 해에 출간된『프린세스 카사마시마』(*The Princess Casamassima*)에서는 런던을 배경으로 펼쳐지는 계급적 투쟁과 사회적 무질서가 다뤄져 있는데, 이는 제임스의 중기 문학 세계가 사회 비평에 집중되어 있음을 보여준다. 사실, 제임스가 사회 문제에 무관심하다는 일반적인 인식과는 달리 사회 비평은 그의 저작 활동의 초기부터 후기까지 이어지는 큰 관심사였다. 그 시발점을 초기작인『워싱턴 스퀘어』에서도 발견할 수 있는데,『워싱턴 스퀘어』는 여러 가지 측면에서『보스턴 사람들』을 논할 때 동시에 고려되어야 하는 작품이다.『워싱턴 스퀘어』와『보스턴 사람들』은 제임스의 모든 소설을 통틀어서 그가 유일하게 국제 상황 주제에 등을 돌려 미국 사회를 비판적으로 고찰했다는 공통점이 있다. 또한『워싱턴 스퀘어』와『보스턴 사람들』은 1880년대에 발표되었음에도 불구하고, 실제적으로 두 작품의 시대 배경은 집필 시점보다 앞서 있다는 특징도 있다. 제임스는 상업주의가 본격적으로 발흥하기 전인 1830년대에서 1840년대, 즉 19세기 초·중반의 미국적인 상황을 소재로 삼아『워싱턴 스퀘어』를 "순전히 미국적인 이야기"(*The Letters* 73)로 내세웠다. 『보스턴 사람들』의 경우 그 시대 배경이 남북전쟁이 종식되고 도금시대(Gilded Age)가 시작되는 1870년대로 설정됨으로써,『워싱턴 스퀘어』를 뒤이어 19세기 후반의 미국적 상황을 구체적으로 보여주고 있다. 그리고 20세기 초의 미국 문화에 대한 제임스의 시각은 그가 1904년부터 1905년까지 미국의 전역을 여행한 후 발표했던『미국의 풍경』(*The American Scene*, 1907)이라는 기행문에서 발견할 수 있다.

『보스턴 사람들』이 담아내는 미국의 19세기 후반은 미국 역사에 있어서 가장 광범위하고도 급격한 발전과 변화가 발생했던 시기였으며, 이 시기에 소위 '미국주의'(Americanism)로 대변되는 미국의 부상이 전 세계적인 주목을 받기 시작했다. 따라서 미국 문화의 형성이라는 측면에서도 19세기 후반기는 중요성을 띠는 시기이다. 1870년대의 미국 사회는 남북전쟁 이후 재건 작업이 막바지에 다다르면서 급격한 산업화와 도시화 및 이민자의 대량 유입으로 인한 인구 급증, 신기술의 도입, 그리고 사진, 영화, 대중음악 등의 오락 매체의 등장으로 새로운 변화의 파고 속에 놓여 있었다. 당대 미국 사회의 이러한 다각적인 변화는 "공적 영역[3]에 있어서의 급속한 재편성"(Blair 153)이라는 결과를 가져오게 되었는데, 여성은 그 재편성의 중심에서 독보적인 위치를 차지하게 되었다. 건국 초기부터 가정이라는 사적 영역에 머물러 있었던 여성들은 19세기 개혁의 여성 정치를 통해 본격적으로 공적 영역으로 진입하게 되었으며, 그 결과 남북 전쟁 이전까지 미국 사회의 공적 영역을 장악했던 남성 중심의 문화가 여성화로 급격하게 경도되었다. 여기에서 말하는 미국 사회의 공적 영역에서의 일대 변화는 곧 미국 전체 문화의 변화로 이어진다는 점에서 시사하는 바가 크다고 할 수 있다. 이렇듯 미국 역사상 전례 없이 대대적인 변화가 일어났던 19세기 후반기는 "현대 미국 대중문화의 혁신적인 핵심부가 등장"(Buhle 392)했던 시기로 요약할 수 있다. 이 뚜렷한 문화적 현상은 『보스턴 사람들』을 제임스의 다른 작품에서는 볼 수 없는 미국적인 색깔로 채색하는 데 기여한다.

---

[3] "공적 영역은 정치 영역으로서 독립적인 자원과 사적인 가족을 지배하는 시민들이 동등한 자격과 권리를 가진 동료로서 공동체의 미래에 대해 토론하기 위하여 모이는 영역이다. 공적 영역은 배타적인 자유의 장으로서, 개인이 연설을 통해 다른 사람들을 설득하고 자신의 업적을 공적으로 인정받음으로써 다른 사람들에게 가시적인 존재가 될 수 있는 영역이다"(Evans 2).

『보스턴 사람들』에서는 일견 그 중심 주제가 여성에 초점이 맞춰질 수밖에 없도록 '신여성', '여성 해방 운동', '보스턴 결혼' 등 여성과 관련된 사회 문제가 전면에 부각된다. 이는 제임스 스스로도 "여성의 상황, 성(sex)에 대한 정서의 감소, 여성을 대변하는 시위"(*Notebooks* 47)를 "당대의 가장 뚜렷하고도 기이한 사회 현상"(*Notebooks* 47)으로 목도했기 때문이다. 그러나 여성과 관련된 이러한 일련의 현상에 대해 제임스가 굳이 '기이하다'라고 언급했다는 사실에 주목한다면, 여성의 주제를 통해 그가 이 작품 속에서 궁극적으로 전달하려는 메시지가 무엇인가에 좀 더 중점이 두어져야 한다. 『보스턴 사람들』을 단순한 여성 해방 운동의 측면에서 벗어나 좀 더 예리한 각도로 접근한 사라 블레어(Sara Blair)는 제임스가 "훨씬 더 포괄적인 문제를 다루기 위해 [독자의] 관심을 돌리기 위한 일종의 장치"(152)로서 여성의 상황을 '주제'가 아닌 '배경'으로 사용했다고 주장한다. 따라서 블레어는 여성 해방 운동이라는 사회 현상 그 자체보다는 그것으로 인해 발생한 사회적 파급력, 즉 미학적, 사회적, 국가적인 측면에서의 전체 문화의 생산, 경험, 그리고 사회적 활력에 관심의 비중이 더욱 쏠려야 한다고 지적한다(152).

마샤 제이콥슨(Marcia Jacobson) 또한 『보스턴 사람들』의 주제를 여성 해방 운동 자체에 의미를 둔다면 당황스럽지만, 여성적 주제를 다루는 페미니즘 문학의 부상을 대중 시장에서의 여성의 영향력이라는 관점으로 접근한다면 이해가 쉬울 것이라고 설명한다(22-23). 즉, 이 소설에서 제임스는 여성의 투쟁 자체보다는 여성 세력이 전후 미국 문화의 흐름을 주도하는 문화의 거대한 공급자이자 소비자 집단으로 급부상한 것에 초점을 두었다는 것이다. 그는 아울러 신여성의 등장과 함께 언론의 급부상에 대해서도 비판적인 시각을 견지했는데, 여성이 문화 영역으로 적극적으로 진출하는 과정에서 언론이 결정적인 역할을 함으로써 이들 두 세력 사이에 모종의 관계가 형성된 것으로 보았다. 한마디로 19세기 후반기의 미국 문화는 여성과 언론의 연대의 생산물인 셈이며, 제임스는 그 결과 미국 문화가 지나치게 여성화로 치닫고 비속화되었다는 것을 『보스턴 사람들』을 통해 비판하고 있다.

이러한 미국 대중문화의 등장 배경과 그 문화적 성격은 『보스턴 사람들』속에서 남부의 전통적인 가치관을 고수하는 베이질의 의식을 중심으로 분석할 수 있다. 남부의 패전용사이자 보수적 남성주의자인 베이질이 혼란스럽고도 풍자적인 시각으로 전달하는 북부의 문화는 여성과 언론에 의해 주도되는 1870년대 미국의 삶의 전경을 매우 사실적으로 반영한다. 급진적인 여성 해방 운동과 언론을 상징하는 주요 인물들과 대립 관계를 이루는 베이질은 공적 영역에서의 신여성과 언론의 범람 현상 속에서 미국 문화가 대량 생산되어 결국 여성화되고 비속화되는 전개 과정을 예리한 시선으로 전달한다. 따라서 본 글에서는 베이질의 의식을 중심으로, 『보스턴 사람들』에서 미국의 여성 해방 운동이 문화적 현상으로 폭발적으로 발전하는 과정과 그 속에서 드러나는 대중문화의 여성화와 비속화라는 두 가지 성격을 집중적으로 살펴보고자 한다.

II. 미국 문화의 여성화

『보스턴 사람들』은 "주도면밀하게 객관적인 화자"(Blair 152)가 여러 등장인물의 시각을 통해 이야기를 서술하는 형태를 취하고 있다. 그러나 여러 인물들 중에서도 베이질을 주요 서술자의 위치에 두고, 그의 의식을 따라 『보스턴 사람들』을 분석하게 될 경우 변화와 개혁의 바람이 몰아치는 1870년대의 혼란스러운 시대상을 가장 효과적으로 재구성할 수 있다. 사실 베이질은 본 작품의 해석에 있어서 비평가들 사이에서 의견이 분분하게 갈리는 인물 중 하나이다. 이는 당대의 급진적인 여성 해방 운동에 대한 제임스의 비판 의식이 베이질의 시각에 투사되었는지에 초점이 모아지기 때문이다. 그러나 여성의 상황 자체가 이 작품의 본질적인 메시지가 아니라는 점을 염두에 둘 때, 제임스는 "급진적인 진보와 강경한 보수가 대결하는 이념적 시소게임에서 어느 한 편을 선택하여 걸터앉기를 거부"(나희경 28)했다고 볼 수 있다. 따라서 베이질의 의식에 바탕을 둔 분석은 전통적인 남성 중심의 가치를 우위에 두려는 해석이라기보다는 『보스턴 사람들』의 전체 구도를 "문화적 혼란"(나희경 9)으로 접근하려는 시도로 보아야 한다.

남부 출신 베이질은 미국인이면서도 북부와는 전혀 다른 환경에서 살아왔기 때문에 그야말로 북부 땅에 '이식된' 이방인으로 그려진다. 실제로 베이질은 작품 속에서 유일하게 북부인이 아닌 인물이며, 뼛속까지 남부인인 그의 의식 속에는 가부장적인 남성 우월주의와 시대착오적인 기사도 정신이 왜곡된 상태로 자리 잡고 있다. 따라서 북부 여성 해방 운동의 전개 과정과 그 파급력으로 탄생한 문화 현상을 바라보는 그의 시선은 다른 등장인물들보다 전후 남북의 분열된 사회상을 문화적 대립과 혼란이라는 측면에서 더욱 생경하고 이질적인 분위기로 전달할 수 있다.

조국에 대한 베이질의 애정은 너무나도 열정적이었고 연대감이 깊었기 때문에 한 방 가득한 북부의 광신자들이 자신의 어머니나 애인의 편지를 마음대로 큰 소리로 읽게 할 수는 없었다. 남부에 대해서 조용히 침묵을 지키는 것, 그 땅을 상스러운 손으로 만지지 않는 것, 그 땅이 입은 상처와 기억을 건드리지 않고 그대로 두는 것, 그 땅의 괴로움이나 희망에 대해 시장통에서 함부로 지껄이지 않는 것, 그러나 그저 남자가 기다려야 하듯이, 시간이 흘러 남부의 땅이 서서히 회복되고 합리적인 선행이 찾아오기를 기다리는 것만이 베이질의 마음속의 바람이었으며, 그는 이러한 자신의 태도가 미스 버즈아이의 손님들을 만족시키지 못할 것임을 잘 알고 있었다.

He had a passionate tenderness for his own country, and a sense of intimate connection with it which would have made it as impossible for him to take a roomful of Northern fanatics into his confidence to read aloud his mother's or his mistress's letters. To be quiet about the Southern land, not to touch her with vulgar hands, to leave her alone with market-place either of her troubles or her hopes, but waiting as a man should wait, for the slow process, the sensible beneficence, of time—this was the desire of Ransom's heart, and he was aware of how little it could minister to the entertainment of Miss Birdeye's guests. (48)

베이질은 올리브를 방문한 기회에 우연히 참석하게 된 여성 해방 운동 회합에서 남부에 대한 주제로 즉흥적인 연설을 해달라는 파린더 부인(Mrs. Farrinder)의 부탁을 받은 직후 위 인용문에서 언급된 바와 같이 매우 불쾌한 감정을 드러낸다. 이 묘사를 통해 베이질의 마음속에 패전 용사로서의 북부에 대한 강한 적대감은 물론 북부인들 자체를 저급하게 바라보는 그의 우월성을 감지할 수 있다. 베이질에게 있어서, 이 회합에 모인 파린더 부인과 "모든 중년 여성의 눈동자들"(47)로 암시되는 수많은 북부의 여성 참석자들은 전쟁에서의 참패를 잊지 못하는 남부의 분노를 자극하는 존재들이다. 베이질이 호기심에 가벼운 마음으로 참석한 회합에서 이러한 감정을 느끼는 것은 그의 눈에 들어온 여성들의 수와 그들의 영향력에서 비롯된다.

버즈아이의 회합에서는 거의 모든 작품의 등장인물들이 소개되는데, 몇몇 남성들을 제외하고는 이들이 모두 여성이라는 특징이 있다. 그나마 몇 안 되는 남성들도 여성 해방 운동에 동조하거나 여성 인물들에게 가려져 남성으로서의 존재감을 드러내지 못하며, 이러한 상황은 베이질에게 남성성의 부재 혹은 무력화된 상태로 인식된다. 제이콥슨에 따르면, 『보스턴 사람들』은 남북전쟁으로 인해 북부의 수많은 남성들이 목숨을 잃은 실제 상황을 반영한다. 예를 들어, 회합에서의 남성들의 수가 여성들에 비해 월등히 적을 뿐만 아니라 소수에 달하는 남성의 모습도 상당히 "무력하거나 무능한"(28) 상태로 묘사되어 있다. 따라서 남성들이 부재한 현실은 베이질에게 전쟁의 고통을 떠올리게 하며, 더욱이 가정 안에서 존재해야 하는 여성들이 대거 모여 시끄럽게 북적대는 여성 해방 운동 회합은 그 자체로서 그에게 상당히 충격적인 장면으로 각인된다.

여성에 대한 베이질의 인식에 있어서 특히 위 인용문에서 주목할 점은 남부를 지칭하는 대명사가 여성격 'her'로 처리되었다는 점이다. 이는 단순히 지명을 여성격으로 처리한 것일 수도 있겠으나, 작품의 전체적인 맥락에서 보자면 베이질의 의식 속에 자리 잡은 보수적인 여성상이 교묘하게 투영된 것으로 해석할 수 있다. 베이질은 남부를 여성화하여 전쟁의 상처가 아물도록 가만히 두고, 만지지 말며, 시장통에서 이야깃거리로 떠들지 말고, 남성이 여성을 기다려야 하듯이 남부가 회복되기를 기다려야 한다고 표현한다. 다시 말해서, 베이질에게 여성이란 상스러운 접촉과 천박한 시장통에서 벗어나 가정이라는 울타리 안에서 남성의 보호를 받으며 머물러야 한다는 것이다.

이처럼 전통적인 성의 구분과 그 고유 영역을 고수하는 베이질에게 있어서 버즈아이 회합은 그 수와 영향력에 있어서 점점 여성화되어가는 보스턴 사회를 상징적으로 보여주며, 그는 다음과 같이 당시의 시대상을 규정한다.

　　모든 세대가 여성화되었어요. 남성의 어조는 세상에서 사라지고 있다는
　　겁니다. 지금 이 시대는 여성적이고, 불안한 데다 히스테리컬하고 수다
　　스럽고 위선적입니다. 공허한 말, 거짓된 섬세함, 과장된 배려, 지나친
　　감수성이 판치는 시대이기 때문에 우리가 방심하게 되면 가장 연약하고
　　단조롭고 그 어느 때보다 가식적인 평범한 사람들의 지배를 받게 될 수
　　가 있어요. 한껏 용기를 내고 견디며, 현실을 잘 알면서도 두려워하지 않
　　고, 세상을 똑바로 쳐다보고, 그것을 있는 그대로 받아들이는 남성적인
　　특징은 매우 괴상하고 약간 비열한 성질들이 뒤섞여 있긴 하지만, 내가
　　정말 지켜내고, 회복하고 싶은 겁니다.

　　The whole generation is womanized; the masculine tone is passing out of
　　the world; it' a feminine, a nervous, hysterical, chattering, canting age, an
　　age of hollow phrases and false delicacy and exaggerated solicitudes and
　　coddled sensibilities, which, if we don't soon look out, will usher in the
　　reign of mediocrity, of the feeblest and flattest and the most pretentious
　　that has ever been. The masculine character, the ability to dare and en-
　　dure, to know and yet not fear reality, to look the world in the face and
　　take it for what it is—a very queer and partly very base mixture—that is
　　what I want to preserve, or rather, as I may say, to recover. (325-26)

　　회합에 모인 참석자들 모두에게는 성의 경계가 무너지거나 부재해 있
는 특징이 발견된다. 우선 그 이름에서부터 여성성보다는 남성적인 권위
의식을 풍기는 올리브 챈슬러는 두 오빠가 전쟁에서 목숨을 잃으면서 실
질적으로 집안을 이끄는 가장 역할을 하고 있으며, 급진적인 여성 해방 운

동가로서 잔 다르크와 같은 순교자의 이미지를 연상시킨다. 닥터 프랜스 (Dr. Prance)에게는 여성도 남성도 아닌 중성의 이미지가 반영되어 있다. 베이질은 짧은 머리에 깡마르고 여성으로서의 매력이 결여된 닥터 프랜스에게서 뉴잉글랜드의 교육 체계에 의해 양산된 "양키 여성의 완벽한 전형"(39)이라는 인상을 받으며, 그녀가 "학교 수업을 빼먹고 혼자서 기계 실험이나 자연사 연구에 몰두"(39)하는 남자 아이 같은 외모를 가졌다고 생각한다. 또한 주요 인물에 해당하는 세 명의 부인에게는 비이상적인 가족 관계가 대입되어 있다. 권위적인 파린더 부인의 남편은 작품 속에 등장하기는 하지만 거의 아내에게 그림자처럼 붙어 다니는 허울뿐인 남편으로 묘사된다. 반면 루나 부인(Mrs. Luna)과 버리지 부인(Mrs. Burrage)은 남편 없이 홀로 아들을 키우는 홀어머니라는 공통점을 가진다. 두 부인에게는 아들을 자신의 소유물로 통제하고, 교육이나 혼사에 주도권을 행사하면서 아들을 나약하게 양육하는 드센 어머니의 상이 대변되어 있다.

여성화로 물든 미국 사회의 현상에 대한 베이질의 묘사에는 기본적으로 여성이 남성보다 열등하다는 전제가 깔려 있다. 베이질의 시각에 따르면, 보스턴 사회는 여성이 남성에게 종속되는 전통적인 위계질서가 붕괴되어 여기저기에서 여성이 주도권을 잡는 기이한 공간으로 여겨진다. 그런데 여성화된 사회에 대한 베이질의 묘사에 있어서 주목할 만한 특징은 시끄러움을 강조하는 청각적인 이미지가 대입되어 있다는 것이다. 이 같은 사실은 그가 당대를 "시끄럽고, 툴툴대며, 감상적이고, 잘못된 생각, 유해한 세균, 사치스럽고 방탕한 습관으로 득실거린다"(184)고 극단적으로 진단한 대목에서도 분명해진다. 이는 여성의 목소리가 가정 밖으로 새어 나오는 것 자체를 못마땅하게 바라보는 베이질의 보수적인 시각을 반영한다. 그러나 베이질이 여성의 목소리에 이토록 예민한 반응을 보이는 까닭은 그가 여성의 힘 또는 영향력이 '입'으로부터 기인한다는 것을 간파하고 있기 때문이다. 실제로 여성 해방 운동의 역사를 보더라도 여성들이 자신들의 목소리를 외부로 표출하는 것은 그들의 영향력 행사와도 밀접하게 관련되어 있다. 초기 여성 해방 운동은 남성적인 권위에 저항하고 여성과 그 뜻에 동참하는 지지자들을 한자리에 모아 설득시키기 위해 여성의 목소리를 내는 것에 집중되었다. 전통적으로 사적 영역에 머물러 있던 여성들은 공적 영역에서의 연설이 허락되지 않았으며 여성의 해방과 참정권에 대해 그들의 목소리를 공적으로 말하기까지 많은 장애물에 부딪혔다.

그러나 여성들은 개혁의 바람 속에서 잃어버린 목소리를 되찾고 힘을 얻게 되었으며, 따라서 여성들에게 있어서 유창함은 자매 관계를 바탕으로 하는 연대를 시작으로 점점 그 지지자들의 관계를 하나로 결속시켜 영향력을 행사하는 매개로서 작용한다. 남성 중심의 보수주의자인 베이질이 보스턴 사회의 구석구석에서 여성의 목소리를 쉽게 들을 수 있는 것은 그만큼 여성의 존재감이 이전과는 비교할 수 없을 정도로 커지고 있다는 것을 방증한다. 목소리를 통해 존재성을 드러낸다는 측면에서 '입'은 매우 중요한 상징성을 지니고 있으며, 테런트 가족은 작품 초반부터 결말에 이르기까지 이러한 '입'의 강력한 영향력을 대변한다.

그녀(버리나)는 두 눈을 감은 채 거기에 앉아 있었고 그녀의 아버지는 지금 그의 길고 가느다란 두 손을 그녀의 머리에 얹어 놓았다. [. . .] 그러나 그녀의 공모자에 관해서는 모호한 것이 전혀 없었다. 랜섬은 그가 입을 벌리는 순간부터 그야말로 그를 혐오했다. 그는 매우 익숙한 사람이었다. 즉, 그와 같은 유형의 사람은 베이질에게 매우 익숙하게 느껴졌다. 그는 출세하기 위해 남부를 기웃거리는 혐오스러운 북부인이었다. 그는 거짓되고, 교활하며, 천박하고 야비하며, 가장 싸구려 인간이었다.

She sat there with closed eyes, and her father now rested his long, lean hands upon her head. [. . .] There was nothing ambiguous, by the way, about her confederate; Ransom simply loathed him, from the moment he opened his mouth; he was intensely familiar—that is his type was; he was simply the detested carpet-bagger. He was false, cunning, vulgar, ignoble; the cheapest kind of human product. (55-56)

테런트가 버리나에게 최면을 걸어 연설을 하도록 유도하는 장면은 상당히 강렬하고도 인상적으로 제시된다. 사실 테런트 가족은 본 글의 주제와 상당히 밀접하게 관련되어 있으며, 소설 10장에서의 묘사를 눈여겨본다면 제임스가 테런트 가족에게 작품 전체 구도에 대한 주요 배경이자 향후 이야기 전개에 대한 일종의 복선과도 같은 상징적인 역할을 부여했음을 알 수 있다. 복선과 상징으로서 테런트 가족이 갖는 의미는 이들을 대하는 베이질의 시선을 통해 매우 구체적이고도 명확하게 드러난다. 베이질은 버리나를 보고 첫눈에 반하게 되는데, 여기에서 흥미로운 사실은 버리나에 대한 베이질의 감정이 그가 남부의 땅을 바라보는 애정 어린 시선과 매우 유사하다는 점이다. 베이질이 버리나에게서 남부와 동일한 감정을 느낀다는 해석의 근거는 그가 그녀의 아버지인 테런트를 "carpet-bagger"로 표현한 것에서 뒷받침된다. "carpet-bagger"는 카펫 천과 같은 싸구려 재질의 가방에 소지품을 넣고 다니는 사람을 일컫는 일차적인 뜻 외에, 남북전쟁 이후 불안하고 혼란스러운 상황에서 기회를 틈타 출세하기 위해 남부로 이주한 뜨내기 북부인이라는 의미를 내포하고 있다. 베이질은 한눈에 이러한 테런트의 정체를 간파하게 되며 즉각적으로 그에게 혐오감을 느낀다.

베이질이 테런트가 그토록 아름다운 버리나의 아버지란 사실에 불쾌감과 당혹감을 느끼는 이유는, 테런트가 자신의 출세를 위해 베이질의 고향 땅인 남부를 이용하고 그 땅을 더럽힌 천박한 북부인이기 때문이다. 따라서 남부와 버리나는 테런트로 대변되는 저급한 북부로부터 베이질이 반드시 지켜내야 하는 소중한 대상이 된다는 점에서 공통점을 가진다. 테런트의 통제 하에서 최면에 걸려 연설을 하도록 조종당하는 가엾은 버리나의 모습은 그로 하여금 기사도 정신을 발휘하도록 자극하고 작품의 결말에 이르기까지 그녀에게 맹목적으로 구애하도록 정당한 동기를 부여하게 만든다. 이러한 베이질의 정당한 동기는 버리나를 상스러운 손과 저급한 시장통에서의 지껄임, 즉 테런트에게서 벗어나게 하는 것으로 구체화되며, 이는 곧 그가 버리나에게 베풀어야 할 '합리적인 선행'으로 작용한다. 여기에서 주목할 점은 베이질이 버리나를 테런트의 영향력에서 벗어나게 하는 것은 결국 그녀에게 가정이라는 사적 영역에서의 전통적인 여성의 역할, 즉 "사적 정체성"(Howard 149)을 부여한다는 것이다. 그리고 상스러운 손과 저급한 시장통은 버리나의 이러한 사적 정체성을 공적으로 노출시켜 그녀를 하나의 상품으로써 대량 생산하여 소비시키는 언론과 대중 시장(mass market)을 의미한다.

III. 미국 대중문화의 출현

테런트는 대중 시장으로 버리나를 적극적으로 노출시키는 언론을 상징하는 인물이다. 베이질이 극도의 혐오감을 느끼는 테런트는 연필 행상으로 사회생활을 시작하여 한때 신비주의 종교에 심취했고, 용한 심령술사로서 그 뛰어난 치유 능력을 인정받아 'Doctor Tarrant'로 불리게 되었다. 테런트 인생의 최대 목표이자 "그의 영혼의 간절한 소망"(102)은 언론의 관심을 받는 것이다. 테런트가 많은 품목 중에서도 하필 '연필'을 행상했다는 점과 그에게 꼬리표로 따라다니는 영매라는 영어 'medium'에 '매체'라는 중의적인 의미가 내포되어 있다는 사실은, 그가 언론을 상징하는 인물임을 분명하게 암시한다. 이 외에도 작품 전체적으로 테런트를 언론으로 연결 짓는 묘사는 상당히 직접적으로 드러나 있다. 우선 테런트 자신이 유일하게 원하는 기분 전환은 스스로 뭔가 좋은 일을 하고 있다는 감정을 느끼는 것인데, 이러한 감정은 타인에게 자신의 존재를 드러내고자 하는 강한 열망과 연결된다. 그는 자신의 존재감을 드러내기 위해 습관적으로 거리, 철도마차 정차지, 기차역, 상점, 신문사, 호텔의 현관을 수시로 기웃거린다. 이 장소들은 모두 언론에 쉽게 노출될 수 있는 공공장소라는 특징이 있다. 테런트는 이러한 장소가 "국가의 중심부"(101-02)로서 기능을 하며, 그 중심부를 들여다볼수록 언론에 노출된다는 것을 예리하게 간파하고 있다. 그는 또한 '성직자'로서 자신의 경건한 모습이 사진에 찍혀 신문에 실릴 수 있도록 언제나 두 손을 공중에 들고 성직복을 상기시키는 기다란 "영원한 방수복"(98)을 때와 장소에 상관없이 입고 다닌다.

테런트가 의식적으로 착용하는 영원한 방수복은 사람들의 이목을 집중시켜 유명해지고 싶은 그의 열망을 대변하는 동시에 그에게 본능적으로 주어진 언론의 쇼맨십(showmanship)을 상징한다. 테런트가 언론을 상징한다는 것은 무엇보다도 그가 신문기자인 머싸이어스 파든(Matthias Pardon)과 많은 공통점을 가지고 있다는 사실에서도 분명하게 드러난다. 테런트는 파든과 함께 "신문에 나오는 것은 더 없는 축복의 조건"(121)이라는 신념을 공유하고 있다. 아울러, 자신의 출세를 위해 버리나를 사람들에게 노출시키는 테런트와 마찬가지로, 파든은 보스턴에서 성공한 언론인으로서 당대의 가장 유명한 여성 인물들을 인터뷰하여 그들의 사생활을 언론에 노출시키기 위해 자신의 수고를 아끼지 않는다. 테런트와 파든에게 있어서, 세상에 존재하는 모든 것은 신문에 보도되어 사람들에게 알려져야 한다. 언론의 속성을 대변하는 이들의 신념은 "언론의 세계에 대항하여 개인적인 가치"(Howard 149)를 수호하려는 베이질과는 정반대를 이룬다. 다시 말해서, 베이질이 전통적인 성의 구분을 중시하는 것처럼 그에게 사생활은 언론에 노출되어서는 안 되는 지극히 사적인 영역에 해당하는데, 이는 사생활에 대한 제임스의 견해가 투영된 것이기도 하다.

리타 크라니디스(Rita S. Kranidis)는 사생활에 대한 제임스의 견해는 그의 작품 『애스펀의 문서』(The Aspern Papars, 1888)에 드러나 있다고 분석한다. 크라니디스에 따르면, 제임스는 연애 편지처럼 다른 사람들이 함부로 건드릴 수 없는 사적인 문서는 공적인 목적으로 사용되어서는 안 되는 사생활의 범주에 해당한다고 보았는데, 그는 『애스펀의 문서』를 통해 문학 시장과 대중의 요구에 따라 사생활이라는 개념이 점점 침범당하고 있음을 지적하고 있다(35). 리차드 살몬(Richard Salmon) 역시 제임스는 예술가의 사적인 자아를 비속한 언론으로부터 벗어날 수 있는 "도피처"(458)로 인식했으며 그의 저작 활동 초기부터 사생활의 침범에 대한 우려는 지속적으로 표출되어 있다고 주장한다. 테런트와 파든은 자신들의 출세를 위해 사적인 경계와 공적인 경계를 무시하며 아주 사소한 사생활까지도 언론에 노출시키는 행위를 서슴지 않는다. 이는 당대의 '황색 저널리즘'이라는 언론의 속성을 상징하는 것으로서, 파든과 테런트의 세계는 "당대의 가장 일관된 초상"(Howard 146)을 보여준다. 언론의 영향력으로서 이 두 인물이 만들어 낸 효과는 작품 후반부에 버리나를 문화 상품으로 탈바꿈시킨 것에서 구체화된다.

한편, 출세와 쇼맨십에 대한 강한 열망에도 불구하고 테런트는 "연단 위에서 말 한마디도 못 할"(72) 정도로 말재주가 없어 청중의 관심을 사로잡지 못한다. 따라서 그는 입의 유창함 대신 "손의 유창함"(72)을 터득하여 그 화려한 손의 힘으로 버리나를 조종함으로써 자신의 입으로 이용한다. 테런트뿐만 아니라 테런트 부인도 신분 상승에 대한 야망으로 가득 찬 인물이다. 말재주가 부족하다는 약점을 지닌 남편과 사는 동안 사회적인 성공이 어렵다고 판단한 테런트 부인은 버리나를 자신과 남편의 야심을 실현시킬 수 있는 수단이자 유일한 희망으로 여긴다.

> 그녀[테런트 부인]는 괴상했는데, 사실―축 늘어지고, 느긋하며, 건강하지 않고, 변덕스러운 여성으로서 여전히 매달리는 능력을 가지고 있었다. 그녀가 매달리는 것은 '사교계'와 세상에서의 위치였다. 은밀한 속삭임은 그녀가 지금껏 그러한 위치를 가진 적이 없다고 나지막하게 말했으며, 좀 더 소리를 높인 목소리는 그녀가 그 위치를 상실할 위험에 처해 있음을 상기시켰다. 그 위치를 지키고, 회복하며, 다시 축성하는 것은 그녀 마음속의 야망이었다. [. . .] 아브라함 그린스트리트의 딸로서, 테런트 부인은 유년 시절을 초기 노예제도 폐지론자 집단 속에서 보냈으며, 떠돌이 연필 행상이었던 청년과 결혼하면서(그는 연필을 팔러 그린스트리트 씨의 집을 방문했었다) 그녀의 야망을 실현시킬 가능성이 얼마나 어두워졌는지를 깨닫게 되었다.

> She was queer, indeed―a flaccid, relaxed, unhealthy, whimsical woman, who still had a capacity to cling. What she clung to was 'society,' and a position in the world which a secret whisper told her she had never had and a voice more audible reminded her she was in danger of losing. To keep it, to recover it, to reconsecrate it, was the ambition of her heart; [. . .] As the daughter of Abraham Greenstreet, Mrs. Tarrant had passed her youth in the first Abolitionist circles, and she was aware how much such a prospect was clouded by her union with a young man who had begun

life as an itinerant vendor of lead-pencils (he had called at Mr. Greenstreet's door in the exercise of this function). (69)

테런트 부인은 노예 제도 폐지론자이자 유명한 대중 연설가였던 아브라함 그린스트리트의 딸로서, 초기 노예 제도 폐지론자 집단 속에서 유년 시절을 보내면서 가문의 전통을 이어갈 것으로 기대되었다. 그러나 별 볼일 없는 떠돌이 연필 행상이었던 테런트와 사랑에 빠져 궁핍한 결혼 생활을 근근이 이어감에 따라 그 꿈은 서서히 멀어져갔다. 각종 종교에 탐닉하고 식단 개혁에 참여하며 "저녁밥 먹듯이 자주 강연이나 교령회에 다니는"(70) 등 사교계에 진출하여 가문의 전통을 회복하려고 부단히 노력하지만 가난하고 신분이 낮은 그녀에게 사교계의 문턱은 여전히 높기만 하다. 두 부부의 공통 관심사는 모두 사교계와 언론이라는 공적 영역에 진출하는 것인데, 테런트와 테런트 부인은 단순히 신분 상승을 꿈꾸는 당대의 수많은 개인들 중 한 사례를 보여주는 것이 아니라, 미국 사회의 변화를 주도했던 '종교계'와 '백인 여성계'를 각각 대변하고 있다.

19세기 후반에 출현한 미국 문화의 여성화 현상을 재조명한 앤 더글라스(Ann Douglas)는 미국 사회의 공적 영역에 전례 없는 변혁을 일으킨 동인은 여성계와 종교계이며, 이 두 집단 간의 연대가 문화를 변화시킨 강력한 힘이라고 주장한다. 19세기 미국의 개혁 철학은 여러 가지 요인에서 비롯되었지만 가장 중요한 영향은 19세기 초부터 강력한 사회 개혁의 힘으로 발전한 개신교 신앙 부흥 운동이었다. 기독교는 미국의 문화 및 국가적 전통을 논할 때 빠질 수 없는 중요한 요소로서, 특히 극도로 엄격하고, 권위적이며 가부장적인 믿음을 강조한 칼뱅주의(Calvinism)는 건국 초기부터 19세기 초까지 "미국인의 삶에 있어서 지적, 문화적 활동을 주도하는 매개체"(Douglas 6)였다. 그러나 19세기 중반기를 거쳐 개혁의 바람과 함께 종교적인 자유로운 분위기로 유니테리언파[4]를 포함한 새로운 종교적 실험들이 실행에 옮겨졌으며, 이는 다양한 신흥 종교의 난립과 그로 인해 미국 건국의 정신적 기틀이 되었던 칼뱅주의의 몰락이라는 결과를 가져왔다. 미국 내 칼뱅주의의 종말은 단순히 하나의 정통적 교파를 넘어선 "남성 중심적 신학 전통의 상실"(Douglas 13)로 이어졌고, 미국 문화가 기독교에 깊은 뿌리를 내리고 있는 까닭에 그 남성 지배적 문화 역시 필연적으로 힘을 잃을 수밖에 없었다. 아울러 남북 전쟁 이전에 지역 공동체와 가정에서 중심적인 역할을 했던 중산층 백인 여성들과 성직자들은 새로운 개혁의 움직임 속에서 교회와 가정이 단순히 예배 장소와 주거 공간으로 전락함에 따라 자신들의 전통적인 역할이 약화되었는데, 이들은 자신의 권력을 행사하고 영향력을 발휘하기 위한 매개물로서 문화를 사용했다(Douglas 3-13).

사교계에 입문하여 그린스트리트 가문의 명성을 회복하려는 테런트 부인과 정통 기독교 교리에서 벗어난 신흥 이단 종교로 세력을 확장하려는 테런트의 인물 설정과 상황 묘사는 여러모로 19세기 중반 공적 영역에서 두각을 나타냈던 백인 여성계와 종교계를 대변한다. 특히, "최면술사"(42), "영매"(69), "기적의 치유"(42), "몽유병자"(82), "교령회"(70)는 심령술(Spiritualism)과 관계된 구체적인 표현이기도 하다. 심령술은 단순히 테런트라는 작중 인물에 한정되지 않고, 당대의 어지러운 사회 개혁의 풍경이 한데 뒤섞여 표출된 대표적인 현상으로서, 작품 분석에서 간과되어서는 안

---

[4] 유니테리언파는 하나님의 삼위일체를 부정하고 신의 단일성을 강조한 신학 사상으로서, 윌리엄 채닝(William Ellery Channing)은 이 사상을 주도한 핵심적인 인물이다. 유니테리언파는 인간은 이성을 통하여 완전성에 도달할 수 있다고 믿었으며, 이러한 믿음은 당시 미국 민주주의의 열망을 종교적으로 표현한 것이었다. 유니테리언주의가 강력하게 영향을 미쳤던 곳은 보스턴과 그 주변에 불과했지만 미국의 문화 전반에 걸쳐 지대한 영향을 남겼다(솔버그 83-88).

되는 중요한 상징이자 풍자로서의 기능을 발휘한다. 제이콥슨은 제임스가 최면술과 심령술을 여성 권익 신장 운동과 연결시킨 것은 이 소설의 범주를 더 넓은 사회적인 차원으로 확장하기 위한 의도라고 언급한다(21).

테런트 가족이 등장하는 버즈아이 집의 회합 장면에서 그 대표적인 상징과 풍자를 발견할 수 있다. 버즈아이 집은 노예 해방과 여성 해방을 지지하는 사람들이 정기적으로 만나 페린더 부인과 같은 유명 연설자의 강연을 들으며 서로 교류하는 공간이다. 그런데 작품 1장에서 이 모임은 루나 부인을 통해 "마녀들과 마법사들, 영매, 강신술사, 으르렁거리는 급진주의자들"(5)이 집결하는 장소로 묘사된다. 붉은빛 머리색이 특히 인상적인 아름다운 외모로 베이질의 눈길을 사로잡은 버리나는 테런트 부부의 적극적인 주선으로 공개 연설의 기회를 얻게 되는데, 그녀는 스스로 연설을 시작할 수 없어 심령술사인 아버지 테런트의 '기적의 치유'를 거친 후에 모두를 감탄시키는 유창함을 선보인다. 많은 사람들이 지켜보는 가운데 성스러운 의식을 연상시키는 테런트의 영적인 행위와 이에 매료되는 참석자들의 장면은 흡사 이 모임이 공적 영역으로 진출하려는 북동부 여성과 진보적 성직자들의 연대, 그리고 이들이 만들어낸 당대의 미국 보스턴의 사회상을 상징한다고 볼 수 있다. 테런트 부인의 적극성과 테런트의 "기괴한 조작"(57)을 통해 유도된 버리나의 연설이 참석자들을 매혹하듯이, 테런트 부부의 영향력은 당시의 공적 영역을 변화시킨 두 집단의 영향력으로 해석할 수 있다. 이들의 영향력은 작품 속에서 자주 등장하는 "마력"(spell)이라는 표현과 연결되어 사회에 마법을 걸어 그 문화를 기이한 방향으로 이끌고 있다.

한편 "입의 영향력"(72)을 믿었던 외가인 그린스트리트 가문으로부터 물려받은 버리나의 천부적인 말재주는 아버지에게서 물려받은 쇼맨십과 최상으로 결합되어 사람들의 시선을 강탈하는 놀라운 효과를 만들어낸다.

결국 버리나는 태생적으로 사람들의 이목을 집중시킬 수 있는 강력한 청각적, 시각적 요소를 고루 갖춘 인물로서 입의 유창함과 손의 유창함을 겸비하고 있다. 버리나와 관련하여 유독 '유창함'(eloquence), 그리고 목소리를 쏟아내는 '입술'(lips)은 작품 속에서 여러 번 반복적으로 언급된다. 이는 출세욕은 강하지만 언변 능력이 결여된 테런트와 올리브가 천부적 말재주를 가진 버리나를 그들의 대변인으로 영입한다는 사실에서 결정적으로 드러난다.

버리나가 유창함을 통해 영향력을 발휘하는 것에서도 알 수 있듯이, 유창함은 대중 연설을 통해 그녀에게 영향력을 부여한다. 베이질이 잔인하리만치 끈질기게 버리나에게 구애하여 그녀의 "입을 틀어막고"(312), 여성의 입을 개혁 이전 상태의 사적 영역으로 복귀시켜 남편만을 위해 노래하는 입으로 전유하고자 했던 것도 입의 유창함에서 비롯된 영향력을 제거하기 위함이다. 그는 더 나아가 이러한 여성의 영향력에서 미국 사회를 구원하고 남성성을 회복시키려는 시도로서 여성을 '말하는 위치'(speaker)가 아닌 '듣는 위치'(listener)로 강등시키려고 한다. 그리하여 베이질은 "듣는 여성은 [존재감이] 상실된다는 오랜 속담"(389)을 버리나에게 적용하는 데 성공한다. 마미온(Marmion)에서 삼 주를 보내는 동안 그가 유일하게 한 일은, 매일 버리나를 만남으로써 그녀를 올리브에게서 떼어내고, 버리나가 입을 닫고 그저 자신의 얘기를 조금씩 듣게 함으로써 그녀를 변화시킨 것이었다.

버리나를 통해 대변되듯이, 이러한 여성의 영향력이 비롯되는 입, 그리고 그 유창함은 작품 말미에 문화적 현상으로 폭발적으로 표출된다.

상점의 정면은 서리가 낀 유리창을 통해 환하게 빛나고, 행인들은 거리에서 바삐 움직였으며, 전차의 딸랑거리는 벨 소리는 차가운 대기 속에 울려 퍼졌고, 신문팔이 소년들은 석간신문을 외치며 팔고 있었으며, 측면에 다채로운 포스터와 여배우의 사진으로 장식되어 밝게 빛나는 극장의 현관은 작은 황동 손톱들이 박혀있고 붉은색 가죽이나 녹색 천으로 덮인 반회전문을 유혹적으로 드러내고 있었다. 커다란 유리창 뒤로 호텔의 내부가 들어왔다. 대리석이 깔린 로비, 전등의 하얀 조명, 기둥, 긴 의자에 두 다리를 쭉 펴고 있는 서부인들의 모습이 보였고, 정기 간행물과 종이 표지 소설책들로 뒤덮인 카운터 뒤로 어린 소년들이 조숙해 보이는 얼굴을 하고서 극장의 내부 지도와 가극 대본을 보여주고 오케스트라 좌석 티켓을 웃돈을 붙여 판매했다.

The shop-fronts glowed through frosty panes, the passers bustled on the pavement, the bells of the street-cars jangled in the cold air, the newsboys hawked the evening-papers, the vestibules of the theatres, illuminated and flanked with colored posters and the photographs of actresses, exhibited seductively their swinging doors of red leather or baize, spotted with little brass nails. Behind great plates of glass the interior of the hotels became visible, with marble-paved lobbies, white with electric lamps, and columns, and Westerners on divans stretching their legs, while behind a counter, set apart and covered with an array of periodicals and novels in paper covers, little boys, with the faces of old men, showing plans of the play-houses and offering librettos, sold orchestra-chairs at a premium. (414-15)

위 인용문은 베이질이 대중 연설가로서의 화려한 데뷔를 앞둔 버리나를 납치하기 위해 뮤직홀(Music Hall)로 향하는 도중 목도하게 되는 보스턴 시내의 야경을 묘사한다. 휘황찬란한 호텔의 입구, 신문과 오케스트라 티켓을 판매하느라 여념이 없는 어린 소년들의 모습은 11월의 추운 날씨를 무색하게 할 만큼의 열기를 내뿜는다. 이 모든 시내의 풍경은 뮤직홀에서 임박한 버리나의 연설이 만들어 낸 파급력이다. 버즈아이의 집, 버리지 부인의 집이라는 사적 공간 혹은 제한된 공적 공간에서 연설을 했던 버리나는 이제 그 무대를 많은 청중들이 돈을 지불하여 입장하는 뮤직홀이라는 상업 무대로 이동하게 되고, 이는 마치 보스턴 시내의 야경을 환히 비추는 밤하늘의 별처럼 화려한 장관을 만들어 낸다. 버리나의 활동 영역이 이렇게 확대된 배경에는 버즈아이의 죽음이 전환점으로 작용했다. 버리나는 마미온에서 버즈아이의 죽음 이후 돌연 태도를 바꾸고, 베이질의 시야에서 사라진 의문의 십 주 동안 올리브의 치밀한 계획 속에 테런트 부부에게 맡겨져 몸을 숨기며 대중 연설가로 변신했다. 블레어에 따르면, 버즈아이의 죽음이 페미니스트와 정치적인 시대의 종말, 즉 "뉴잉글랜드 삶의 영웅적인 시대의 완전한 종식"(153)을 나타낸다면, 뮤직홀 데뷔는 "오락물 소비를 통해 구성된 여성성의 도래"(153)를 의미한다.

버즈아이에서 버리나로의 세대교체는 한마디로 대중 매체가 입의 기능을 대체한 것으로 설명할 수 있다. 이는 미디어가 소비자의 사고 과정에 미치는 영향을 분석하여 미디어의 성격을 제시한 캐나다의 철학자 마셜 맥루한(Marshall Mcluhan)이 남긴 "매체는 메시지다"(Borchers 258, 재인용)는 말을 통해 접근할 수 있다. 이는 바꿔 말하면 메시지의 의미는 그 메시지를 전송하기 위해 사용되는 매체에 의존하게 된다는 것이다. 여성의 '입'을 매개로 확산되었던 초기 여성 해방 운동의 메시지는 자본주의와 신기술의 시대에 대중 매체를 타고 퍼져나갔고, 이는 곧 여성의 입이 대중 매체로 재매개된 것으로 해석할 수 있다. 재매개는 "우리 문화에서 하나의 미디어가 다른 미디어를 개혁하거나 개선하는 것으로 여겨지는 방식을 지칭"

(Bolter and Grusin 59)하는 미디어 전문용어인데, 이 개념을 버리나의 입이 가지는 상징적 의미에 적용할 수 있다. 이는 작품 전반부에 소규모 청중들을 집결시켰던 매개로서의 버리나의 유창함이 뮤직홀이라는 공간으로 청중의 규모를 확대시키는 데 있어서 또 다른 매개 역할을 했기 때문이다. 그런데 매개로서의 입이 청각적인 이미지에 집중되었다면, 재매개로서의 입은 이미지와 결합하여 더 큰 파급력을 행사한다는 특징이 있다. 수사학 이론가들은 "오늘날 우리의 문화 내에서 수사적 형태인 말이 이미지로 대체되고 있다"(Borchers 255)고 강력히 주장하는데, 이는 책, 기사, 영화, 그리고 텔레비전이라는 언론 매체를 통해 말이 가시적으로 확산되기 때문이다. 따라서 버리나가 이끄는 여성의 시대는 쇼맨십에 강한 아버지에게서 물려받은 손의 유창함, 즉 시각적인 이미지가 파급력을 행사하는 시대인 것이다.

언론은 버리나의 이렇게 "타고난 과장된"(50) 이미지를 대량으로 확산시켜 하나의 문화 상품으로써 볼거리를 생산하는 데 결정적인 역할을 한다. 이 같은 사실은 올리브가 버리나의 연설을 상업적으로 성공시키기 위해 관객 유치 임무를 전문 강연 에이전트인 파일러(Mr. Filer)에게 의뢰하고 파든이 이를 적극적으로 언론에 홍보한다는 것에서 알 수 있다. 그 결과, 뮤직홀 주위에 나부끼는 버리나의 대대적인 시각적 홍보와 그녀의 생애와 사진이 담긴 광고 전단은 대중 연설가로서의 버리나의 진정한 가치를 보여주기보다는 "줄타기 곡예사"(217), "프리마돈나"(217), "무대에 오른 여배우나 목소리를 은색 실로 뽑아내는 가수"(256)와 같이 무대 공연자로서의 버리나의 이미지를 부각시킨다. 초지일관 모든 이에게 웃음을 선사하는 버리나의 순수성과 여성성, 그리고 그녀가 올리브의 "걸어 다니는 광고판"(252) 역할을 했다는 것에서도 버리나가 가지는 상품으로서의 전시적 기능이 암시되어 있다. 베이질이 뮤직홀 무대 뒤에서 버리나를 인질로 잡고 있는 상황에서 사태를 해결하기 위해 몰려든 올리브, 테런트 부부, 파든, 파일러는 버리나를 하나의 문화적 상품으로 탄생시키고 이를 적극적으로 대중 시장에 유통시키는 언론의 영향력을 상징한다.

IV. 대중문화의 비속화

이렇듯 버리나가 문화 현상으로 재탄생되는 일련의 과정은 미국 대중문화의 양면적인 성격을 드러낸다. 시각적 이미지로 대량 생산되는 대중문화는 많은 대중에게 전파된다는 측면에서 대중성, 혹은 인기를 뜻하는 'popularity'로서의 성격을 지니는 반면에, 수많은 언론매체를 통해 마구 쏟아진다는 측면에서 통속화되어 결국 저급화된다는 부정적인 성격도 내포하고 있다. 이러한 특징은 저급함, 혹은 비속함을 뜻하는 'vulgarity'로 표현될 수 있다. 실제로 '비속함'은 그 원형인 'vulgar'가 일상적으로 사용하는 언어나 일반 대중, 사물이나 사람의 품질이나 품위에 있어서의 세련되지 못한 저급함을 의미하고 있어 대중문화와도 관련이 깊은 어휘이다. 대중문화와 '비속함'과의 관련성을 연구한 로버트 패티슨(Robert Pattison)에 따르면, '비속함'은 "평범하고, 시끄러우며, 상스럽고, 무엇보다 비초월적(untranscendent)"(6)인 속성을 지니고 있으며, 분별력 없는 군중과 관련된 어휘로 전통적으로 사용되어 왔다. 패티슨은 취향의 평준화 또는 저급화를 뜻하는 '비속함'은 민주주의의 생산물이며, 미국은 민주주의, 텔레비전, 패스트푸드, 자동차, 컴퓨터, 성적 자유를 양산한 비속한 나라라고 주장한다(9). 대중의 취향을 비속하게 만드는 대중문화의 이러한 속성은 제임스가 북부의 문화 현상을 바라보는 시각과도 대체적으로 일치한다. 실제로 작품에서는 'vulgar', 'vulgarity', 'vulgarizing'이라는 단어들이 수십 차례 반복적으로 사용되는데, 주로 보스턴을 중심으로 펼쳐지는 북부의 삶의 모습이나 언론을 대변하는 인물을 겨냥해 집중적으로 묘사된다는 공통점이 있다.

『보스턴 사람들』에서는 이러한 단어의 반복적인 사용을 통해 대중문화의 양면적 성격 중에서 대중성보다는 비속성이 부각되어 있으며, 이는 당시의 문화적 성격을 규정하려는 제임스의 의도로 볼 수 있을 것이다. 매티슨(Matthiessen F. O.)은 제임스의 관심사가 후기 활동기로 접어들수록 미국 문화의 특징을 대변하는 '비속함'으로 기울었다고 분석한다(155). 실제로 제임스는 1891년에 발표한 어느 비평문에서 즉석에서 작성된 서평이 정기 간행물을 통해 대량 생산되는 출판 관행을 신랄하게 비판한 바 있다. 그는 예술성이 떨어지는 서평과 매체로서 '입'의 역할을 담당하는 언론 시스템의 합작품으로, "비속함, 조잡함, 우둔함"(*Selected* 168)이 미국 사회에 유통되었다고 평가했다. 미국 문화의 비속함에 대한 제임스의 이러한 비판적 시각은 사회 비평가인 매튜 아널드(Matthew Arnold)의 사상으로부터 상당 부분 비롯되었다. 아널드는 '미국주의'를 '미국적 비속함'(American vulgarity)과 동의어로 사용하면서 미국은 새롭게 발전하는 영국의 산업·중산층 문화에서 혐오스러운 모든 것의 과장된 형태를 상징한다고 비판한 바 있다(Connell 68). 또한 아널드는 "미국의 문화는 보통 사람의 지위를 끌어올리고, 개인적이고 사회적인 우월성의 모든 기준을 체계적으로 비하하며, 물질적 진보를 이루었을지는 모르나 비속함과 지적 평범함으로 특징지어진 문명을 창조했다"(Carroll 67-68 재인용)고 혹평하기도 했다. 아울러 아널드는 미국 문화야말로 중산층이 적절한 기준 없이 무분별하게 정치 권력을 장악하게 된 결과를 전형적으로 보여주는 사례라고 주장하면서 "단편성으로 기우는 삶의 경향과 평범한 것에 대한 중독"(Connell 276)을 의미하는 '미국주의'가 영국 사회에 확산되는 것을 크게 우려했다.

버리나가 순식간에 문화 상품으로 탈바꿈되는 과정은 미국 대중문화가 생산되고 소비되는 양상과 그 비속성을 풍자적으로 재현하고 있으며, 이는 궁극적으로 제임스가 작품을 통해 전하고자 했던 "미국 전반에 대한 해설"(Jacobson 29)의 주요 대상이 된다. 가령 위 인용문에서도 호텔 유리창을 통해 비춰지는 내부의 모습에서 카운터 뒤로 배열된 수많은 정기 간행물과 페이퍼 표지로 된 소설이 등장한다. 미랜다 엘 라예스(Miranda El-Rayess)는 제임스의 작품에서 반복적으로 사용되는 상점의 창 이미지는 "빠른 속도로 발전하는 상품 문화의 구조, 전략, 구경거리, 매력을 상징"(127)하기 위해 동원된 장치라고 주장한다. 창이 가지는 전시적인 특성과 그 창 뒤에 전시된 실제 상품의 성격은 주변의 환경 묘사를 통해 간접적으로 암시된다. 즉, 화려한 야경 속에서 많은 사람들이 오고 가는 카운터 뒤로 즐비하게 놓여 있는 정기 간행물과 페이퍼 표지 소설은 대량 생산된 문화 상품으로서의 통속화된 문학 작품을 대변한다고 볼 수 있다. 베이질이 자신의 고향 남부를 '상스러운 손'과 '시장통'의 영향력에서 벗어나게 하는 것과 테런트를 "가장 싸구려 인간"(56)으로 혐오하며, "오래된 영문학에서의 비난 용어"(56)를 인용하여 그를 신랄하게 공격하는 구체적인 대목 하나하나는 대중 시장에서 탄생하는 이러한 저급한 문화 현상에 대한 제임스의 비판적인 어조를 반영한다.

어빙 하우(Irving Howe)는 이러한 문화적 현상은 제임스로 하여금 미국을 떠나게 만든 "공적 영역의 비속함"(156)을 발생시켰다고 주장하는데, 특히 버리나의 이미지가 부각된 보스턴의 전경은 미국 전체 문화의 비속화 중에서 "시각적 비속함"(144)을 제시한다. 버리나가 오락물로서 소비되는 과정에는 필연적으로 광고라는 수단이 개입되어 있음을 알 수 있다. 위 인용문에서 언급되는 버리나의 포스터와 홍보용 사진은 당시 인쇄기를 비롯한 기계화의 발달의 결과를 보여주는 예이기도 하다. 광고매체가 본격적으로 등장하기 전에 사람들은 주로 입소문이나 손으로 직접 쓴 광고지를 이용했으나, 인쇄 기술이 발달하면서 광고는 흑백 글자로 찍힌 광고 전단에서 출발하여 19세기 후반에 이르러서는 점차 다양한 색채와 예술적 효과가 가미된 화려한 포스터의 형태로 대량 생산되었다(Haill 3-4). 광고가 이렇게 발달하게 된 것은 시각적으로 자극적일수록 사람들의 이목을 집중시키게 되고, 이는 궁극적으로 수익성과 직결되기 때문이다. 결국 버리나가 주창하는 여성 해방과 권익 신장은 허울에 불과할 뿐이며, 그녀는 출세를 바라는 올리브와 테런트가 탄생시킨 인위적인 창조물로서, "19세기 후반기의 점점 더 광란으로 치닫는 대중문화"(Blackwood 273)의 등장 배경과 그 성격을 반영한다.

V. 제임스의 문화 비평

제임스는 소설 집필 이외에도 문예 비평가로서도 활발하게 활동하면서 많은 업적을 남기기도 했는데, 문예 비평 못지않게 많은 비평가들이 제임스의 진가를 인정하는 분야는 문화 비평이다. 『보스턴 사람들』은 이러한 제임스의 문화 비평이 두드러지게 드러나는 작품으로서, 일생의 대부분을 유럽에서 보내면서도 조국에 대한 관심과 애정을 잃지 않았던 제임스는 이 작품을 통해 남북전쟁 후 국가적 분열과 개혁의 소용돌이 속에 휩싸여 있었던 1870년대의 미국 사회를 비판적으로 진단했다. 『보스턴 사람들』에서는 당대의 가장 뚜렷한 사회 현상으로 인식되는 여성 해방 운동이 플롯의 중심을 이루고 있으며, 본문에서는 이 여성 해방 운동을 베이질의 시선을 중심으로 문화적 혼란이라는 각도에서 분석하였다. 베이질의 시선을 따라 서술되는 보스턴의 여성 해방 운동의 일련의 전개 과정 속에는 급진적 여성 해방 운동과 언론을 상징하는 인물들을 통해 버리나라는 한 개인으로서의 여성이 순식간에 문화 현상으로 등장하는 과정이 그려진다. 그러나 이 전개 과정은 여성의 문제 자체에 초점이 맞춰지기보다는 미국의 문화적 성격이 여성화와 비속화되었음을 비판적으로 묘사하는 데 그 숨은 뜻이 담겨 있다.

본 작품의 분석에서 베이질의 시선은 제임스의 입장을 대변한다기보다는 혼란스러운 시대 현실에서 급진적인 여성 해방 운동만큼이나 한쪽으로 경도된 정치적인 시각을 반영한다. 이는 궁극적으로 제임스가 베이질의 의식과 시각을 이용하여 미국 문화의 여성화와 비속화 현상이 발생하게 된 주요 원인을 분석하는 접근이기도 하다. 다시 말해서, 지나치게 남성적인 가치만을 고수하는 베이질, 극단적인 개혁을 부르짖는 신여성은 결국 한쪽으로 치닫는 '기울어짐'을 야기하여 조화로운 '어울림'을 방해한다는 것이다. 따라서 제임스는 남성 우월주의자인 베이질의 의식을 통해 당대의 사회적 분열 현상을 극단적으로 드러냄으로써 독자로 하여금 어느 한쪽으로 경도된 정치적 시각에 대해 비판적 판단을 유도했다고 볼 수 있다.

개혁이라는 이름으로 한쪽이 다른 한쪽을 전복시키고 획일화된 가치가 갑작스럽게 대량으로 쏟아지는 광경은 미국을 조국으로서 또는 외부인으로서 바라보는 제임스의 눈에 상당히 우려할 만한 상황으로 비쳤을 것이다. 버리나가 순식간에 문화상품으로 탈바꿈되는 상황은 이러한 편협한 사고에서 비롯되며, 그 결과로 전체 한 사회의 문화가 비속화될 수 있음을 여실히 보여주고 있다. 즉, 『보스턴 사람들』은 이기적인 동기에서 비롯된 정치적 신념이 한 사회의 획일화된 문화적 가치로 순식간에 양산되고 확산되는 기이한 현상에 날카로운 일침을 가함으로써, 신생국가 미국이 남북전쟁으로 야기된 내부의 이념적 분열을 극복하고 통합국가로서 나아가야 할 과제를 던지고 있다.

나희경. 「문화적 혼동에 대한 풍자로서의 헨리 제임스의 『보스턴 사람들』」. 『근대 영미소설』 17.3 (2010): 5-32.

솔버그, 윈턴 U. 『미국인의 사상과 문화』. 조지형 옮김. 서울: 이화여자대학교 출판부, 1983.

Blair, Sara. "Realism, Culture, and the Place of the Literary: Henry James and *The Bostonians*." *The Cambridge Companion to Henry James*. Ed. Jonathan Freedman. NY: Cambridge UP, 1998. 151-68.

Bolter, J. David and Richard Grusin. *Remediation: Understanding New Media*. Cambridge: MIT P, 1999.

Borchers, Timothy A. *Rhetorical Theory: An Introduction*. Moorhead: Minnesota State U, 2006.

Blackwood, Sarah. "Psychology." *Henry James in Context*. Ed. David McWhirter. Cambridge: Cambridge UP, 2010. 270-79.

Buhle, Paul. "Popular Culture." *The Cambridge Companion to Modern American Culture*. Ed. Christopher Bigsby. Cambridge: Cambridge UP, 2006. 392-410.

Carroll, Joseph. *The Cultural Theory of Matthew Arnold*. London: U Of California P, 1982.

Connell, W. F. *The Educational Thought and Influence of Matthew Arnold*. London: Routledge, 1998.

Douglas, Ann. *The Feminization of American Culture*. NY: Farrar, Straus and Giroux. 1977.

El-Rayess, Miranda. "Consumer Culture." *Henry James in Context*. Ed. David McWhirter. Cambridge: Cambridge UP, 2010. 126-37.

Evans, Sara. M. *Born for Liberty. A History of Women in America*. NY: Free, 1997.

Hail, Catherine. *Fun Without Vulgarity: Victorian and Edwardian Popular Entertainment Posters*. London: The Stationery Office, 1996.

Howard, David. "*The Bostonians*." *Henry James*. Ed. Harold Bloom. NY: Chelsea House, 1987. 139-57.

Howe, Irving. "The Political Vocation." *Henry James: A Collection of Critical Essays*. Ed. Leon Edel. Englewood Cliffs: Prentice-Hall, 1963. 156-71.

Jacobson, Marcia Ann. *Henry James and The Mass Market*. AL: U of Alabama P, 1983.

James, Henry. *The Bostonians*. 1886. NY: Modern Library, 2003.

____. *The Notebooks of Henry James*. Eds. F. O. Matthiessen and Kenneth B. Murdock. NY: Oxford UP, 1947.

____. *Selected Literary Criticism*. Ed. Morris Shapira. Harmondsworth: Penguin, 1947.

____. *Letters*. Vol. II. Ed. Leon Edel. Cambridge: Harvard UP, 1975.

Kranidis, Rita S. *Subversive Discourse: The Cultural Production of Late Victorian Feminist Novels*. NY: St. Martin's Press, 1995.

Matthiessen, F. O. *Henry James: The Major Phase*. NY: Oxford UP, 1970.

Pattison, Robert. *The Triumph of Vulgarity: Rock Music in the Mirror of Romanticism*. NY: Oxford UP, 1987.

Salmon, Richard. "Henry James in the Public Sphere." *A Companion to Henry James*. Ed. Greg W. Zacharias. Malden, MA: Blackwell, 2014. 456-71.

※ 이 글은 「헨리 제임스의 『보스턴 사람들』에 나타난 대중문화의 등장과 그 성격」, 『영어영문학 21』 29.3 (2016): 115-34에서 수정·보완됨.

제6장

『프린세스 카사마시마』:
런던 산책에서 태어난 반영웅

● ● ● 박정복

I. 런던 거리, 계급의식의 미로

19세기 중후반 런던 거리를 즐겨 산책했던 헨리 제임스가 보았던 부유한 지역과 빈곤한 지역 사이의 격차는 작가인 그의 눈에 선명했을 것이다. 오스만(Baron Haussmann)의 도시 계획을 통해 정비된 파리와는 다르게 무계획적으로 배치된 상류층 거주지와 하류층 거주지로 이어지는 미로와 같은 런던 거리는 헨리 제임스가 신문에서 읽었던 사회적 사건의 공간적 배경이었고 그의 상상력을 자극하는 인상들의 전시장이었다. 헨리 제임스는 1886년에 발표한 두 편의 소설 『보스턴 사람들』(*The Bostonians*)과 『프린세스 카사마시마』(*The Princess Casamassima*)에서 기존에 썼던 주제와는 다르게 사회적인 문제를 드러낸다. 작가는 『프린세스 카사마시마』의 뉴욕판 서문에서 이 소설이 그가 오랜 시간 런던 거리를 산책하기 시작한 첫해의 결과물이라고 언급한다(3).[1] 인간 군상들이 보여주는 장면 앞에서 의미와 계시를 기다리는 호기심 가득한 작가의 눈에는 그가 런던 거리를 천천히 거닐면서 보았던 것들이 "신비한 유혹"이 되면서 마치 식물군으로 가득한 정원처럼 보였다(33). 제이콥슨(Marcia Jacobson)은 제임스가 『프린세스 카사마시마』에서 부유하고 아름답고 예외적 영역의 일원이 되려는 주인공 하이어신스를 통해 열정과 그것을 파괴하려는 그의 욕망을 동시에 다룸으로써 귀족적인 것과 민주적인 것 양쪽 모두에 대한 그의 공감을 구체화하고 있다고 말한다(42).

이 소설은 1885년부터 1886년에 걸쳐 『아틀랜틱 월간』(*Atlantic Monthly*)에 연재물로 실렸고 나중에 책으로 출간되었다. 이 소설의 줄거리를 간략하게 보자면 하층민 출신의 제본공인 하이어신스 로빈슨(Hyacinth Robinson)은 급진적 정치 세력의 일원이 되어 테러리스트 암살 음모에 가담한다. 프랑스를 여행하면서 예술적 경험을 한 후 삶의 다양한 층위를 보고 싶고 사람들과 더욱 깊은 관계를 맺기를 바라게 되면서 주인공은 자신이 섣부르게 맹세했다는 것을 깨닫기 시작한다. 하이어신스가 관계의 깊이를 더하려고 노력할수록 친근한 사람들로부터 밀려나면서 이 소설은 비극으로 치닫게 된다. 캡틴 숄토(Sholto)나 프린세스 카사마시마가 보여준 취향의 고상함을 점차로 체득하기 시작하면서 하이어신스는 자신에게 내려진 암살 지령에 대해 다시 생각하고, 자신이 겪는 삶의 경험을 더욱 깊이 자각하게 된다. 점차로 그는 가담한 무정부주의 활동의 무용성을 깨닫고 혼돈 상태에 이르러 극단적 선택을 하게 된다. 에디스 와이어트(Edith Wyatt)가 헨리 제임스의 인물들이 기존의 소설의 인물들과 근본적으로 다르다(37)고

---

[1] Henry James. *The Princess Casamassima*. Penguin Classics, 1987. 앞으로 이 작품의 인용은 괄호 안에 쪽수만 표기한다.

언급하는 것은 타당해 보인다. 거리의 산책자이지만 빈민층의 출신인 하이어신스는 한가하게 거니는 플로베르(Gustave Flaubert)의 부르주아 산책자와 다르고 자신의 욕망을 좇아 달리거나 휩쓸려 다니는 에밀 졸라(Emile Zola)의 인물들과도 다르다. 제임스의 인물의 매력은 그들의 본성을 상상하는 데 있다기보다는 이러한 인물들의 본성이 본질적으로 무슨 재료로 이루어졌는지를 아는 데 있다고 볼 수 있는데(Wyatt 37), 하이어신스가 이러한 특징을 잘 드러내는 인물이다. 하이어신스가 보이는 태도와 그가 구사하는 언어가 그대로 하이어신스를 구성한다. 거리를 걸으면서 터득한 것들과 한정된 지식에도 불구하고 하이어신스는 보통 사람들이 알기 어려운 것을 보고 감각하는 인물이다. 그는 "어쩔 줄 모르는 인간들"처럼 혼란스러워하지만 자신의 의식을 깊이 들여다보면서 "모든 것을 아는 불멸의 존재의 우수한 본성"(37)을 지닌 존재라고 할 수 있다.

제임스가 『보스턴 사람들』과 『프린세스 카사마시마』에서 드러내고 있는 사회적 주제는 19세기 후반 프랑스 문단의 중심이었던 자연주의 소설가 집단에 대한 제임스의 관심과 밀접하게 연결되어 있다. 『프린세스 카사마시마』 19장에서 주인공 하이어신스는 하층민을 위해 자선을 행하는 독특한 귀족 오로라 랭그리쉬(Aurora Langrish)가 책을 빌려주겠다는 호의를 받아들여 그녀의 집을 방문한다. 그녀의 저택에서 그가 보고 싶었던 책은 "극도로 현대적 학파"(264)를 구성했던 에밀 졸라, 알퐁스 도데(Alphonse Daudet), 콩쿠르(Goncourt) 형제와 같은 자연주의 소설가 집단의 책이다. 가장 극단적 수준까지 자연주의 소설을 밀고 나갔던 에밀 졸라는 자신의 소설 『테레즈 라캥』(Thérèse Raquin) 서문에서 저명한 비평가였던 실증주의자 이폴리트 텐(Hippolyte Adolphe Taine)의 "악덕과 미덕은 다 같이 황산이나 설탕처럼 화합물이다"라는 말을 인용하면서 자신이 완전히 다른 두 기질 사이에서 발생할 수 있는 기이한 연합과 신경질적인 기질에 접한 다혈질적 기질의 깊은 혼란을 보여주고자 한다고 선언한다. 그것을 구현할 방법론으로 해부학자가 시체에 대하여 행하는 것과 같은 분석적인 작업을 살아있는 두 육체에 행하겠다고 강변한다. 졸라는 인간성의 본보기가 사라졌다고 선언하면서 환경의 영향에서 조금도 자유롭지 못한 두 인물의 동물성을 부각시킨다(10, 11).

에밀 졸라가 드러내는 상이한 두 기질의 기이한 연합에서 오는 갈등과 반목의 양상을 제임스가 주인공 하이어신스의 기이한 핏줄의 내력에 담아서 구현하고 있다. 제임스가 런던의 이스트 엔드와 웨스트 엔드를 오가면서 본 것들은 고스란히 하이어신스의 시야에 그대로 담기면서 하이어신스만의 의식을 형성한다. 당대를 살아가고 있던 상류층과 하류층의 삶의 모습이 모두 포착되는 것은 자연주의 소설의 특징을 차용하고 있다고 볼 수 있다. 하지만 환경에 휘둘리고 기질에 휘둘러서 자신의 계급적 한계를 드러내는 동물에 가까운 졸라의 인물들과 하이어신스는 상당히 다르다. 에밀 졸라는 사람들이 살아가는 생태를 자세하게 보기 위해 현미경을 그들의 삶의 가까이에 들이대는 태도로 가난한 사람들의 삶을 적나라하게 드러낸다. 그가 가감 없이 드러내는 하층민의 추레해서 고개를 돌리게 만드는 삶은 그들의 삶의 조건이 개선되기를 바라는 작가의 사회주의적 열망의 표현이라고 할 수 있다. 졸라의 서술에서 기질에 휘둘린 운명적 결정론에 사로잡힌 인물들은 생존을 위해 분투하는 동물에 가까운 모습으로 묘사되지만, 유동적인 환경에 놓인 자기 자신을 성찰하는 하이어신스의 것과 같은 깊은 의식은 나타나지 않는다.

에밀 졸라와 달리 제임스는 등장인물의 계급의식, 공적인 삶과 사적인 삶의 혼돈, 세속화된 정신성, 부의 착취와 속물주의의 감각 등과 같은 사유와 행동에 대한 중요한 동기로 등장인물들을 둘러싸고 있는 사회적 관습에 대한 탐색(나희경 17)을 주인공의 의식을 통해 드러내는 데 집중한다.

『프린세스 카사마시마』에서 계급적 대립은 하이어신스의 내면의 의식을 통해 보다 첨예하게 드러난다고 볼 수 있다. 귀족인 아버지를 죽인 프랑스 출신 매춘부 어머니라는 핏줄의 내력을 알게 된 하이어신스의 의식이 심한 갈등상태에 놓일 수밖에 없다는 것을 제임스는 여러 번 기술한다. 하이어신스의 갈등상태는 주변 인물들과 관계를 맺으면서 무수하게 밀려들어 오는 것들을 향한 주인공의 감정의 강도들로 잘 표현된다. 작가는 희미하지만 충분하고, 간신히 지적이고 완전하게 인식할 수 있으며 풍부하게 책임질 수 있는 힘을 가진(35) 하이어신스의 의식이 환경을 받아들이고 인식해서 성찰하는 과정을 서술한다. 이런 하이어신스의 민감하고 예민한 감각들은 제임스가 자신의 등장인물이 가진 이데올로기 자체의 가치를 탐구하려 하기보다는 이데올로기에 매료되고 그것에 의해 혼돈 사태에 빠지는 방식을 탐색하기(나희경 17)를 바라는 방식에 맞게 적절하게 표현된다.

제임스가 밀뱅크 감옥(Milbank Prison), 제본소, 혁명주의자들이 모여서 논쟁하는 주점 썬앤문(Sun and Moon)과 같은 장소의 지저분한 모습을 가감 없이 묘사하면서 자연주의 서술 기법을 활용하고 있기는 하지만, 하이어신스를 통해 드러내는 자연주의 소설과의 거리는 제임스만이 가진 기법의 특이성에 도달할 수 있게 한다. 나희경은 제임스가 『프린세스 카사마시마』를 기술하는 데 있어서 자연주의 작가들이 주장하고 실천했던 소설 창작에서 시각적 경험의 중요성, 언어와 형식을 통한 사실성의 구현 등과 같은 작품의 전개 과정에서 작가의 감상적 개입이나 교훈적 주장을 피하고 객관성을 유지하려는 시도와 같은 자연주의적 기법들을 환영했던 반면에 자연주의 작가들이 한 개인의 운명을 사회 환경 혹은 자연환경에 의해 전적으로 지배받는 매커니즘으로 보는 결정론적 견해, 예술의식이 도덕의식으로부터 철저히 분리되어야 한다는 주장, 예술적 창조 과정에 있어서 상상력의 기능을 간과하는 태도에 대해서는 부정적이었다고 밝히고 있다(97).

제임스는 소설의 서문에서 지각과 의식이 충분히 자신의 발걸음을 밝혀주기만 한다면, 런던 거리의 무성한 공헌물을 모두 사용할 수 있다(34)고 언급한다. 제임스는 그가 런던 거리를 걸으면서 보았던 것들을 충분히 오래 사유하고 그것들이 능란한 표현을 얻을 때까지 자신이 거리에서 찾았던 것에서 낭만성을 걷어 끔찍하게 나쁜 것으로 바뀔 때까지 그러한 것들의 방대하고 희미한 중얼거림으로부터 깊은 글들을 끌어냈다(34)고 언급한다. 작가가 런던 거리에서 받아들인 시각적 인상이 한순간 민감한 본성이나 예민한 정신을 지닌 작고 무명이며 런던 거리를 오가면서 얻은 것에서 자신만의 독특한 의식을 성장시킬 수 있는 하이어신스라는 인물이 되었다. 이러한 사실은 제임스가 런던 거리를 얼마나 깊이 받아들이려고 했는지를 알 수 있게 해주는 지표라고 할 수 있다.

제임스는 「소설예술론」("The Art of Fiction")에서 "소설이 그 가장 넓은 정의로 보자면 삶의 개인적이고 직접적 인상인데, 그것은 그 가치를 구성하고, 그 인상의 강도에 따라서 더 하거나 덜 한다"(48)고 진술하면서 인상의 가치에 대해 강조하고 있다. 자연주의 소설에 대해 가지고 있었던 제임스의 양가적 태도는 하층민 출신이지만 인정받지 못한 귀족의 사생아라는 내력을 가진 하이어신스라는 인물의 혼돈 상태로 나타난다. 하이어신스는 내적으로 귀족적인 것과 아름다운 것에 대해 민감하고 예민하게 끌리지만, 상류층 위주의 사회를 전복해야 한다는 당위에서 비롯된 즉흥적이고 충동적인 행동과 의식을 갖고 있다. 그의 귀족적인 것과 혁명을 향한 동경에서 오는 상반되는 의식은 이스트 엔드와 웨스트 엔드 거리가 펼쳐 보이는 계층의 차이에서 오는 거리의 다양한 풍경들에 대한 묘사와 함께 하이어신스 내면에 찍히는 인상들의 강도에 의해 자유롭게 기술된다. 로우맥스(Lomax Palce)와 같은 이스트 엔드의 하층민 거주지에 대한 공간 묘사는 자연주의자들의 그것과 비슷하다. 또한 작가의 개입을 최소화하기 위해 온전히 하이어신스의 의식과 시선을 따라가는 것이 객관성을 유지하려는 자연주의적 헨리 제임스의 실험이라고 할 수 있다. 하지만 제임스는 하이어신스가 놓인 환경을 현미경으로 들여다보는 집요함을 보여주기보다는 하이어신스가 인물들과 맺는 관계에서 오는 의식의 강도에 서술의 초점을 맞추고 있다. 이러한 표현 방식을 제임스가 구현하고 있는 리얼리즘적 방식이라고 보아도 무방할 것이다.

II. 의식의 충돌과 관계의 실패

오비디우스(Ovidius)의 『변신이야기』(*Metamorphoses*)에는 아폴로(Apollo)가 지극히 사랑한 휘아킨토스(Hyacinth)에 대한 신화가 등장한다. 스파르타 왕의 아들인 휘아킨토스는 아름다운 소년이었고, 태양신 아폴로가 사랑한 소년으로 어디든 데리고 다녔다고 한다. 휘아킨토스는 원반을 주고받는 놀이를 하다가 아폴로가 던진 원반이 바닥에 맞고 튀는 바람에 턱이 맞아 죽는다. 아폴로가 몹시 슬퍼하면서 그를 봄마다 부활하는 하이어신스 꽃으로 바꾼다. 여기에 서풍의 신 제피로스(Zephyrus)의 질투가 원반의 방향을 바꾸어서 휘아킨토스의 죽음을 불렀다고 덧붙이고 있다. 휘아킨토스가 신의 사랑을 받을 만큼 아름답지 않았다면 어린 나이에 죽지 않았을 것이다. 인간이 감당하기에 신의 활기가 너무 컸다는 것을 휘아킨토스나 신인 아폴로조차도 예측하지 못했다. 인간이 엄청난 힘을 가진 신과 어울려 놀기 위해서는 목숨을 걸어야 한다는 사실을 둘 다 몰랐던 것이다. 휘아킨토스가 신과 어울려 놀다가 인간의 한계를 넘는 신의 힘을 감당하지 못하고 죽음에 이른다는 모티브는 『프린세스 카사마시마』의 주인공인 하이어신스라는 인물에 담겨 있다. 죽은 부모를 대신해서 하이어신스를 키우는 재봉사 핀센트(Miss Pynsent)는 10살인 그가 바우어뱅크 부인(Mrs. Bowerbank)과 이야기하는 모습을 보면서 "이상하고, 냉정하며 의식적인 무관심"의 모습을 보고 귀족적 태도라고 받아들인다. 그녀가 거의 귀족을 본적이 없기 때문에 아이에게서 발견하는 "냉정하고 의식적인 무관심"을 귀족성으로 읽는 것은 아이러니다. 핀센트의 눈에 하이어신스는 낮추어진 세련됨과 추락한 행운의 매력을 갖고 있는 존재로 핀센트의 낭만적 환상을 충족시킨다. 그녀는 하이어신스가 자신의 초라한 교외 지역의 구성원들과는 다른 언어로 말하고 있다고 의식하면서(67) 그를 자신이 속하지 못한 계층의 일원이라는 것을 상기하도록 부추긴다. 이러한 그녀의 태도가 그의 귀족적 혈통을 반복해서 확인시켰다는 것은 자명한 일이다.

핀센트가 계속해서 하이어신스로 하여금 귀족의 혈통이라는 것을 환기시키는 것은 그를 귀족계급에도 노동계급에도 속하지 못하는 기묘한 존재의 자의식을 갖게 한다. 하이어신스는 자신이 좋아하는 사람들에게서 자신이 좋아하는 부분을 끌어내는데, 그 끌어내는 방식이 혈통에서 기인한다고 할 수 있다. 노동 계급의 사람들을 대할 때는 혁명가의 혈통을 상기하고, 귀족을 대할 때는 귀족의 자의식을 갖는 것이다. 뤼케(Sister Jane Marie Luecke)는 어린 하이어신스의 의식이 『프린세스 카사마시마』의 상상적 정원을 반영하는 미학적 장치라고 지적한다. 하지만 하이어신스의 의식이 오직 보기를 원하는 것만 보려는 위험한 성향이 있어서 인간적으로 속기 쉽다는 사실을 이 소설의 도덕적 리얼리즘이 끌어낸다고 기술하고 있다(274). 하이어신스의 속기 쉬운 이런 의식의 특징을 심리학자들의 용어를 빌어 선택적 지각(selective perception)[2]이라고 하는데 이러한 특성이 작품에 상당히 인간적인 관점을 제공하면서 소설의 리얼리즘적 특성을 강

---

[2] 선택적 지각(selective perception)은 환경에 들어오는 다양한 정보 중에서 특정한 정보에 주의하는 것으로 현재의 자신에게 필요한 정보를 선택하는 것이다.

화하고 있다고 뤼케는 덧붙이고 있다(274).

　고통스러울 만큼 그의 운명이 갈라져 있는 것이 너무 당연하다고, 다른 방향으로 그를 몰고 가는 연민에 의해 갈라져서 열리는 것이 당연하다고 혼잣말을 할 때가 있었다. 유별나게 그의 핏속에 섞여서 흐르고 있는 것은 아닌가 하고, 그가 기억할 수 있을 때부터 그의 반쪽이 항상 다른 반쪽을 속이고 있는 것은 아닌가 하고, 그 사실 때문에 모욕과 꼬집힘을 당하고 있는 것은 아닌지.

　There were times when he said to himself that it might very well be his fate to be divided, to the point of torture, to be split open by sympathies that pulled him in different ways: for hadn't he an extraordinarily mingled current in his blood, and from the time he could remember was there not one half of him that seemed to be always playing tricks on the other, or getting snubs and pinches from it? (165)

　하이어신스의 프랑스 출신인 생모는 귀족인 생부 프레더릭 경(Lord Frederick Purvis)을 죽이고 감옥에서 죽음을 맞는다. 두 혈통에 대한 테일러 스퇴어(Taylor Stoehr)의 설명에 따르면, 귀족 아버지에 의해 재현된 세계는 하이어신스에게 강한 압력을 행사하는데, 그것은 단순히 가난과 불결한 상태와 같은 그의 어머니의 유산이 하이어신스에게 직접적으로 영향을 주는 방식과는 다르게 우회적으로 그려진다는 것이다(118). 양어머니 핀센트가 하이어신스 어머니의 사건을 음침하고 끔찍하고 혼돈스러운 전설(166)로 이야기하는 과정에서 했던 충격적인 설명이 하이어신스로 하여금 자신의 정체성에 대해 질문하는 백 가지의 이론(166)이 된다는 사실은 그의 의식의 혼란 상태를 그대로 반영한다. 하이어신스는 핀센트가 들려준 이야기의 한계를 벗어나기 위해 직접 박물관에서 『더 타임즈』(*The Times*)의 기사를 찾겠다고 마음을 먹기까지 오랜 시간이 흐른다. "자기 자신에 대한 문제에 있어서 그의 호기심이 싹트는 과정이 너무 느려서 그의 전체 어린 시절을 채우는 것 같았다는 것이 이상한 일이었다"(166)는 제임스의 표현을 통해 하이어신스가 얼마나 어머니의 사건을 "새롭고 더 통렬한 의식"으로 발전시켰는가를 보여준다. 하이어신스는 핀센트가 자신의 낭만적 감상에 사로잡혀서 하이어신스의 친부모의 사건을 설명하는 것과는 다르게 보다 객관적으로 바라보는 베치(Anstasius Vetch) 씨가 제기하는 질문들을 들으면서 자신이 비겁하고 희생 제물이 된 프레더릭 경의 아들이라고 간주하기까지 긴 시간을 보낸다. 하이어신스는 "조금씩 조금씩 그의 새롭고 통렬한 의식 속에서" "그의 선례들을 조금씩 재구축하면서 그가 자신의 친부모로부터 물려받은 혈통에 대해 가늠"(166-67)하면서 대영 박물관에 가서 그의 어머니의 기사를 찾아본다.

제임스는 하이어신스가 굳이 이유를 찾을 필요조차 없이 스스로가 프레더릭 경의 사생아라는 사실을 그의 모든 신경과 맥박이 입증한다(167)고 표현한다. 여기에 더해서 하이어신스의 생모가 아주 어렸을 때 프랑스 혁명기에 총을 들고 거리에 나섰다가 죽음에 이른 그녀의 아버지의 내력을 들춘다. 이것과 대조적으로 영국인 귀족 아버지가 신사(gentleman)라는 성찰을 통해 하이어신스가 자신의 아버지의 이미지를 증오하지 않게 되었다는 의식에 이르고 있다는 것도 부연한다. 죽음으로 자신의 잘못의 대가를 치른 아버지에 대해 하이어신스는 더 이상의 증오를 품지 않는다. 작가는 하이어신스 로빈슨이라는 이름이 그의 생모인 플로렌틴(Florentine Vivier)의 아버지 이름이라고 밝히고 있다. 공화주의자, 시계공이며 자신의 의견의 순교자인 아버지에 대한 기억을 온통 숭배의 감정으로 채운 플로렌틴의 바람이 하이어신스 로빈슨이라는 이름에 담겨 있다는 것이다. 이것은 다시 프레더릭 경이 평범한 로빈슨 씨(Mr. Robinson)로 알려지기는 것을 더 좋아했다는 이유로 플로렌틴이 품었을 귀족계급과의 평화로운 결합에 대한 기대가 하이어신스라는 자식을 통해 가시적으로 나타났지만, 프레더릭 경의 배반으로 그러한 결합이 깨졌음을 내포한다.

하이어신스가 지니고 있는 혁명 의식과 귀족 의식의 부정적 결합은 그가 얻고자 하는 깊은 취향을 향한 의식의 움직임으로 구체화된다. 소설은 하이어신스의 친모인 플로렌틴 비비에르가 프랑스 혁명가의 딸이라는 사실을 밝힌다. 하이어신스가 프랑스 혁명가의 핏줄과 영국 귀족의 핏줄을 동시에 지니고 있다는 것을 반복적으로 드러내면서 하이어신스만이 갖게 되는 성격의 특이성을 드러내는 것이다. "그는 그동안 겪어왔던 것처럼 사람들과 함께 고통을 느껴야 할 뿐만 아니라 그가 때때로 부유한 사람들을 위해 거의 뭔가를 할 것 같아서 다른 사람들에게 사과해야 한다"(165)고 생각한다. 작가가 하이어신스가 가진 두 개의 상반된 의식의 격렬한 갈등의 과정을 통해 궁극적으로 도달할 지점으로 제시하는 것은 하이어신스의 혈관에 담긴 피로부터 비롯된 "가장 예민한 분별"(169)이다. 사회 개혁을 열망하는 활동에서 그 자체로 역설을 포함할 수밖에 없는 개혁가의 자질이 하이어신스의 예민한 의식을 통해 격렬하게 드러난다. 사회 개혁이 요구하는 자아의 도덕적 완벽성과 더 나은 사회 개혁을 위해 자신을 바쳐야 하고, 끝없는 자기 개혁을 통해 자기 완벽성을 가져야 하는 혁명가의 자질을 하이어신스가 갖고 있다(나희경 18). 그러한 자질이 자기의식에 대한 고도의 검열을 통해 더욱 견고한 것으로 발전되는 과정을 거쳐야 혁명가로써의 강인한 존재가 될 수 있다. 하이어신스는 사람들과 관계를 맺는 과정에 부침을 겪으면서 더욱 성숙해야 하고 동경하는 사람들을 보다 객관적이고 합리적으로 바라볼 수 있어야 하는 것이다. 하지만 그가 기대하는 완벽한 혁명은 그가 관계 맺고 있는 사람들과의 결속의 결과물이어야 한다.

이상적 관계를 기대했던 인물들로부터 거부당하기 시작하면서 그는 자신이 가지고 있는 혁명에 대한 전망을 상실하게 된다.

자연주의 소설가들이 노골적으로 묘사하는 하층민의 생태는 상류층의 방향으로 격상되어야 하고, 과도한 사치와 취향으로 낭비하는 귀족층의 생태는 하류층이 사는 쪽으로 옮겨져야 한다는 작가적 바람이 하이어신스라는 복합적 인물로 구현되고 있다. 하이어신스의 내부에서 이 두 막강한 힘이 죽을 만큼 붙들고 싸우고 있을 때 그는 노동자 출신의 폴 뮤티먼트(Paul Muniment)와 가까워지기를 바란다. 침대에 누워 움직일 수 없는 병든 누이와 오들리 코트(Audley Court)에서 살고 있는 폴은 혁명 운동을 하는 인물이다. 하이어신스는 이 인물에게 극도로 끌리는데, 그는 폴을 통해 프랑스 혁명기에 거리로 나섰다가 죽음을 맞았던 할아버지로부터 물려받은 혁명가의 핏줄을 확인한다. 하이어신스는 폴을 자신의 이상적 혁명가로 삼으면서 가까워지기를 바라지만 폴은 하이어신스와 거리를 두려 하고 자신의 필요에 의해 이용하기만 할 뿐 하이어신스가 바라는 깊은 관계에 이르지 못하고 실망을 안긴다.

7장에서 하이어신스는 존경하는 책 제본공인 푸팡이 병으로 작업장에 나오지 않아서 그의 집을 찾는다. 그는 프랑스 혁명에 가담한 혁명가로 검거를 피해 영국으로 왔다가 정착한 인물이다. 활달한 성격으로 책 제본 일에 대한 자부심을 가진 푸팡은 부재한 아버지를 대신해 하이어신스를 혁명의 분위기로 안내한다. 여기에 더해 하이어신스에게 프랑스어를 가르쳐서 어머니로부터 물려받은 프랑스인의 기질을 들추도록 도움을 준다. 푸팡과 혁명에 대해 이야기하는 폴의 모습에 사로잡힌 하이어신스가 폴과 가까워지기를 바라는 것을 제임스는 집요하게 묘사한다. 이것에 대해 뤼케는 하이어신스 로빈슨이 이상주의자이며, 그는 자기 자신에 대한 이상적 상을 가지고 있고, 그러한 이상과 이어져 있는 누구라도 자신의 삶에 받아들이는데, 그를 지배하는 이상이 그 자신의 외부에 있고, 이러한 밖의 이상과 그 자신을 연결하는 것이 그의 고통이 되고 있다고 풀이한다. 그 정신적 이미지의 파괴가 하이어신스를 당혹감에 빠지게 하고, 그것은 온전히 그가 비참한 상태에 빠지게 한다고 덧붙이고 있다(275). 제임스는 하이어신스가 품고 있는 혁명가의 핏줄과 연결되어 있는 이상에 부합하는 인물로 폴을 제시하고 있지만 폴에 대한 묘사는 처음부터 하이어신스의 부서지기 쉬운 감정과 밀접하게 연결되어 있다. 하이어신스가 이 인물을 혁명가로 받아들이기보다는 이상화해서 바라보기 때문에 그는 폴을 너무 높은 위치에 놓고 바라보는 우를 범하게 된다. 그런 이유로 하이어신스와 폴 사이에 동등한 관계에서 오는 우정이 불가능하게 된다.

　푸팡과 프랑스어로 대화하는 하이어신스를 보면서 폴이 프랑스인이냐고 물었을 때 하이어신스는 엄청난 고양 상태에 빠진다. 이때 하이어신스는 그의 어머니의 피를 상기한다. 그의 열정적인 명상과 생각 속에서 그가 조각조각 붙이면서 천천히 형성했던 어머니에 대한 전설을 그가 진화시켜 왔다(127)고 작가는 묘사하고 있다. 이것을 떠올리면서 하이어신스는 눈에 눈물이 가득 찬다. 생모를 향한 이러한 고통스러운 그리움과 일격에 목숨을 잃은 아버지 프레더릭 경이 하이어신스에게는 동시에 떠오른다. 그는 자신이 어느 정도 그의 비참한 부모가 속죄해왔던 장소에 뿌리박혀 있는 것 같고, 그 외에 알고 있는 것이 없다고 생각하면서 자신이 아무것도 아니라고 말한다(127). 이에 대해 스퇴어는 귀족적 세계와 하층민의 세계 양쪽에 대한 하이어신스의 접근법이 반사적이고, 부정적이라고 설명한다(118). 푸팡의 집에서 하이어신스는 스스로의 가치를 가장 낮은 곳에 위치시킨 상태로 폴을 만난 것이다. 제이콥슨은 프랑스 자연주의자들이 신중하지 않은 것에 대해 제임스가 좋아하지 않았지만, 기록(documentation)을 향한 그들의 진지함과 열정에 대해 높게 평가했다고 밝히고 있는데(43),

하이어신스의 시선에 포착되는 폴의 냉철함과 혁명을 향한 이성적 노력에서 자연주의자들의 진지함과 열정이 반영되어 있다고 볼 수 있다. 하지만 자신의 감정을 고도로 절제하면서 의식을 드러내지 않는 폴은 자신의 기질을 거칠 것 없이 노출하면서 스스로를 비극의 상태에 빠뜨리는 자연주의적 인물과는 거리가 있다. 폴의 말에서 아이러니나 경멸을 확인할 수는 있지만, 그의 어조의 "완전한 합리성이 하이어신스의 정신에 차가움을 던진다"(442). 폴이 냉정하리만치 사태를 차분하게 관찰하는 태도로 바라보고 침묵을 지키는 모습이 하이어신스로 하여금 "낯선 냉기"(442)를 느끼게 한다.

제임스는 밀리센트 헤닝(Millicent Henning)의 의식을 통해 하이어신스가 충분하게 성장하지 못했다고 기술한다. 그녀의 눈에 하이어신스는 골격이 작고 가슴이 좁고, 얼굴빛은 창백한데 그의 전체적인 형상이 아이처럼 왜소하게 비치는 것이다(104). 이에 반해 제임스는 하이어신스의 눈에 비친 폴이 키가 크고 몸집이 좋고, 좋은 기질의 사람처럼 보이지만 그가 잘생긴 것인지 못생긴 것인지 알 수 없다고 묘사하면서 그의 거대한 머리와 사각의 이마, 무성한 생머리, 무거운 입과 차라리 세속적으로 보이는 코, 존경할 만하게 명백하고 똑똑해 보이는 눈과 가벼운 색의 매우 깊은 눈이 지능과 결단력의 현저한 인상을 만들어낸다고 묘사한다. 하이어신스는 이러한 폴의 모습에서 그가 엄청난 두뇌를 가진 인물이라고 받아들인다. 그를 "우수한 사람들" 중의 하나로 규정하면서 그를 "장인이 변장한 탁월한 젊은 학자"(128)로 받아들이는 하이어신스의 의식에 폴은 대단한 존재로 자리한다. 이러한 폴에 대한 하이어신스의 의식적 관심을 제임스는 집요하게 추적해서 보여주는데, 독자는 이러한 묘사를 통해 하이어신스가 어떻게 폴을 이상화시키고 있는지 알 수 있다.

폴 뮤니먼트는 주머니에서 성냥을 꺼내서 그의 신발 밑창에 대고 불을 붙인 후에 그것을 낮은 벽난로 위에 놓인 양철 용기에 놓인 초 심지에 붙였다. 이것이 하이어신스로 하여금 구석에 놓인 좁은 침대를 지각하게 했고, 그 위에 한 작은 형상이 누워있는 모습을 비추었다. 그 인물은 주로 큰 눈의 환한 고정성으로 그에게 드러났고, 그 큰 눈의 흰자위가 짙은 동공과 날카롭게 대비되었다. 그리고 그 눈이 번쩍이는 누더기 조각으로 된 침대 겉덮개를 가로질러 그를 응시했다. 갈색 방은 여러 가지 사물들로 가득해 보였는데, 하이어신스가 보기에 평범하기도 하고 형형색색으로 보이기도 하는 다수의 벽에 부착된 작은 인쇄물들로 인해 높은 수준으로 장식된 겉모습을 가지고 있었다.

Paul Muniment took a match out of his pocket and lighted it on the sole of his shoe; after which he applied it to a tallow candle which stood in a tin receptacle on the low mantel-shelf. This enabled Hyacinth to perceive a narrow bed in a corner, and a small figure stretched upon it — a figure revealed to him mainly by the bright fixedness of a pair of large eyes, of which the whites were sharply contrasted with the dark pupil, and which gazed at him across a counterpane of gaudy patchwork. The brown room seemed crowded with heterogeneous objects, and had, moreover, for Hyacinth, thanks to a multitude of small prints, both plain and coloured, fastened all over the walls, a highly-decorated appearance. (133)

제임스는 이 부분을 통해 하이어신스의 선택적 의식이 폴을 어떻게 받아들이고 있는지를 보여준다. 빛의 이동과 확장을 통해 하이어신스의 폴을 향한 기대가 고스란히 전달되는데 이러한 빛의 흐름을 표현하는 기법은 인상주의적 서술의 특징이다. 여기에서 잠시 인상주의와 제임스의 서술에 대해 설명하는 나희경의 설명을 들어볼 필요가 있다. 순수하게 인상주의적인 글쓰기에서 "인식의 행위가 대상이나 인식의 주체보다도 더 중요하다"고 여겨진다(Kronneger 40). 즉 인상주의적 소설 기법이 관찰자에 의해서 느껴지는 일시적인 정신 작용으로서의 인상들―그 인상들을 불러일으키는 외적 원인이나 그러한 경험을 하는 주체의 심리적 상태에 대해서보다도―자체에 관심을 집중하는데 비해, 경험의 외적 조건과 내적 조건이 불가분의 상호성으로서 존재한다고 보는 제임스는 이러한 경험의 요소들 즉 대상과 행위, 그리고 주체에 작용하는 연속성에 관심을 둔다. 그러므로 제임스에게는 예술 의식이 대상에 대한 관찰로부터 출발해서 인식 행위로서의 인상들을 분석하며, 궁극적으로 인식 주체의 내면 상태를 추적한다(나희경 103). 인상주의 소설 묘사가 순간적인 인상에 집착하다 보니 수동적인 특징을 보인다면, 화자의 마음의 상태를 반영하는 사물로 화자의 심리적 경험을 드러내는 제임스의 묘사는 화자의 의식 상태를 보다 능동적으로 독자에게 전달한다.

위의 인용문을 살펴보면, 폴을 바라보는 하이어신스의 시선이 중요한 역할을 하고 있다. 그의 시선이 전제된 상태에서 폴이 성냥을 꺼내고, 성냥을 그어서 불을 밝히고, 그 불빛이 초로 옮겨져서 확장한다. 그러한 빛의 흐름이 폴의 독특한 여동생 로즈(Rose)의 눈동자를 통해 역동성을 얻는다. 이렇게 확장된 빛 속에 누추하기 이를 데 없어야 할 오들리 코트에 위치한 작은 병자의 방이 드러난다. 하이어신스가 폴에게 혁명적 동지애에 근거한 우정을 기대하고 있기 때문에 폴이 접하고 있는 사물들에서 남다른 인상을 끌어내고 있다는 것을 제임스는 폴이 밝힌 성냥불에서 촛불로 이동하는 빛의 이동을 통해 하이어신스의 의식을 밝히는 이미지로 활용하고 있다. 이는 마치 아른거리는 빛의 흔들림을 표현하는 데 능했던 인상주의 화가 모네(Monet)나 르누와르(Renoir)의 그림이 보여주었던 역동성보다 더한 역동성으로 독자에게 전달된다. 제임스의 이러한 서술은 "유리 천장 너머로 보이는 벽은 검은색인 데다가 초벽을 대충 해놓아서, 마치 나환자의 상처투성이 피부처럼 보인다"(에밀 졸라 20)고 표현하고 있는 자연주의자 에밀 졸라의 서술과 큰 대조를 이루고 있다. 졸라의 서술은 인물의 의식보다는 인물의 기질의 초라함에 초점을 맞추고 있기 때문에 "나환자의 상처투성이 피부"와 같은 표현이 전달하는 감각적 직접성과 하층 계급의 추함을 드러내는 데 언어가 사용되고 있다는 것을 알 수 있다. 하지만 제임스는 예술적 실재를 창조하는 작가에게 있어 순수하게 개인적인 인상이 독립적으로는 쓸모가 없으며 그것들이 상호 연관 속에서 고려되어야 감각적 경험 특히 시각적 관찰로부터 변형된 인상이 예술적 창조를 위한 생산적 사색의 기초(나희경 103)를 다진다는 측면에서 자연주의 소설과는 거리를 유지한다.

하이어신스는 빈번하게 폴의 힘을 의식한다. 그는 활력이 있고, 미덕을 가진 어린 노동자의 명백한 정신 상태와 인류의 폭넓은 비참함에 대한 관심을 결합하는 폴의 힘을 부러워한다(205). 혁명 지도자 호펜달(Hoffendal)을 만날 때의 경외하는 혁명 지도자와 직접 만난다는 내면의 욕망에 들뜬 하이어신스와 달리 폴은 항상 침묵하거나 섣부른 열정에 들뜨지 않는 모습을 보여준다. 이러한 폴의 모습에 하이어신스는 이상적인 혁명가의 모습을 투영하고 그를 따르지만, 폴은 냉담한 태도를 유지하면서 하이어신스를 신실한 혁명적 동지로 받아들이지 않는다. 하이어신스가 심취하는 것이 혁명적인 과업에 있다기보다는 그것을 구성하고 있는 지도자들에게 있다는 것을 폴이 알아보고 있다(Salzeberg 130). 하이어신스는 폴에 대해 압도적인 신뢰를 보내는 반면에 폴은 하이어신스를 거리를 두고 대한다. 게다가 하이어신스는 스스로를 외부자로 여기며 자신이 살아가는 삶에 적극적으로 참여하지 못한다. 그 결과 그는 혁명에 자신을 적극 바치

기로 다짐하지만 망설이고 허둥거릴 따름이다. 또한 그는 세계가 아름답다는 것을 충분히 보고 감상할 자질을 가지고 있지만, 아름다운 세계가 얼마나 많은 인간의 고통을 통해 얻어지는지를 의식하기 때문에 그의 타고난 감수성을 자극하는 세계를 충분히 즐기지 못한다. 폴이 관계 맺는 존재들과 거리를 두고 관찰하면서 자신의 통제 안으로 끌어들여 조종하는 능력을 가진 반면에 하이어신스는 모든 것을 고스란히 자신의 의식에 담으면서 통제할 능력을 잃게 된다.

캡틴 숄토의 소개로 극장에서 만나게 된 프린세스 카사마시마는 "유럽에서 가장 주목할 만한 존재"로, 하이어신스에게 소개된다. 하이어신스는 "드문 감각과 예리한 인상의 행복의 순간들, 신비하고 전설"(254)이 되었던 순간으로 프린세스 카사마시마와의 만남을 받아들인다. 제이콥슨은 "하이어신스가 프린세스를 통해 얻는 경험이 여가 시간과 돈과 아름다움의 영역에 연루되게 한다"(48)고 규정한다. 제이콥슨은 제임스가 부자와 가난한 사람들 사이의 계속 넓어지고 있는 격차를 명백하게 보고 알게 되었으며, 그 시기에 커지고 있던 정치적 노동 운동에 대한 무언가를 알고 있었으므로 그[제임스]가 제시해야 했던 것이 인간 조건과 미래의 본능적 전망이었으며, 그것이 두려움과 불확정성에 의해 색칠된 본능적 절망이었다고 설명하고 있다(48). 제이콥슨이 설명하고 있는 부자와 빈자 사이의 넓어지는 격차와 혁명 운동에 대한 제임스의 관심은 프린세스 카사마시마의 호기심 어린 시선으로 구현되고 있고, 미래의 본능적 전망과 두려움, 불확정성의 인간 조건과 미래의 본능적 절망은 하이어신스의 비극적 종말로 표현되고 있다고 볼 수 있다.

하이어신스의 비극은 카사마시마를 자신과 동등한 위치에서 바라보지 못하는 데서 올 뿐만 아니라 그녀가 그의 격렬한 내면적 변화에 조금도 관심을 기울이지 않고 자신의 관심거리에만 집중하는 데서 온다. 프린세스 카사마시마의 모순된 의식에 대한 해석을 쇼펜하우어의 비관론의 관점에서『프린세스 카사마시마』를 분석한 파이어바우(Joseph J. Firebaugh)가 제공한다. 그는 프린세스가 고고한 사심 없음에 의해 동기부여를 받기보다는 그녀의 내부에 깊이 자리 잡고 있는 편중된 잠재의식적 의지에 의해 동기부여를 받은 구체화된 열정을 가지고 있다고 진술하다. 이 편중된 잠재의식은 그녀가 권태로부터 벗어나고자 하는 의지(184-85)라는 것이다. 그녀가 하이어신스나 숄토 대위에게 표현하는 하층민이나 혁명 운동을 향한 열정은 타인들이 고통에 빠져 있다는 부정의를 향한 저항 의식이라기보다는 그녀 자신의 권태에서 벗어나고자 하는 열망에서 비롯된 행동이라는 의미다. 이것은 다시 프린세스 카사마시마가 자신의 권태에서 빠져나갈 도구로 하이어신스를 이용했다가 흥미를 잃게 되면서 하이어신스와 거리를 두는 행위로 드러난다. 찰스 앤더슨(Charles R. Anderson)은 프린세스의 남편이 유럽의 가장 오랜 귀족 가문의 후계자라는 점을 지적한다. 그는 프린스 카사마시마가 왕조의 감각을 가진 가장 위대한 집안 출신이라고 밝히면서, 프린세스가 그렇게 높은 위치에서 민중들에게 내려와서 그들과 섞이기를 바란다는 것이다(145).

제임스의 초기 소설인『로드릭 허드슨』(*Roderick Hudson*)의 등장인물이었던 결혼 전의 미국인 크리스티나 라이트(Christina Light)는 이야기에나 등장할 법한 기막히게 높고 유서 깊은 가문의 안주인이 되어『프린세스 카사마시마』에 다시 등장한다. 앤더슨은 프린세스가 레이디 오로라보다 억압받은 사람들을 돕기를 바라는 자선에 단연코 관심이 덜하다고 밝히고 있다. 크리스티나 라이트라는 이름이 시사하듯이 그녀가 비록 빛을 가져오는 존재로서의 이미지에 덧붙여서 모호한 광휘의 이미지로 비치는데(145), 그것은 그녀가 그만큼 수수께끼 같은 인물이라는 것을 암시한다는 것이다. 그녀가 모든 하층민을 알고 싶다고 하이어신스에게 말하는 순간에도, 그의 눈에는 그녀가 동화 속 공주나 천사, 여배우로 비친다. 게다가 소설의 말미에 폴과 마차에 함께 타고 가는 것을 보는 순간 괴로움에 시달리면서도 하이어신스의 눈에 그녀는 빛나고 눈부신 존재로 나타난다.

프린세스는 하층민 출신의 제본공인 하이어신스에게 "모든 종류의 사람들을"(193) 알고 싶다는 열망을 갖고 그를 알기를 바란다고 말하며 그로 하여금 그녀와 함께 3주 동안 그녀의 저택인 메들리 코트(Medley Court)에 머물도록 한다. 그녀는 자신의 필요에 의해 하이어신스가 핀센트에게 오랜 시간 동안 돌아가지 못하게 한 것이다. 그로 인해 핀센트의 마음의 병이 깊어지게 되고, 결국 죽음에 이른다. 핀센트의 죽음 이후 베치 씨는 하이어신스가 프랑스와 유럽에 가서 자신의 시야를 넓히기를 바란다고 이야기하면서 여행 경비를 제공한다. 핀센트의 가장 가까운 조언자였던 바이올린 연주가 베치 씨는 하이어신스에게 고상한 취향의 의미가 무엇인지를 자연스럽게 터득할 수 있도록 도와주는 인물이다. 변화하는 세계에 대해 파악하고 있기는 하지만 직접적으로 나서서 행동하지는 않는 나약한 하류층 연주자인 베치 씨는 하이어신스가 요구한 공연 티켓을 제공해서 프린세스 카사마시마와 만날 수 있게 한 보이지 않는 조력자다. 그는 유럽 여행을 하도록 설득하는 등의 진심에서 우러나오는 행동으로 하이어신스에게 보이지 않게 큰 영향을 주는 인물이다. 하이어신스는 그때까지 유럽에서 다수의 사람들이 극소수의 더 행복한 사람들의 놀라운 축적물을 위해 비참한 삶을 살았다고 믿어왔었다. 그러나 그의 그러한 생각은 실제 파리의 문화를 보게 되면서 변화되며, 그 놀라운 문화적 성취를 보고 새로운 깨달음을 얻는다.

34장에서 프린세스는 레이디 오로라와의 새로운 관계에 극도의 호기심을 보인다. 그 결과 프린세스의 감정적 지지를 얻지 못한 하이어신스의 소외감은 깊어진다. 오로라의 방문을 받은 프린세스는 흥분해서 떠나겠다는 하이어신스를 붙잡지 않는다. 하이어신스는 "그녀와 오로라 부인이 명백하게 엄청난 친밀감을 불러일으키는 지점에 있었다"는 것을 보고 돌아선다. 그는 "설명할 수 없었던 낯설고 모호한 이유로" 둘 사이의 친밀감이 불러일으키는 슬픔을 느낀다. 그는 프린세스가 자신의 추종자인 숄토를 멀리한 것과 같이 자신을 멀리하기 시작했다는 것을 직감적으로 알아차린다. 프린세스의 관심의 방향이 계속 변하는 동안 하이어신스의 소외감은 더해가고 그녀가 쉽게 어떤 대상에 흥미를 잃고 또 다른 대상에 대해 흥미를 찾으면서, 그는 고립된 존재로 전락한다.

하이어신스는 자신의 혈통에서 오는 정체성의 혼란에 시달리면서 두 혈통의 이상적 존재를 너무 높은 위치에 둠으로 해서 그들과 대등한 관계를 맺지 못한다. 즉 그의 이상화하는 특성이 그를 삶에 직접 뛰어들지 못하게 한다. 하이어신스의 욕망이 폴이나 프린세스와의 우정을 기대하지만, 하이어신스는 그것을 얻어내지 못하고 배반당한다. 소설의 후반부에서 제임스는 하이어신스가 가장 깊은 관계를 맺고 싶었던 두 존재인 폴과 프린세스 카사마시마와의 관계의 위기를 40장에서 묘사한다. 하이어신스는 프린세스와 폴이 승합 마차에서 내리는 것이나, 그들이 프린세스의 집 문 앞에 서 있는 것을 보면서 "그의 심장 박동이 미친 듯이 비열하게 빨라지는 것을 느끼지만 그는 왜 그런지 말할 수 없다"(520). 하이어신스의 말로 설명할 수 없는 분노의 상태는 프린세스가 그렇게도 지루해하면서 경멸하는 남편인 프린스 카사마시마가 느끼는 질투의 감정을 그대로 전달받은 것이다. 프린스가 프린세스와 폴을 보면서 "저것이 혁명을 위한 것이냐"고 물으면서 분노에 떤다. 이에 비해 하이어신스는 "한순간 닫힌 문을 응시했고, 이어서 그 이탈리아인[프린스]이 어둠 속에 그의 지팡이를 무력하고도 헛되이 흔들면서 그 무심한 집 앞에 서 있도록 남겨둔 채 스스로 그곳에서 똑바로 걸어서 물러 나온다"(520). 이 부분에 대한 설명에서 뤼케는 하이어신스가 그렇게 격렬하게 반응했지만, 이 장면이 정확히 그가 현실감을 깨닫거나 배반된 진실에 직면한 것이라고 볼 수 없다고 단정한다(278). 문제는 하이어신스가 얼마나 많은 현실에 마주하거나 인정하느냐 하는 것이고, 얼마나 많은 이러한 현실 자체가 변화하거나 그의 친구들의 역할을 변화시키고 있는가라고 질문한다(Luecke 278). 하이어신스가 현실에서 빠져나오는 문제에 적극적으로 응하고 있다면, 그를 비극적 존재로 빠뜨리지는 않을 것이다. 스퇴어는 제임스의 영웅들이 결코 문자 그대로의 영웅이 되지 못하고, 차라리 그 역이라고 이야기하면서, 그들의 기능이 실패로서 또렷하게 드러나고, 삶의 게임에서 패자들이라는 흥미를 제공하는 무력한 인물들이라고 표현하는데(117), 하이어신스는 이러한 특징을 가장 잘 구현하고 있는 인물이다.

제이콥슨은 프린세스와 하이어신스 둘 다의 실패에 주목한다. 그의 설명에 따르면 프린세스는 폴과의 결합에 실패하고, 하이어신스는 자신이 이상으로 삼았던 혁명 운동에 대해 회의하면서 혁명과 멀어지고 미학적 이상에 도달하려 했던 귀족성에 도달하는 것에 실패한다. 프린세스는 그녀가 원하는 방식으로 노동 계급을 꿰뚫어 볼 수 없다는 의미에서 관계에 실패하고, 하이어신스는 노동계급 출신이라는 사실과 그들을 공감하는 것에서 등을 돌릴 수 없기(48) 때문에 귀족적인 특성에서 기인하는 미학적 이상에 도달하지 못한다. 하이어신스의 실패의 속성에 대해 스퇴어는 헨리 제임스가 바라보는 혁명 운동에 대한 미약한 인식에 비추어 세 가지 방식(three modes)으로 설명한다. 하이어신스가 정치적 삶에 헌신하려 했을 때, 그는 불행하게도 시적인 언어의 가치가 유혹하는 사회에 소개되었다는 것이다. 첫 번째 양식인 정치적 언어는 주로 술에 취한 어조의 간곡한 권고의 성격을 띠고 있고, 두 번째로 시적 언어는 감상적인 자기 연민의 성격을 띠고 있어서 현실과 어떤 진실한 관계를 맺지 못한다는 것이다. 세 번째는 작품의 말미에서 하이어신스가 프린세스에게 보낸, 사적인 "저널 편지"는 반은 일기이고 반은 고백록의 성격을 띠는데, 그러한 고백은 일종 의 자기 인식으로서, 그 자신을 유일한 청중으로 하고 있어서 그 자신을 비참한 유아론자(solipsist)가 되게 하며, 그래서 그는 결국 자살에 이르게 된다는 것이다(Stoehr 117).

III. 모든 것을 아는 불멸의 존재

헨리 제임스는 『프린세스 카사마시마』의 서문에서 자신이 런던의 거 리를 엄청나게 많이 걸었다고 진술한다. 그는 "많은 인상을 받아들이기 위 해" 걸었고, "그래서 그 인상들이 작용을 했으며, 하나의 논쟁을 추구했고, 얼마 후 그 책이 태어났다"(33)고 적고 있다. 런던에서 거주했던 첫해의 인 상이 압도적이었고, 걸을 때 받았던 인상에서 하이어신스라는 인물이 튀 어나왔다는 것이다. 런던이 헨리 제임스에게 준 인상은 "사생아이며", "변 장한 공작"(445)으로서의 하이어신스를 탄생시켰지만, 그는 결코 문자 그 대로의 영웅은 되지 못하는 인물이다. 따라서 하이어신스라는 인물은 정 서와 감각으로의 런던이라는 거리의 이미지가 변형된 결과물이라고 볼 수 있다.

소설의 막바지에 하이어신스는 충동적으로 무정부주의 운동에 자신의 목숨을 바치겠다고 선언했던 것에 대해 책임을 져야 하는 상황이 도래한 다. 요인 암살 지령을 받은 그는 마지막으로 프린세스를 찾아간다. 그곳에 서 하이어신스는 그녀가 거기 없다는 말을 듣고 또한 그녀가 곧 돌아오지 않을 거라는 말을 듣게 된다. 결국은 그녀의 집에 들어가서 프린세스가 주 로 앉는 의자에 앉아서 그녀를 기다린다. 그녀를 기다리면서 "그의 생각은 엄청나게 활발하지만, 그의 몸은 불안으로 너무 지친"(567) 상태에 놓인다. 얼마간 프린세스를 못 보다가 다시 보게 되었을 때, 그는 "그녀의 아름다움에 대한 새로이 생겨난 엄청난 의미", "초월적 영광에" 빛나는 프린세스가 새로운 모습으로 변해있음을 확인한다(569). 그는 그녀가 좋은 본성을 가졌기 때문에 그에게 매력적이었고, 그가 함께할 수 있어 그녀에게 끌렸으며, 그녀가 그에게 상처를 주고 있기 때문에 매력적인 것은 아니라고 성찰한다(570). 그는 그녀가 자신[하이어신스]의 사유 속에서 날로 새로워지는 것을 확인하지만, 동시에 그녀도 또한 계속해서 새로운 관계를 추구할 것이라는 것을 확인한다.

하이어신스에게 시간은 폴 뮤니먼트의 냉담함처럼, 함께 살아가는 사람들의 삶의 상태와는 아무런 관계없이 자신의 목적을 향해서 진행되는 것처럼 보인다. 폴이 하이어신스가 호펜달이 원하는 희생양이라고 말할 만큼 하이어신스를 도구적으로 대하고 있지만, 하이어신스는 그것을 파악하지 못하며 폴이 가진 폭력성에 대해서도 알아차리지 못한다. 무정부주의자들이 민중을 대표한다고 주장하지만 그들의 삶의 방식은 민중을 위하는 방식이기보다는 자신들이 가진 관념의 도구로 민중을 이용하고 있는 것이다. 이는 호펜달이 하이어신스를 별다른 자의식 없이 자신의 주장을 관철할 암살자로 선정하는 것과 같은 이치이다. 미스 핀센트가 하이어신스를 입양해 키운 것은 프레더릭 퍼비스라는 귀족의 아들이라는 사실에서 비롯된 낭만적 기대였지만, 그녀의 그러한 낭만적 환상은 프린세스에게 이끌리는 하이어신스에 의해 배반당한다. 아무런 이해관계에도 얽히지 않은 베치 씨가 아무런 대가 없이 하이어신스에게 호의를 베풀지만 하이어신스는 그의 깊은 애정에서 비롯된 조언을 받아들이지 않는다. 하이어신스는 단지 현실에 뿌리내리지 못한 삶을 사는 인물로 그려진다. 하이어신스는 자신이 맺고자 하는 관계를 지속적으로 추구할 만큼 세속적이고 자기방어적인 의식을 형성하지 못한다.

제이콥슨이 언급했던 두려움과 불확정성에 의해 점철되는 인간의 조건과 미래의 본능적 전망은 아름다운 프린세스가 비추는 빛의 속성으로 세속적이고 순간적이어서 번덕스럽게 자신의 욕망만을 좇는다. 인간이 욕망을 충족하고자 하지만, 궁극적으로 그것은 충족될 수 없기 때문에 더욱 불확정성의 상태에 놓인다. 이와 같은 시대적 유동성의 특성을 품은 불안전한 존재인 하이어신스는 혁명을 위해 암살하기로 했던 상류층의 주요 인물을 죽이는 대신에 암살의 총구를 자신에게 돌려 죽음을 선택한다. 그의 자살을 그가 추구했던 극도의 귀족적 취향에 대한 실패나 과격한 무정부주의자들에 대한 반발로 보는 것은 헨리 제임스의 의도를 곡해하는 것일 수 있다. 그는 헨리 제임스가 산업화 이후로 변화의 한복판에 있던 가난과 화려함이 공존하던 런던 거리에 대해 느끼고 싶었던 친밀감의 구현이라고 보아도 무방하다. 미적인 취향을 추구할 교양을 갖추고 있지만, 프랑스 혁명을 주도했던 모계 혈통에서 달아날 수 없었던 하이어신스의 불완전한 상태는 런던의 거리를 덮고 있던 공장에서 나온 매캐한 매연과 미래 없이 자신들의 가난 속으로 걸어 들어가야 했던 모든 하층민들에 대한 제임스식의 공감의 표시라고 볼 수 있다.

나희경. 「헨리 제임스와 자연주의적 글쓰기: 실재, 관찰, 묘사」. 『현대영미소설』 5.2 (1998): 99-116.

에밀 졸라. 『테레즈 라켕』. 박이문 옮김. 문학동네, 2003.

Anderson, Charles R. *Person, Place, and Thing in Henry James's Novels.* Durham: Duke UP, 1977.

Boudreau, Kristin. *Henry James' Narrative Technique: Consciousness, Perception, and Cognition.* New York: Palgrave Macmillan, 2010.

Firebaugh, Joseph J. "A Schopenhauerian Novel: James's *The Princess Casamassima.*" *Nineteenth-Century Fiction* 13.3 (1958): 177-97.

Heekyung, Nah. "Naturalistic writing in Henry James's Transitional Period: A Reading of *The Bostonians and The Princess Casamassima.*" PHd. New York U, 1997.

Jacobson, Marcia Ann. *Henry James and the Mass Market.* AL: U of Alabama P, 1983.

James, Henry. *The Art of Fiction.* 尹基漢 譯. 서울: 학문사, 1989.

_____. *The Princess Casamassima.* 1886. Reprint. Ed. Derek Brewer. London: Penguin, 1987.

Kronegger, Maria Elisabeth. *Literary Impressionism.* New Haven: College and University P, 1973.

Luecke, Sister Jane Marie. "*The Princess Casamassima:* Hyacinth's Fallible Consciousness." *Modern Philology* 60.4 (1963): 274-80.

Salzberg, Joel. "Love, Identity, and Death: James' *The Princess Casamassima* Reconsidered." *The Bulletin of the Rocky Mountain Modern Language Association* 26.4 (1972): 127-35.

Stoehr, Taylor. "Words and Deeds in *The Princess Casamassima.*" *ELH* 37.1 (1970): 95-135.

Wyatt, Edith. Henry: "An Impression." *The North American Review* 203.725 (1916): 592-99.

제7장

『메이지가 안 것』: 여자아이의 세상 읽기

● ● ● 강윤숙

I. 여자아이의 가면 뒤에서

헨리 제임스(Henry James)의 작품 활동 시기를 편의상 세 단계로 구분할 때, 그의 소설은 중반기를 지나면서 직접적인 서술 방식보다는 복잡하고 묘사적인 이미지와 더불어 이중 부정이 빈번하게 사용되는 문체적 특징을 보여준다. 한 단락이 다음 페이지까지 길게 이어지거나, 한 단락에서 처음 등장한 명사가 대명사로 치환되고 다양한 형용사들에 의해 묘사되어 종종 그 본래의 지시 대상물에서 멀어져 보이는 경우가 흔하다. 이로 인해 대부분의 독자는 글을 읽는 동안에 작가가 인도하는 길을 잃고, 단어들 사이에서 헤매는 당황스러운 상황을 매번 직면하게 된다. 하지만 이러한 문체적 특징들은 세심하고 감성적인 관찰자에 의해 소설 속 장면들을 더욱 생생하게 환기시키는 효과를 가져온다. 이와 같은 제임스의 문체적 변화가 『메이지가 안 것』(*What Maisie Knew*, 1898)을 집필하는 중에 타이피스트에게 구술하는 방식을 통해 작품을 쓰면서 시작되었다고 비평가들은 추정한다. 제임스의 서술적 변화는 작가가 직접 개입해 서술하는 전지적 기법과 거리를 두고 주인공의 의식에 초점을 맞춰 이야기를 이끌어 가는 방식으로 글을 쓰는 계기가 되었고, 바로 이 기법이 20세기를 대표하는 모더니즘 소설의 시작과 발전에 지대한 영향을 주었다.

제임스는 자신의 소설을 극으로 각색한 『미국인』(*The American*, 1891)의 상연에 이어 『가이 돔빌』(*Guy Domville*, 1895)을 무대에 올리지만 초연에서 혹평을 받는다. 그 사건이 남긴 정신적 상흔으로 힘겨운 시기를 견뎌내야만 했던 제임스는 역경을 극복하기 위해 소설 집필에 더욱 전념한다. 이 불안한 시기에 집필된 작품들의 주요 특징으로 여자아이가 주인공으로 자주 등장한다는 점을 들 수 있다. 이에 대해 제임스의 전기적 비평서를 저술한 리온 에델(Leon Edel)은 제임스가 극작에 실패한 후에 여자아이들의 이야기를 써나가며 정신적 상처를 스스로 치유하고, 성장해가는 여자아이의 가면 뒤에서 정신적 방황과 좌절감을 조금씩 극복해 낼 수 있었다고 말한다(291). 물론 최근의 몇몇 비평들은 이러한 연관성을 수용하지 않지만, 제임스가 시련의 시기에 집필한 여자아이들이 등장하는 작품들을 이러한 관점에서 읽어가면 더욱 심도 있고 다양한 해석이 가능해질 것이다.

제임스는 작품에서 중상류층의 여성들과 아이들을 자주 등장시키는데, 그들은 대부분 빅토리아시대를 주도했던 "부르주아적 권위에 의해 두드러지게 희생당하는 인물들"(Rowe 19)로 그려진다. 특히 아이들은 그들을 양육할 의무를 지닌 어른들로부터 과도하게 억압을 당하거나 무관심하게 방치되어 유기된 상태와 같은 처지로 그려진다. 자신을 방어할 능력이 없는 무력한 아이들은 권위적이거나 무책임한 부모들로부터 정신적·육체적

학대를 당하는 모습으로 등장한다. 이러한 특징은 『메이지가 안 것』의 주인공인 메이지(Maisie)의 삶에서도 잘 드러난다. 이 소설은 가속화된 산업화와 더불어 심화된 자본주의와 개인주의가 사회 공동체의 가장 최소단위인 가정에까지 깊숙이 뿌리내린 영국의 런던을 배경으로 한다. 제임스는 이 소설을 통해서 남녀 간의 문제와 핵가족화로 확장되는 사회적 균열을 다루며, 그 균열로 인해 생성된 붕괴 사이로 생겨날 폐해가 세계 대전과 병립할 정도임을 예측한다(Ricks). 무책임한 부모들의 이혼과 무분별한 외도로 인해 초래된 가정의 붕괴는 아이들을 거의 정신적 죽음의 상태에 이르게 하고 있음을 제임스만의 화법으로 신랄하게 비판한다.

　　주인공 메이지가 소설의 결말에서 윤리적으로 부패한 부모들과의 관계를 포기하고 도덕성의 가치를 피력했던 윅스 부인(Mrs. Wix)과 함께 떠나는 결말은 초기의 비평가들에게 메이지가 도덕적으로 문란한 어른들의 세계에 함몰되지 않고 끝까지 순수성을 유지함으로써 획득한 도덕적 성취에 주목하는 단서를 제공했다. 이와 더불어 서사의 중심축이 메이지의 성장 과정에 있기 때문에 이 소설을 성장소설로 분류하고, 그녀가 인식의 성장을 통해 알아낸 것들에 대한 분석이 주를 이루었다. 어린 메이지가 정신적 혼란기를 극복하고 성장하여 자신을 둘러싼 부도덕한 환경에 대한 분별력을 갖게 되고, 도덕적 관념에 기반한 자신의 정체성을 형성하는 인식의 성장을 이루어가는 과정에 작품 해석의 초점을 두는 경험주의적 해석은 전통적 비평으로 그 권위를 갖는다.

II. 여자아이의 시선으로 읽는 세상

제임스는 『메이지가 안 것』에서 이혼한 부모를 둔 어린 소녀 메이지가 윤리적으로 부도덕한 상황에서도 순수함을 잃지 않고 정신적인 성장을 성취해 가는 과정을 보여준다. 이 소설의 시작은 메이지의 부모인 빌 패랜지(Beale Farange)와 아이다 패랜지(Ida Farange)가 법정에서 이혼 판결을 받는 것으로 시작한다. "영원히 끝나지 않을 듯해 보이던 이혼 소송"(3)[1]은 빌과 아이다가 그들의 딸인 메이지에 대한 의무를 "솔로몬 법정의 훌륭한 방식으로"(3) 각자가 공평하게 분담받는 것으로 마무리된다. 즉 빌과 아이다는 "한 번에 육 개월씩 교대로"(4) 메이지를 양육할 의무를 판결받고, 그들의 딸인 메이지는 결국 "이행성 부모"(4) 밑에서 성장하게 된다. 메이지가 이혼한 부모의 집을 오가는 과정에서 그녀의 부모인 빌과 아이다는 서로에 대한 증오심과 복수심을 드러내는 매개체로 어린 딸을 이용한다. 부모의 이혼 후에 메이지는 젊고 예쁜 오버모어 양(Miss Overmore)과 초라한 옷차림에 기이한 인상을 지닌 윅스 부인을 가정교사로 빌과 아이다의 집에서 각각 맞이한다. 이혼 후 얼마 지나지 않아 빌은 메이지의 아름다운 가정교사인 오버모어 양과, 아이다는 호감 가는 외모를 지닌 클로드 경(Sir Claude)과 재혼한다. 물론 재혼한 빌과 아이다는 곧 각자의 배우자를 기만하고 외도를 자행한다. 어린 메이지는 다시 한번 부모로부터 버림받은 상태에 놓이지만 온화한 성격의 소유자인 클로드 경은 책임감을 갖고 그녀에게 부모의 대리인으로서 역할을 충실하게 수행한다. 소설의 결말에서 어린 숙녀로 성장한 메이지는 클로드 경과 자신이 그토록 따랐던 새엄마 빌 부인(Mrs. Beale)이 서로 내연 관계였다는 사실을 알게 된다. 그리고 자신과 그들이 함께 가정을 이룰 수 없음을 깨닫는다. 결국 메이지는 생물학적인 부모와 마찬가지로 의붓 부모와도 결별을 하고 자신에게 헌신적인 윅스 부인과 함께 떠난다.

---

[1] Henry James. *What Maisie Knew*. Ed. Christopher Ricks. London: Penguin, 2010. 앞으로 이 작품의 인용은 괄호 안에 쪽수만 표기한다.

무책임하고 폭력적이며 기만과 외도를 서슴지 않는 어른들에 둘러싸여 성장하는 메이지가 분별심을 갖게 되는 과정을 제임스는 그만의 세심한 문체와 서술적 장치를 이용해 구성해 나간다. 이 소설에서 독자를 사로잡는 형식적 특징은 무엇보다도 여자아이의 시점에서 이야기가 구성되는 점을 들 수 있다. 주인공 메이지가 6살의 유아에서 성장기를 갓 지난 어린 숙녀로 성장하는 과정이 외부적인 사건의 직접적인 묘사보다는 그 사건을 받아들이는 메이지의 의식에 초점이 맞춰져 서술된다. 이러한 서술 전략에 대해 조셉 W. 비치(Joseph W. Beach)는 이 소설이 사건과 인간 본성의 풍부한 이야기를 어린아이의 이해력의 범주를 벗어나지 않으면서, 시점을 여자아이의 의식에 제한해 서술하는 일관성으로 인해 기교적으로 뛰어난 작품으로 평가받는다고 언급한다(238). 메이지의 성장 과정은 그녀의 의식 변화에 맞춰 서술되고, 그 서술은 마치 한 소녀의 초상화를 그리는 듯한 인상을 독자에게 준다. 이러한 관점에서 줄리엣 미첼(Juliet Mitchell)은 『메이지가 안 것』을 『어린 소녀 예술가의 초상』이라고 명명하며 메이지의 정신적·도덕적인 통찰력의 성장은 작가로서의 제임스가 갖는 고유한 예술적 과정의 모델을 따른 것이라고 평가한다(169).

남성 작가인 제임스가 자신의 예술적 창작 과정을 투사하는 대상으로 남자아이를 선택하지 않고 여자아이를 선택한 동기에 대해서 그는 이 소설의 서문에서 명확하게 밝힌다.

나의 의식이라는 가벼운 잔─그처럼 한 잔의 음료 속에서처럼 흔들리고 있는데─은 사실성이라는 측면에 있어서 버릇없는 어린 남자아이와 같은 것일 수 없다. 어린 남자아이들이 결코 그처럼 '출석해있지' 않다는 사실을 떠나서라도, 어린 나이의 여자아이가 의심의 여지 없이 목적에 훨씬 더 부합하다. 그리고 주인공을 염두에 둔 나의 계획은 '무한한' 감수성을 요구하는 상황이다.

[M]y light vessel of consciousness, swaying in such a draught, couldn't be
with verisimilitude a rude little boy; since, beyond the fact that little boys
are never so 'present.' the sensibility of the female young is indubitably,
for early youth, the greater, and my plan would call, on the part of my
protagonist, for 'no end' of sensibility. (292)

제임스는 자신의 섬세한 예술적 감수성을 대신할 인물로 순수함과 감
수성을 지닌 여자아이를 선택할 수밖에 없었음을 고백한다. 소설이 삶을
재현할 때 작가는 온갖 것들이 혼재한 삶 속에서 차별적이고 선택적인 작
업을 통해서 그 삶이 지닌 포괄성과 혼란스러움을 미학적으로 담아낸다.
여자아이의 시점은 다름 아닌 제임스에게 차별적이고 선택적인 작업의 기
능을 한다고 볼 수 있다. 순수한 아이의 틀로 들여다보는 세상에서는 부도
덕한 어른들의 부정과 속임수마저도 그 실체가 분명하게 드러나지 않는
다. 왜냐하면 어린아이에게는 바름과 그릇됨에 대한 경험적 가치 기준이
부재하기 때문이다. 제한된 시점의 서술은 제임스를 뛰어난 서술적 전략
가로 평가받게 하지만, 세상에 대한 경험과 이해도가 부족한 어린아이라
는 협소한 인식의 틀 안에서 사건을 기록하는 행위는 작가 제임스에게 있
어 가장 큰 장애로 작용했음은 쉽게 짐작된다.
　　제임스는 이 소설의 서문에서 어린아이의 마음은 최상의 상태에서도
커다란 틈새와 빈 공간을 만들기 때문에 비난의 여지 없이 조직적으로 완
성도가 있는 외관을 갖추더라도 의식의 명확성을 얻는 데에는 실패할 수
밖에 없을 것(293-94)이라고 고백한다. 경험적 인식능력이 미숙한 소녀의
시점은 외부에서 일어나는 사건에 대해 잘못된 이해와 불찰을 동반할 수

밖에 없는데 이러한 상황은 독자를 모호함으로 인도한다. 예를 들어, 어른들이 행하는 불륜의 정체와 그것이 갖는 함의를 모르는 순진한 메이지는 자신이 그들을 연결해주었다는 사실에 기뻐한다. 이때, 경험적 지식으로 불륜을 예측하는 독자는 메이지가 환기시키는 순수함에 부도덕함을 정의하는 사회적 가치 기준에 대해 근본적인 질문을 하게 된다. 동시에 부도덕함과 상반된 어린아이의 순수함이 극적인 대조를 이루어 어른들의 문란한 삶을 신랄하게 비판한다는 인상 또한 받는다. 제임스는 아이들은 그들이 말로 바꾸어 표현하는 어휘들보다 더 많은 통찰력을 지니고 있으며, 그들의 예지력은 언제 어느 때라도 훨씬 더 풍부하고 그들의 이해력은 심지어 끊임없이 더욱 강화된다(294)고 천명한다. 이렇듯 제임스는 어린아이의 의식이 규정화된 언어로 표현되는 것 이상의 영역을 통찰하는 능력이 있음을 언급하며 어린 메이지에 대한 각별한 애정을 이 소설의 서문 곳곳에서 밝힌다.

이 소설의 화자는 분명 지적인 성인 남성이지만, 순수한 여자아이가 세상을 읽는 시선을 중심으로 사건이 묘사되는 시점의 제한성은 제임스의 서사적 장치로 기능해 의식적으로 성숙한 독자와 미숙한 주인공 메이지의 인식 능력 사이에서 지속적인 틈새를 만들어낸다. 지적으로 미성숙한 아이의 제한된 시점으로 바라보는 세상은 지적인 독자의 시선과 어긋날 수밖에 없기 때문에 이야기를 따라가는 독자의 시선은 자꾸만 미끄러진다. 이 소설을 잘 읽어내기 위해서는 어린아이의 시선과 성숙한 독자 사이에서 생기는 틈새를 의식적으로 살피면서, 지적이고 노련한 서술자인 제임스가 섬세하게 조직한 결을 읽어내는 수고가 요구된다. 주위에서 전개되는 상황을 읽어내는 메이지의 미숙하고 파편화된 이해력은 순수함의 증거이며, 시점이 만들어 낸 간극은 독자를 혼란스럽게 만드는 동시에 주인공 메이지의 의식에 더욱 집중하게 하는 역할을 한다.

III. 여자아이의 침묵과 관찰

6살의 메이지로서는 부모의 이혼뿐만 아니라 부모가 자신을 수단으로 서로에게 퍼붓는 지독한 비난의 말들이 지닌 의미를 정확하게 이해하지 못한다. 도덕적으로 미성숙한 부모로 인해 메이지는 자신에게 가해지는 정신적인 상처를 정확하게 인식하지 못한 채로 삶의 고뇌에 무방비 상태로 노출되어 "자극적인 산이 섞인 깊고 작은 도자기 컵"(5)과 같은 존재로 성장한다. 제임스가 메이지의 성장을 그리며 주요 모티프의 하나로 세심하게 고안한 장치로 "침묵하기"를 꼬집어 말할 수 있다. 자녀 양육에 무관심할 뿐만 아니라 인격적으로 결함이 심각한 빌과 아이다의 집을 오가며 내적으로 많은 혼란을 겪는 메이지는 자신에게 주어진 불안정하고 불가해한 상황에 적응하기 위해 "침묵"이라는 방어 기제를 선택한다. 어른들의 언어를 이해할 수 없는 어린 메이지는 자신의 생각을 언어로 환원시키기를 보류하고 의도적으로 침묵이라는 방어벽 뒤에 숨어 주변을 세심하게 관찰하며 보다 심도 있는 내적 통찰력을 획득한다. 어린 메이지가 자신을 둘러싼 혼란스러운 상황을 인식하고 자신을 지켜내기 위한 수단으로 침묵을 선택하게 되는 동기와 그 과정을 추적하고, 그녀가 선택한 침묵이 텍스트 안에서 기능하는 역할을 분석하는 노고는 작가가 짜놓은 텍스트의 결을 흥미롭게 따라가는 주요한 독법 중의 하나일 것이다.

일 년에 육 개월씩 부모의 집을 오갈 때마다 새로운 환경에 적응해야 하는 메이지에게 있어 삶이란 두려움뿐만 아니라 난해함과 혼란으로 가득한 해독할 수 없는 암호와도 같은 것이다. 이러한 메이지의 현실은 그녀가 아버지 빌의 말을 어머니 아이다에게 전하는 지점에서 더욱 분명하게 드러난다. 빌과의 체류 기간을 마치고 자신의 집으로 향하는 메이지에게 아이다는 마차 안에서 "사랑스러운 나의 천사야, 짐승 같은 너의 아빠가 너만의 사랑스러운 엄마에게 뭔가 전하는 말이 있었니?"(11)라고 묻는다. 이에 메이지는 "작고 순수한 입술"(11)로 "더럽기 짝이 없는 진저리 나는 돼지 같은 여자!"(11)라고 빌이 한 말을 아이다에게 "충실하게 전한다"(11). 자신이 전하는 말이 초래할 결과를 계산할 수 없는 천진하기만 한 메이지는 이혼한 부모가 서로를 향해 내던지는 말들의 의미를 파악하지 못한 채 마치 메아리처럼 그들의 독설을 전한다. 메이지를 통해 거름망 없이 전해지는 비난의 말들은 서로의 감정을 더욱 자극하고, 그 사이를 오가는 메이지는 "그들 사이를 격렬하게 날아다니는 깃털 달린 작은 배드민턴 공"(12)에 비유된다. 요컨대 아이다와 빌이 메이지를 도구 삼아 서로에게 증오심을 표출하는 것은 마치 공을 떨어뜨리지 않기 위해 날아오는 공을 향해 맹렬하게 라켓을 휘두르는 것과 같다. 공이 오가는 횟수가 더해질수록 휘두르는 라켓이 공에 전달하는 물리적 힘은 더욱 강력해지는데, 이때의 물리적 충격은 메이지가 부모의 집을 오가며 겪는 정신적 긴장감과 맞물려 독자에게 오롯이 전달된다. 반복된 타구로 공의 깃털이 찢겨 나가듯 어린 메이지의 마음 또한 지속해서 깊은 상처를 받는다.

> 어둑어둑한 선반 위의 뻣뻣한 인형들이 팔과 다리를 움직이기 시작했다: 지난날의 표현들과 어투들이 분별 의식을 갖기 시작해 그녀를 놀라게 했다. 그녀는 새로운 기분을 느꼈는데 그것은 위험에 대한 느낌이었다; 그것에 대한 새로운 치료법이 떠올랐는데, 그것은 내면의 자아에 대한 생각, 바꾸어 말하면 숨기기에 대한 생각이었다. 그녀는 어떤 비범한 정신력을 통해서 자신이 증오의 한복판에 있었고 모욕의 전령이었다는 것을 시사해주는 부정확한 기호들을 해독해내었다. 그리고 그녀가 그런 목적을 위해 이용되었기 때문에 모든 것이 엉망이었다는 것도 이해하게 되었다. 그래서 그녀는 더 이상 그처럼 이용되기를 거부하겠다는 결심으로

자신의 벌어진 입술에 자물쇠를 채웠다.

The stiff dolls on the dusky shelves began to move their arms and legs: old forms and phrases began to have a sense that frightened her. She had a new feeling, the feeling of danger; on which a new remedy rose to meet it, the idea of an inner self, or, in other words, of concealment. She puzzled out with imperfect signs, but with a prodigious spirit, that she had been a centre of hatred and a messenger of insult, and that everything was bad because she had been employed to make it so. Her parted lips locked themselves with determination to be employed no longer. (13)

이혼한 부모 사이를 오가며 아이다와 빌이 서로에게 드러내는 증오심 가득한 말들을 전달하는 메이지는 처음에는 자신이 부모에게 사랑의 메시지를 전달하는 전령이라도 된 듯한 착각을 했을 것이다. 하지만 그녀는 시간의 경과에 따라 자신이 앵무새처럼 전하는 말들로 인해 빌과 아이다의 사이가 더욱 악화되는 것을 감지하고 당혹감을 느낀다. 결국 메이지는 자신이 사랑의 전령이 아닌 "모욕의 전령"이었으며, 자신이 증오의 한복판에 서 있음을 깨닫는다. 무엇보다도 부모의 관계를 악화시키는 데에 자신이 가담한 점이 크게 작용했음을 깨달은 메이지는 내면의 의식으로부터 떠오르는 생각에 주목한다. 마치 "어둑어둑한 선반 위의 뻣뻣한 인형들이 팔과 다리를 움직이기 시작"하듯이 메이지의 의식이 발아를 시작하여 자신이 전달했던 말들에 대한 분별력을 갖기 시작한다. 곧 언어가 내포한 정확한 의미들과 그 언어가 표현되는 방식과 상황에 따라 새로운 의미가 산출될 수 있다는 것에 대한 막연한 인식을 갖기 시작한 것이다. 메이지는 이제 자신의 내면에서 새롭게 꿈틀거리는 자아를 들여다보기 시작하고 그것을 통해 주위의 외적인 요소들에 대해 점차적으로 자신만의 해독법을 터득하기 시작한다.

자신이 전한 말들이 가진 위험성을 인식하기 시작한 메이지는 "모욕의 전령" 역할을 중단할 것을 결심한다. 그리고 메이지의 부모가 자신을 통해 전달되기를 원하는 "모든 것을 잊어버리고 그 어떤 것도 반복하지 않을 것"(13)을 다짐한다. 전달자로서의 사명을 거부한 메이지는 빌과 아이다로부터 "어리석은 멍청이라고 불리기 시작하고, 더불어 [메이지는 새로운 기쁨을 맛보기 시작한다"(13). 자신의 역할을 포기함으로써 어린 딸을 도구로 서로를 경멸하며 즐겼던 빌과 아이다의 "재미를 망쳐버리지만 사실상 메이지 자신의 즐거움은 더해갔다"(13). 말하기를 거부하고 스스로 "숨기기"라는 치료법을 발견한 메이지는 "많은 것들을 보았다, 아니 너무 많은 것들을 보았다"(13). 결국, 메이지는 자신을 보호하기 위해 나이 어린 소녀답게 말하지 않고 "숨기기", 곧 "침묵하기"라는 은밀한 방어 기제를 선택함으로써 어른들이 유발하는 혼란스러운 상황들로부터 거리를 두고 관찰할 수 있는 권한을 부여받는다. 그로 인해 과거에 보지 못했던 더 많은 것들을 볼 수 있게 된다.

빌은 메이지의 가정교사인 오버모어 양에게 "나는 내 딸을 구할 수 있게 도와줄 것을 간청할 사람으로 당신을 주목해왔소"(15)라고 말한다. 통찰력 있는 독자는 빌의 말을 통해서 그와 가정교사의 관계가 남녀 간의 애정 관계로 발전하고 있음을 추측할 수 있다. 하지만 어린 메이지는 단지 자신이 좋아하는 가정교사가 자신을 구해줄 존재이고, 자신이 하는 일은 "그들을 서로 착 달라붙어 있게 만드는 것"(15)이라고 생각한다. 그래서 메이지는 빌과의 체류를 끝내고 아이다의 집으로 옮겨 갈 때 오버모어 양이 동행할 것을 당연시 여겨 엄마의 화를 자극한다.

"당연히 오버모어 양이 너랑 같이 안 간다는 것을 알잖아."

메이지는 완전히 풀이 죽었다. "아, 전 그녀가 같이 갈 것이라고 생각했어요."

"알잖아, 네가 생각하는 것 따위는 아무런 상관이 없다는 것을."

패랜지 부인은 큰 소리로 답했다. "그리고 너 말이야, 앞날을 위해서 말이지, 네 생각 따위는 [말하지 말고 혼자서 간직하는 것을 좀 배우는 게 낫겠어." 이 점은 정확하게 메이지가 이미 터득한 것이며, 메이지 엄마가 노여워진 원인은 바로 그것[메이지의 침묵]을 얻어내려는 것 때문이었다.

'You understand, of course, that she's not going with you.'

Maisie turned quite faint. 'Oh, I thought she was.'

'It doesn't in the least matter, you know, what you think,'

Mrs. Farange loudly replied; 'and you had better indeed for the future, miss, learn to keep your thoughts to yourself.' This was exactly what Maisie had already learned, and the accomplishment was just the source of her mother's irritation. (16)

오버모어 양과 빌 사이에 형성되는 관계를 짐작할 수 없는 메이지와는 달리 아이다는 그들이 연인 관계로 발전하고 있음을 감지한다. 그런 이유에서 아이다는 메이지가 가정교사와의 동행을 당연한 것으로 여기는 것에 대해 과도하게 날카로운 반응을 보이며 어린 딸에게 자신의 생각을 함부로 말하지 말라고 경고한다. 물론 메이지는 불가해한 현실에 적응하는 자신만의 수단으로 "말하지 않기"를 선택해 이미 익숙해진 상태였다. 빌의 집에 머무는 동안 일어난 일들에 대해 아이다에게 자세한 언급을 회피하고 침묵하는 메이지의 태도는 아이다를 더욱 초조하게 만든다. 결국, 메이지의 "말하지 않기"는 "어른들을 심리하는 비평적인 방식"(16)이 되어 어린 소녀가 자신을 부당하게 대하는 어른들에게 저항하는 기능을 한다.

침묵을 수단으로 자신에게 가해질 위협의 가능성을 미연에 차단함과 동시에 자신을 강압하는 주위의 성인들에게 저항하는 메이지의 모습은 『워싱턴 스퀘어』(*Washington Square*)의 캐서린(Catherine)과 겹친다. 캐서린 또한 그녀를 둘러싼 어른들이 강요하는 관념들에 대해 수용하기를 보류하고 침묵을 선택한다. 캐서린과 메이지는 모두 남성 중심의 사회에서 타자에 속하는 여성이라는 점과 외부의 위협으로부터 자신을 보호하기 위한 수단으로 침묵을 선택하는 점에서 유사성을 갖는다. 곧 두 여주인공은 사회적 규범의 한 형태인 언어의 체계 안으로 완전하게 흡수되는 것을 거부하고 비언어적 형태인 침묵을 부분적으로 선택한다. 그들에게 강요되는 현실은 수용할 수 없거나 이해하기 어려운 것이기 때문에 그들은 잠정적인 수단으로써 침묵이라는 기제를 취한다고 분석할 수 있다. 이러한 경험을 통해 "침묵은 메이지의 의식을 구성하는 가장 큰 요소 중의 하나가 되었다"(33). 성장 과정에서 침묵을 선택하는 메이지는 규범적인 어른들의 세계로의 진입을 의미하는 과정인 "언어가 갖는 형식과 기호 체계를 습득하는 것만큼이나 그것에 저항하는 모습으로 그려진다"(Bell 244).

어린 메이지에게 있어 어른들의 세계는 "닫힌 문들이 줄지어 있는 길고 긴 복도와 같았다. 그리고 그녀는 그 문들을 두드리지 않은 것이 현명한 것임을 배웠었다"(26). 메이지가 저항의 도구로 습득한 침묵하기는 아이러니하게도 소녀에서 숙녀로 성장하는 과정에서 사회적 규범이 요구하는 "숙녀다움"과도 맞물린다. 메이지는 어머니와 재혼한 클로드 경과 아버지와 재혼한 빌 부인의 사이에서 형성되는 묘한 관계를 인지한다. 하지만 그녀는 어머니의 집에서 머무는 동안 자신을 돌보는 가정교사인 윅스 부인이 빌 부인과 클로드 경과의 관계에 대해 물을 때 대답을 회피한다. 그리고 메이지는 스스로 "그것에 대해 말하지 않는 것이 그녀를 숙녀답게 했다"(82)고 생각한다. 그녀는 침묵하기와 함께 주변의 상황을 세심하게 관찰하는 능력을 얻었고 이를 통해 인지한 사실들을 쉽사리 발설하지 않는다. 왜냐하면, 메이지는 과거의 경험을 통해서 "질문이란 항상 부적절한 것이었고", "인내심 있게 잠시 침묵하는 것과 잠시 재치 있는 관찰을 하는 것은 보상이 된다는 것"(120)을 배웠기 때문이다.

클로드 경과 메이지가 켄싱턴 가든(Kensington Gardens)을 산책하던 중에 브뤼셀(Brussels)에서 열리는 당구대회에 가 있어야 할 아이다가 낯선 남자와 함께 있는 것을 발견한다. 어머니의 새 애인인 낯선 남자인 "대령"(The Captain)과 단둘이 함께 할 시간을 갖게 된 메이지는 그로부터 지금까지 그 누구에게도 듣지 못했던 아이다에 대한 칭찬을 듣고 억눌렸던 감정을 분출하며 눈물을 쏟아낸다. 이 순간 메이지는 자신에게 무책임한 엄마인 아이다에게 딸로서 변하지 않는 사랑을 간직한 순수함을 보여준다. 그리고 어린 소녀는 대령에게 아이다가 만났던 다른 애인들처럼 그녀를 "단지 잠깐 동안만이 아니라", "항상 사랑해 줄 것"(116)을 간청한다. 어린 딸에게 엄마로서 당연한 기본적인 사랑의 의무마저도 포기한 비인격적인 아이다에게 너무도 절대적인 사랑을 보여주는 메이지의 태도에는 어른들의 세계의 기저에 깔린 논리적인 계산법 따위는 존재하지 않는다. 이 지점에서 제임스가 신중하게 선택한 순수한 여자아이의 시선을 중심으로 한 서사적 장치가 그 가치를 발한다.

대령과 헤어지고 돌아온 메이지에게 클로드 경은 그들 사이에서 오갔던 대화에 대해 조바심을 드러내며 묻는다.

> "그래 그 짐승 같은 놈이 아무 말도 안 했어?" 그들은 호수를 따라 내려가며 빨리 걷고 있었다.
> "뭐, 별말이 없었어요."

"그가 네 엄마에 대해 말을 안 했단 말이야?"

"아, 네, 아주 조금요!"

"자, 내가 묻는 건 그가 네 엄마에 대해 어떻게 말했냐는 거야." 그녀가 잠시 침묵하자 그는 안달이 나서 계속해서 물었다. "내가 무슨 말 하고 있는지 알잖아. 내 말 안 들려?"

이 질문에 그녀는 말을 꺼냈다. "음, 제가 그다지 그에게 관심을 쏟지 않았었나 봐요."

'Then didn't the beast say anything?' They had got down by the lake and were walking fast.

'Well, not very much.'

'He didn't speak of your mother?'

'Oh yes, a little!'

'Then, what I ask you, please, is how?' She was silent a minute—so long that he presently went on: 'I say, you know—don't you hear me?'

At this she produced: 'Well, I'm afraid I didn't attend to him very much.'

(116-17)

메이지는 클로드 경에게 대령과 아이다에 대해 나누었던 이야기에 대해 말하기를 거부한다. 왜냐하면, 클로드 경과 아이다의 격한 말다툼으로 메이지에게 "어린 날의 공포"(116)가 다시 환기되었기 때문이다. 아이다와 빌에게 어린 시절 자신이 전했던 말들이 만들어낸 공포스러웠던 순간들로부터 얻은 지혜가 메이지로 하여금 클로드 경의 물음에 침묵하게 한 것이다. 담담하고 침착한 태도를 보이는 메이지와는 달리 클로드 경은 불편한 심경을 거칠게 표출하며 메이지에게 작별 인사조차 건네지 않고, 그녀를 홀로 마차에 태워 보낸다. 하지만 분별력 없는 어른들보다 한층 더 고양된 의식을 갖기 시작한 메이지는 클로드 경의 불쾌한 태도에도 "그에 대한 자신의 사랑이 조금도 손상되지 않음"(117)을 스스로 확인한다. 메이지가 아이다에 대한 대령의 사랑에 감동한 나머지 자신의 감정을 드러내고 기쁨과 안도의 눈물을 흘렸다는 사실을 은폐하는 것은 자신에 대한 클로드 경의 애정을 유지하기 위한 그녀만의 은밀한 술책이다. 때문에, 그녀는 자신에게 언짢게 대하는 클로드 경의 행동에도 크게 동요되지 않고 은폐하기를 통해 "달콤한 성공의 기분"(117)을 만끽한다. 어른들의 강압으로 시작된 메이지의 침묵은 그녀가 삶을 살아가는 데 있어 자신을 지키는 보호장치의 기능과 동시에 세상에 대한 분별력을 더욱 성장시킬 수 있는 동기로 작용한다.

IV. 소녀에서 숙녀로

어린 메이지는 자신을 둘러싸고 일어나는 사건들에 대해 정확한 인식이 불가능하지만, 침묵하며 주위를 주의 깊게 관찰해 얻은 능력으로 조금씩 자신만의 분별력을 획득해간다. 나이 어린 그녀는 아버지 빌의 집에 가정교사로 온 오버모어 양과 가정부 모들(Moddle)의 차별성을 식별해내지 못한다. 하지만 그녀만의 재능인 세심한 관찰을 통해 가정교사와 가정부 사이의 직업적 차이점을 점차적으로 구분하기 시작한다. 오버모어 양은 모들이 항상 입는 "앞치마를 결코 입지 않았으며", "그녀는 음식을 먹을 때 새끼손가락을 구부리고 포크를 잡는다"(14)는 것을 구별해낸다. 메이지는 자신의 첫 가정교사의 멋진 식사 예법을 바라보며 "사랑스러운 엄마조차도 그런 멋진 방식으로 포크를 쥐지 않는다"(14)고 생각한다. 오버모어 양의 행동을 매 순간 유심히 지켜보던 메이지는 "저는요 [선생님]이 굉장히 예쁘다고 생각해요"(14)라고 자주 말한다. 이와 같은 메이지의 반응은 그녀의 인지력이 자신이 일상에서 마주하는 여성들을 동일 선상에 놓고 비교하는 능력으로까지 발전했음을 보여준다. 무엇보다도 메이지가 가정교사를 자신에게 절대적인 존재인 엄마와 비교하는 점은 오버모어 양이 엄마인 아이다의 위치를 대신할 수 있는 존재로 의식하기 시작했음에 대한 증거이다.

아이다는 얼마 지나지 않아 재혼한 클로드 경과도 사이가 소원해지고, 여러 남자를 만나면서 딸의 양육에 더욱 관심을 기울이지 않는다. 오버모어 양조차도 빌과 재혼한 후에는 메이지에게 무신경해지고 아이다와 다를 바가 없는 인물로 전락한다. 부모가 부재한 것과 다름없는 메이지에게 부모 역할을 대신하는 존재는 윅스 부인과 클로드 경이다. 윅스 부인은 메이지를 죽은 자신의 딸과 동일시하며 딸처럼 사랑해준다. 그녀는 메이지가 경험하지 못했던 모성의 따뜻함을 처음으로 느끼게 해준 인물이다. 어린 메이지는 윅스 부인에게서 "오버모어 양에게도 없으며, 엄마에게는 더욱 없는 이상스럽고 혼란스럽게 느껴지는 그 어떤 것"(20)을 느낀다. 다시 말해, 메이지는 단 한 번도 받아 보지 못했던 모성을 윅스 부인을 통해 막연하게 인지하기 시작한 것이다. 이윽고 메이지는 윅스 부인을 "아빠나 엄마보다도, 이 세상 그 누구보다도 안전한"(21) 인물로 생각하기에 이른다. 즉, 메이지는 처음으로 사랑을 기반한 인간관계를 경험하고 그것이 주는 안정감을 인식하기 시작한 것이다.

자신이 읽은 책들에 기반해 지나치게 낭만적인 성향에 치우친 윅스 부인의 내면은 비현실적이고 상투적인 생각들로 가득할 뿐만 아니라 편협하고 경화된 도덕성에 사로잡혀있다. 클로드 경에게 맹신적인 경외감을 갖고서 그를 도덕적으로 지나치게 높게 평가하는 "윅스 부인의 의식은 문학 속의 줄거리와 인물 묘사에서 쓰이는 진부한 개념들로 가득 채워져 있다"(Bell 246). 윅스 부인이 왜곡된 렌즈로 클로드 경을 로맨틱한 허구적 인물에 투영시켜 바라보는 것은 『워싱턴 스퀘어』에 등장하는 페니먼 부인(Mrs. Penniman)의 모리스 타운센드(Morris Townsend)에 대한 멜로드라마적이고 감상적인 표현들과 포개진다. 윅스 부인과 페니먼 부인은 메이지와 캐서린에게 자신들이 가공한 허상으로 구성한 관념들을 지속해서 두 여주인공에게 제공한다는 점에서도 궤를 같이하는 인물들이다. 윅스 부인이 사용하는 실체 없는 낭만적인 표현의 언어들은 거름망 없이 메이지에게 전달되고, 그녀[메이지]는 그것들을 통해 클로드 경에 대한 이미지를 구성한다. 결국 가정교사 윅스 부인의 충실한 학생인 메이지에게 있어 "클로드 경은 아버지를 대신한 존재인 동시에 메이지의 삶에 로맨스를 불어 넣어주는 매력적인 왕자님"(Gargano 228)과 같은 이중의 역할을 담당하는 인물로 자리하게 된다.

제임스가 윅스 부인을 그리는 방식은 꽤나 흥미롭게 모순적인데, 이 지점은 납덩이처럼 무겁고 흐릿한 색조의 분위기를 지닌 이 소설에서 희극적인 요소를 제공한다. 도덕성이 부재한 인물들로 가득한 이 소설에서 제임스가 유일하게 도덕성을 대변하는 인물로 윅스 부인을 내세우지만, 작가는 그녀를 유약하고 여성 편력이 강한 클로드 경에 대해 맹목적인 경외심을 갖는 우스꽝스러운 존재로 설정해 의도적으로 그녀의 고상한 도덕성을 오염시킨다. 물론 윅스 부인이 가진 도덕적 편협성과 클로드 경의 여성에 대한 편력이 부인할 수 없는 사실이지만, 그들은 메이지에게 부모의 빈자리를 충실히 채워 준 인물임이 분명하고, 메이지 또한 자신의 생물학적 부모보다도 그들을 더욱 믿고 의지한다.

클로드 경은 메이지와 함께 공원을 산책하거나 갤러리에서 시간을 보내며 의붓아버지로서의 역할을 충실히 행한다. 아이다는 메이지와 단둘이 산책하는 클로드 경을 향해 "내 딸이랑 뭘 하고 있는 거야?"라고 따져 묻는다. 아이다의 "분노에 찬 어조"에서 메이지는 "지금껏 느꼈던 것과는 사뭇 다른 느낌을 감지한다"(107). 아이다가 그녀와 동행하고 있는 대령을 가리키며 메이지에게 "저 신사에게 당장 가 있어"라고 말하자, 클로드는 "안돼, 그래서는 안 되지. 그녀는 내 것이야"라며 메이지를 끌어 붙잡는다 (107). 아이다와 클로드 경의 대화를 통해 메이지에 대한 클로드 경의 모호한 감정이 드러나고, 아이다 또한 그것을 인지하고 있는 탓에 분노를 격하게 드러내는 것이다. 메이지가 무의식중에 클로드 경에게 아버지와 매력적인 왕자님을 겹쳐 투영하듯이, 클로드 경 또한 메이지에게 사랑스러운 딸과 애인으로서의 모호한 감정을 동시에 갖고 있음이 본격적으로 누설되기 시작하는 지점이다. 하지만 숙녀로 성장 중인 메이지는 아이다가 클로드 경에게 격분하는 진짜 이유를 예측하지 못할 뿐만 아니라, 자신이 클로드 경에게 갖는 감정의 정확한 정체를 완전하게 인식하지는 못한다.

아버지 빌이 그의 새로운 여자인 백작 부인(The Countess)과 미국으로 떠날 계획을 알리며 메이지에게 동행할 것을 제안한다. 하지만 메이지의 인식 능력은 빌의 제안 이면에 숨겨진 진실을 헤아릴 만큼 성장한 탓에 그의 제안을 거절한다. 그녀는 빌과의 대화를 통해 아버지로서의 책임을 클로드 경에게 떠넘기는 무책임함을 읽어내고, "이것이 그들의 영원한 이별"(138)임을 감지한다. 이어서 아이다 또한 자신이 메이지를 위해 가진 모든 것을 쏟아부어 더 이상은 견딜 수 없어 영국을 떠날 것이라고 말한다. 여러 남성들과 만남과 헤어짐을 반복하면서 극도로 신경이 쇠약해진 아이다의 모습에서 메이지는 "광기와 황폐함, 파멸과 암흑 그리고 죽음을 보았다"(165). 제임스는 메이지가 자신에게 애정을 기울이지 않는 무책임한 생물학적인 부모를 버리고 클로드 경을 선택하는 것으로 혈연에 의해 형성된 부모와 자식의 관계가 지닌 고정된 관념을 해체한다. 메이지에게 있어 부모란 선택적 존재이지 혈연을 기반으로 한 숙명적인 존재가 더 이상 아니며, 가족 또한 상황에 따라 주형 가능한 대상이 된다. 전통적인 관념과는 거리가 있는 메이지의 선택에서 가족이라는 사회적 공동체에 대한 제임스의 관점을, 더 나아가 전통적 가치관이 강요하는 도덕성에 대한 그의 견지를 엿볼 수 있다.

아이다와 헤어진 클로드 경은 메이지와 함께 프랑스의 서북쪽에 위치한 항구 도시 불로뉴(Boulogne)로 떠나고, 뒤이어 윅스 부인과 빌 부인(오버모에도 각각 그들을 뒤따른다. 빌 부인은 메이지에게 클로드 경과 결혼하기 위해 "그녀[메이지]의 아버지와 이혼"(223)하고 메이지와 함께 가정을 이룰 것이라고 말한다. 하지만 윅스 부인은 부도덕한 빌 부인과 클로드 경이 가정을 이루는 것은 죄를 짓는 행위이기 때문에 클로드 경에게서 빌 부인을 제거해야만 한다고 메이지에게 호소한다. 어린 시절의 메이지는 클로드 경과 빌 부인이 자신을 매개체로 서로 만났음에 기뻐했다. 하지만 이제 그녀는 빌 부인과 클로드 경의 실체를 명확히 파악하고 자신의 미래를 위한 운명적 결정을 할 때가 임박했음을 인식하기에 이른다. 아이다와의 관계를 정리하기 위해 런던에 잠시 다녀온 클로드에게 메이지가 빌 부인을 만나 함께 있었느냐고 묻지만 그는 부인한다. 이에 클로드 경의 표현대로 "똑똑하게 성장한"(235) 메이지는 "그가 진실을 말하지 않고 있다는 가장 희박하고도 순수하며 싸늘한 확신"(234)을 가지고 집요하게 묻는다. 이를 통해 메이지는 클로드 경이 "이상할 정도로 다양한 특질을 가졌다"(238)라는 윅스 부인의 말을 상기하며 그의 얼굴과 태도에서 전과는 다른 "차이"(238)를 감지한다. 그리고 지나치게 초조함을 내보이는 클로드 경의 태도는 메이지에게 지난날의 공포를 환기시킨다.

불안한 기색이 역력한 클로드 경이 윅스 부인을 내보내고 빌 부인과 셋이서 살 것을 메이지에게 제안한다. 클로드 경의 질문에 대한 답을 보류한 메이지는 그와 함께 런던에서 항상 그랬던 것처럼 "가게의 진열창을 구경하고 빈둥대며"(249) 걷다가 우연히 기차역에 다다른다. 파리행 기차를 발견한 메이지는 클로드 경에게 갑작스러운 요구를 한다.

"우리 같이 [파리에] 가면 좋겠어요. 저를 데려가 주실래요?"
그는 계속해서 미소지었다. "진짜로 가고 싶은 거야?"
"네, 그래요. 그렇게 해봐요."
"내가 기차표를 사기를 원한단 말이냐?"
"네, 표를 사세요."
"여행 짐도 안 챙기고 말이야?"
그녀는 그가 그녀에게 미소를 지은 것처럼 그에게 미소 지으며 자기들 두 사람의 양팔 가득 아름을 펴 보여주었다. 하지만 그녀는 이제까지 그 어느 때보다 자신이 두려움에 떨고 있다는 것을 의식했다. [. . .] 그도 그녀만큼이나 두려워하고 있었다.

'I wish we could go. Won't you take me?'
He continued to smile. 'Would you really come?'
'Oh yes, oh yes. Try.'
'Do you want me to take our tickets?'
'Yes, take them.'
'Without any luggage?'
She showed their two armfuls, smiling at him as he smiled at her, but so conscious of being more frightened than she had ever been in her life [. . .] he was as frightened as herself. (251)

메이지는 클로드 경의 진심을 확인하고자 파리로 당장 떠나자고 요청한다. 꽤나 충동적으로 보이는 메이지의 요청은 그녀가 클로드 경과 말없이 오랜 시간을 배회하면서 고민하고 내린 결과의 표현이다. 어린 시절의 메이지는 자신을 통해서 아버지 빌과 오버모어 양이 맺어졌듯이 클로드 경과 빌 부인의 관계 또한 자신이 연결해준 것이라며 기뻐했다. 하지만 작은 숙녀로 성장한 메이지는 그 둘의 결합이 지닌 부도덕성을 인지하기 시작했고 자신이 기대했던 가족 구성에 대해 고쳐 생각하게 된 것이다. 그리고 클로드 경에게 빌 부인을 정리하면 자신도 윅스 부인과 헤어지고 클로드 경과 함께 떠나겠다는 조건을 제시한다. 메이지는 그에게 "명확한 서약을 요구하는 조건을 내보이고 더 나아가 미래에 갖게 될 관계에 대한 기준으로서 상호적 관계를 강력하게 요구하는 것"(Habegger 97)이다. 이 조건의 제시는 메이지가 클로드 경과의 관계 구도에서 자신을 딸이 아닌 연인의 위치로 재정립했음을 넌지시 표명하는 것이다. 육체적으로나 정신적으로 더는 어린아이가 아닌 메이지는 이제 침묵하기를 멈추고 자신의 의견을 언어로 분명하게 표현하기에 이르렀다. 이전에 명확하게 이해하지 못했던 어른들의 수사학적 표현들과 모호한 말들에 은폐된 기만성을 이제는 정확하게 꿰뚫을 만큼 메이지의 의식이 성장했음을 의미한다.

메이지가 내놓은 당돌한 조건에 당황하는 클로드 경의 모습에서 "그녀는 그가 얼마나 구제할 길 없이 두려워하는지를 보았고 윅스 부인이 옳았다"(252)는 것을 깨닫는다. 이 소설에서 가장 인상적인 장면 중의 하나로 손꼽을 수 있는 이 순간은 지나친 우유부단함과 기만으로 오염된 클로드 경의 본성이 드러나고, 허울 좋은 그의 매력이 완전하게 박탈당하는 극적인 지점이다. 클로드 경에 대한 메이지의 환상이 철저하게 깨지는 이 순간은 메이지의 "어린 시절의 종말"을 의미한다. 결국, 소설의 결말에서 메이지는 윅스 부인과 단둘이서 영국행 배에 오른다. "그는 그곳에 없었어요"(264)라는 메이지의 말에 윅스 부인은 클로드가 "발코니에 없었단 말이야?"(265)라고 되물으며 빌 부인에게로 간 것이라고 덧붙인다. 여기서 메이지가 말하는 "그곳"은 윅스 부인의 표현대로 발코니를 의미하기도 하지만 메이지가 이상화했던 미래의 공간에 그녀의 기대와는 달리 클로드 경이 부재했음을 의미한다고 중의적으로 해석할 수 있다. 클로드 경은 빌 부인의 성적인 지배력보다 메이지의 단순하지만 대담한 용기에 더욱 두려움을 느끼고 우유부단함을 피할 수 없다는 자신의 기묘한 삶의 법칙을 받아들여 빌 부인을 선택한 것이다(Gargano 234). 그리고 메이지는 클로드 경 스스로가 자신의 운명을 알고 있음을 분명히 알고 있기에 "저는 알아요"(265)라고 말한 것이다.

메이지가 클로드 경을 선택하지 않고 도덕성을 중시하는 윅스 부인을 선택한 것에 대해서는 의식 성장의 결과물이라는 분석이 주를 이룬다. 하지만 클로드 경에 대한 낭만적인 환상이 윅스 부인에 의해 주형된 것임을 깨달은 메이지가 이성적 분별력이 결핍된 윅스 부인을 의지하는 것으로 보는 해석은 무리가 있다. 자신을 도구 삼아 클로드 경과 결혼하려는 빌 부인의 의도를 간파한 메이지는 빌 부인의 계획을 윅스 부인에게 전한다. 빌 부인을 받아들일 거냐고 묻는 윅스 부인의 질문에 메이지는 "오직 그이거나 아무나요"(226)라고 답한다. 이에 윅스 부인이 "나조차도 안된다고?"라며 소리 높여 되묻자, "부인은 아무나에 속해요"(226)라고 답한다. 메이지는 빌 부인을 배제하고 오직 클로드 경만을 선택하겠다는 의지를 표명하는 것이며, 윅스 부인은 그녀에게 아무런 존재적 가치가 없는 "아무나"임을 명확하게 정의하는 것이다. 메이지가 윅스 부인을 "아무나"의 범주에 포함시켜 호명함으로써 부인의 허울 좋은 가치들은 그 광채를 잃고 만다. 의식적으로 한층 성숙한 메이지는 더 이상 윅스 부인에게 의존하지 않을 뿐더러, "그녀는 누구도 자신을 가르칠 수 없게 할 그녀만의 이상을 구축하고 스스로를 보호할 것이다"(Jaffers 166). 제임스는 이 소설의 결말을 열린 상태로 구성함으로써 메이지의 마지막 선택과 "메이지가 안 것"에 대한 독자들의 호기심을 불러일으킨다. 웍스 부인과 떠나는 메이지의 앞날에는 예측불허의 삶이 기다리고 있지만, 그녀는 스스로의 의지에 의해 결정한 용기 있는 선택을 통해서 두려움에 맞서는 결연한 모습을 보여준다. 메이지의 선택은 『여인의 초상』(*The Portrait of a Lady*)의 이사벨(Isabel)의 마지막 선택과 중첩되면서 열린 결말과 함께 그들의 마지막 선택에 담긴 함축에 대해 끝없는 논쟁거리를 제공한다.

V. 여자아이, 침묵 그리고 인식의 성장

헨리 제임스는 『메이지가 안 것』을 통해서 지식을 언어의 형태로 전환시켜 표현하는 어른들의 시선이 아닌 감수성이 풍부한 여자아이의 시선으로 인지되는 세상이 더 근원적이고 순수함을 함축한 세계임을 보여준다. 그리고 "인내심 많은 작은 여자아이는 스스로가 이해한 것보다 더 많은 것들을 보았을 뿐만 아니라 다른 어느 아이가 인지하는 것보다 훨씬 더 많은 것들을 인지했다"(8). 어린 메이지는 어른들의 수사학적 표현들을 이해할 능력은 부족했지만 "인식의 사탕 가게의 견고한 유리창에 그녀의 코를 납작하게 대고"(103) 주위를 관찰하면서 자신만의 이해 방식을 형성해갔다.

제임스는 언어 표현에 의존하는 어른들의 인식 양상과 본성적 감각과 침묵 속에서 세상을 지각하는 법을 배워가는 메이지와의 사이에 존재하는 현저한 인식 방법의 차이를 의도적으로 대비시킨다. 이로 인해 메이지의 어린아이다운 사고방식의 서술과 성숙한 독자 사이에는 틈이 생기고, 그 틈은 그녀가 알고 있는 어른들에 관한 지식을 말할 수 없게 만들어 독자는 종종 그것에 접근할 기회를 얻지 못한다. 이 소설은 제임스가 인식으로부터 언어를 분리하는 작업을 통해 얻은 지식이 더욱 근원적이고 순수한 것임을 함축한다. 그리고 그 지식은 메이지가 침묵을 통해 관찰해 얻어낸 지식이기도 하다. 메이지는 자신에게 주어진 혼란스러운 상황을 이해하는 방식으로 비언어적 형태인 침묵하기를 선택하고 더 많은 것들을 세심하게 관찰할 수 있게 된다. 언어는 규범화된 어른들의 세계를 구성하는 기본 요소이고, 그 세계는 언어가 가진 힘에 종속되어 있다. 주위의 강압으로 침묵을 강요받은 메이지는 자신을 방어하기 위한 수단으로 침묵을 선택한다. 이로 인해 그녀는 성장 과정에서 언어의 지배력으로부터 비켜나는 기회를 부여받고, 인식의 세계를 더욱 확장할 수 있게 된다. 더불어 메이지의 침묵은 언어체계에 익숙한 어른들에 대한 저항의 수단이 되기도 한다. 결과적으로 메이지가 선택한 침묵하기는 관습적인 시선을 지닌 어른들이 볼 수 없는 그 이상의 것을 볼 수 있는 능력을 그녀에게 허용한다. 그리고 그것을 통해 더 많은 것들을 보고 인지하게 된 메이지는 어른들이 예측할 수 없는 범위까지 의식의 성장을 확대해 나간다. 따라서 이 소설이 "가장 많이 논의되어 온 도덕적 쟁점이 아닌 인식과 열정 그리고 힘의 문제를 다룬다"(Yeazell 103)는 이젤의 분석은 설득력을 얻는다.

　제임스가 고안한 여자아이의 제한된 시점 안에서 메이지는 관습적 관념들과 거리를 두고 더욱 순수함을 간직한 채로 성장하면서, 독자로 하여금 인간의 본질에 대해 다시 생각하게 한다. 메이지의 침묵하기는 그녀의 인식이 성장하는 결정적인 자양분으로 작용했고, 고통스럽게 얻은 인식의 성장을 통해서 내린 마지막 선택은 충분한 권위를 갖는다. 비록 클로드 경의 유약함으로 그녀가 이상화했던 삶의 조건이 성립되지 못했지만 폴 암스트롱(Paul Armstrong)의 언급처럼 "자신 앞에 놓여 있는 가능성들의 한계를 진지하게 타진하고, 그 결과로 드러나는 것에 대해 과감하게 자신을 포기하고 감수하기로 함으로써 자신의 미래를 자유롭게 스스로 선택"(532)한 것이다. 웍스 부인이 추앙하는 도덕적 삶과 클로드 경과 빌 부인이 속한 부도덕한 세상과의 사이에는 런던과 불로뉴의 사이만큼이나 거리감이 존재하기 때문에 두 세계는 서로 공존할 수 없다. 두 세계 모두의 부적절성을 인식한 메이지는 결국 두 세계와 전혀 다른 세계를 스스로 구현하고 어린 시절의 공포로부터 자유로워질 것이다. 메이지가 영국과 프랑스 사이의 해협을 건너는 것은 그녀의 과거를 대변하는 클로드 경과 윅스 부인이 구성한 두 세계와의 결별을 의미하는 상징적 행위라고 분석할 수 있다. 메이지 앞에는 "이전과는 전혀 다른 가능성의 세계가 놓여 있게 되는 것이다"(Rowe 154). 결과적으로 메이지가 앞으로 자신의 삶을 구성할 "전혀 다른 세계"는 작가 제임스가 그려나갈 예술적 공간을 의미하기도 한다.

인용문헌

Armstrong, Paul. "How Maisie Knows: The Phenomenology of James's Moral Vision." *Texas Studies in Literature and Language* 20 (1978): 517-37.

Beach, Joseph Warren. *The Method of Henry James*. Philadelphia: Albert Saifer, 1954.

Bell, Mellicent. *Meaning in Henry James*. Cambridge: Harvard UP, 1993.

Edel, Leon. *The Life of Henry James*. Vol. II. Harmondsworth: Penguin, 1977.

Gargano, James W. "*What Maisie Knew*: The Evolution of a 'Moral Sense'." *Modern Judgements: Henry James*. Ed. Tony Tanner. London: Macmillan, 1968. 222-35.

Habegger, Alfred. "Henry James's Bildungsroman of the artist as queer moralist." *Enacting History in Henry James*. Ed. Gert Buelens. Cambridge: Cambridge UP, 1997. 93-108.

James, Henry. *What Maisie Knew*. Ed. Christopher Rick. London: Penguin, 2010.

Jeffers, Thomas L. "Maisie's Moral Sense: Finding Out for Herself." *Nineteenth-Century Fiction* 34.2 (1979): 154-72.

Mitchell, Juliet. "*What Maisie Knew*: The Portrait of the Artist as a Young Girl." *The Air of Reality: New Essays on Henry James*. Ed. John Goode. London: Methuen, 1972. 168-89.

Ricks, Christopher. "Introduction" in *What Maisie Knew*. Ed. Christopher Rick. London: Penguin, 2010.

Rowe, John Carlos. *The Other Henry James*. Durham: Duke UP, 1998.

Yeazell, Ruth Bernard. *Language and Knowledge in the Late Novels of Henry James*. Chicago: U Chicago P, 1976.

제8장

『나사못 조이기』:
모호성이 만든 다양성

● ● ● 백애경

I. 작품의 배경과 비평적 해석

『나사못 조이기』(*The Turn of the Screw*, 1898)는 비교적 짧은 중단편 소설에 속하지만, 이 "심심풀이"(an amusette, "The Preface" 128) 소설이 불러일으킨 다양한 해석과 비평은 매우 이례적인 것이었다. 비록 작가 자신은 이 소설을 "순수하고 단순한 동화"(a fairy-tale pure and simple, "The Preface" 126) 정도로 낮추어 표현했으나 이 공포 소설이 독자와 비평가들에게 불러일으킨 반향은 매우 컸다. 기존 제임스의 작품과는 달리 작품의 출간 직후 평단은 "가장 매혹적이고 무서운 유령 이야기 중 하나"(Hayes 303)라고 높이 평가했고 수많은 독자들이 찬사를 보냈다. 이처럼 『나사못 조이기』는 독자와 평단을 모두 사로잡은 많지 않은 소설 중 하나가 되었다.

이렇게 『나사못 조이기』가 많은 이들의 관심을 끌 수 있었던 근본적 원인은 작품의 모호성(ambiguity)에 있다. "그제임식는 모든 것들을 설명하지 않은 채 내버려 둔다"(Hayes 301)는 한 비평가의 말처럼, 이 소설에서 작가는 소설 속에 제시된 비밀들을 결코 명쾌하게 해결해 주지 않는다. 작품에서 논란의 핵심이 되는 유령의 존재 여부를 비롯하여 전 가정교사인 제셀(Miss Jessel)과 하인 피터 퀸트(Peter Quint)의 죽음의 원인, 어린 마일즈(Miles)가 퇴학을 당하게 된 이유 등 소설에서 일어나는 기괴한 사건들은 대부분 그 의혹이 풀리지 않은 채로 모호하게 마무리된다. 그러므로 독자들은 사건의 전모를 알고 싶어 하는 호기심에 사로잡혀 소설을 읽어나가지만 끝내 진실이 명확하게 밝혀지지 않는 상태로 남는다. 결국 소설 전체를 둘러싸고 있는 모호성은 이야기가 끝난 뒤에도 독자들이 여전히 미묘한 감정의 긴장 상태에 머물게 만들고 이 때문에 소설에 몰입하게 만드는 효과를 가져왔다.

뿐만 아니라 『나사못 조이기』에서의 모호성은 비평가들이 열띤 공방을 벌이는 요인이 되었다. 처음 이 소설이 출간되었을 때의 보편적인 해석은 이 소설을 선악이 극명하게 대비되는 이분법적 구조로 보는 것이었다. 이와 같은 관점을 전통적 해석으로 분류하는데, 이러한 해석을 추구하는 비평가들은 『나사못 이야기』 내용을 순진한 두 어린아이를 지키려는 가정교사(the governess)의 분투라고 보며 그녀의 노력이 이야기의 마지막에 이르러서는 성공을 거두는 것으로 여겼다. 이 같은 전통주의적 해석의 대표 주자인 로버트 하일먼(Robert Heilman)은 "구원, 초자연적인 현상, 완전 악"이야말로 이 소설의 중심적인 요소라고 본다(Heilman 444). 파긴(Bryllion N. Fagin)은 동일한 입장에서 『나사못 조이기』가 "선과 악 사이의 갈등을 극적으로 보여주는 알레고리"라고 주장하면서 유령과 같은 초자연적인 존재들을 악의 화신으로 규정한다(Fagin 200). 그러므로 전통주의적 관점에서 소설의 화자인 가정교사는 '정상'이며, 초자연적인 악에 대항하여 아이들을 지켜낼 "숭고한 구원자"로 볼 수 있다(Felman 98).

한편 1930년대에 이르러 에드먼드 윌슨(Edmund Wilson)와 같은 프로이트주의(Freudian) 비평가들은 기존의 해석을 뒤엎는 새로운 방식의 분석법을 제안했다. 이들은 프로이트의 심리학 이론에 근거하여 『나사못 조이기』를 다른 각도에서 해석하였는데, 이는 곧 작품을 둘러싼 격렬한 논쟁으로 이어졌다. 1924년 에드나 켄튼(Edna Kenton)이 처음 이러한 관점을 제시한 이후 이어서 에드먼드 윌슨이 프로이트식 해석법의 이론적 기틀을 다졌는데, 이들은 『나사못 조이기』의 기괴한 이야기를 신경증 환자의 사례(neurotic case)로 보고 가정교사의 억압된 성적 욕구가 존재하지 않는 유령의 환영(hallucination)을 만들어냈다고 주장한다. 특히 에드먼드 윌슨은 1934년 「헨리 제임스의 모호성」("The Ambiguity of Henry James")이라는 논문에서 본격적으로 프로이트식 해석을 제시하면서 프로이트 심리학 이론에서 강조하는 남근 상징물이 『나사못 조이기』 곳곳에 숨겨져 있으며 이 소설에 다수의 성적 은유가 존재한다고 주장했다(Wilson 104).

프로이트주의 비평가들의 주장은 한편으로 보기에는 설득력이 있어 보이며, 다층적이고 애매모호한 『나사못 조이기』라는 소설을 이해하기 쉽게 분석해 준다는 장점 때문에 많은 사람들의 주목을 끌었다. 그러나 다른 한편으로 이와 같은 관점은 전통주의적 해석을 주장하는 학자들의 비난의 대상이 되기도 했다. 하일먼은 윌슨이 시도하는 심리 분석적 접근을 "과학적 선입견"이라고 평가하고, 이러한 "선입견"은 적절한 상상력이 가져다주는 진실을 심각하게 왜곡시킬 수 있다고 경고했다(Heilman 444). 프로이트식 해석이 제기된 이후 학계는 거의 프로이트주의와 반프로이트주의 비평으로 양분되는 양상을 보이는데, 이는 『나사못 조이기』에 대한 활발한 논의로 이어졌다. 그러나 프로이트주의 관점에는 심리 분석적 접근으로도 설명이 불가능한 텍스트의 모순이 여전히 존재한다는 점과 지나치게 이론에 편향되어 남근 형상물이나 성적 은유에 집착하는 등 "프로크루스테스의 침대식 심리분석 이론"의 해석을 자아낼 수 있다(Guerin 126)는 한계가 있다.

　전통주의적 비평에 새로운 방향을 제시한 프로이트적 해석과 마찬가지로, 『나사못 조이기』를 다양한 각도에서 살피려는 시도는 끊이지 않았다. 벨(Millicent Bell)은 이 소설을 일종의 가정교사 소설(governess novel)로 보며, 억압당한 빅토리아 시대의 여성상으로서 가정교사를 분석한다(Bell 95). 또한 빅토리아조의 사회·경제적 상황에 주목하여 제셀 양의 죽음이나 마일즈의 퇴학을 설명하고, 가정교사의 성뿐만 아니라 계급적 억압에 대해서도 고려하였다. 다른 한편으로는 작가의 자전적 요소를 소설에 투영하여 읽어내려는 시도도 있었다. 카질(Oscar Cargill)은 제임스의 여동생인 앨리스 제임스(Alice James)와 이 소설의 연관성을 연구하면서, 작가가 자신의 개인적인 경험을 소설의 소재로 활용하고 이를 은폐했을 가능성을 제시한다(Cargill 248-49). 더 나아가 펠먼(Shoshana Felman)과 같은 비평가들은 1930년대 전통주의와 프로이트주의의 날 선 공방에서 탈피해 '프로이트주의'식 해석 자체가 재정립되어야 할 필요성을 제시하고 양 이론의 대립 구도에서 벗어나고자 한다. 이 밖에도 로버트 마틴(Robert K. Martin)은 포스트식민주의 관점에서 작품을 해석하려고 시도하는 등(Martin 404) 다양한 이론적 논의가 활발히 이루어지고 있다.

　앞서 살펴본 『나사못 조이기』에 대한 풍부한 해석과 논의는 작품이 제공할 수 있는 해석의 폭이 그만큼 넓음을 반증한다. 다시 말해, 이 소설이 다양한 해석의 여지를 제공한다는 것이며 이러한 '해석의 여지'는 바로 소설의 모호성에서 비롯된 것이다. 많은 연구자들이 지적하듯이 모호성은 헨리 제임스 소설의 중요한 특징 중 하나이다(Cannon 100; Heilman 441;

Rowe 120). 펠먼이 주목하는 바와 같이, 제임스는 소설에서 다양한 의미를 끊임없이 재생산해낼 수 있게 하는 자양분인 모호성을 강조하고 반면에 문자 그대로 명백하게 표현해 내는 것(literal)을 "저속하게"(vulgar) 여겼다 (Felman 107). 그러므로 그는 작품에서 다양한 기법과 장치를 통하여 모호성을 가중시키고 이를 통해 이야기가 지니는 의미를 보다 더 풍부하게 하고자 노력했다.

따라서 이 글에서는 『나사못 조이기』에서의 모호성이 작품을 읽는 다양한 길을 열어준다고 보고 이를 분석하고자 한다. 이를 위하여 먼저 소설의 구조와 이야기를 진술하는 화자들을 살펴본다. 대부분의 이야기를 기록한 화자인 가정교사는 『나사못 조이기』에서 모호성의 중심에 선 인물로서 이 화자를 어떻게 바라보느냐에 따라 심리주의적 해석이 될 수도, 전통주의적 견해가 될 수도 있다. 따라서 주요 등장인물인 가정교사의 성격을 분석하고 신뢰할 수 없는 화자로서 가정교사의 진술과 긴밀하게 연결되어 있는 유령의 존재 여부에 대한 논란을 함께 살펴본다. 이어서는 소설에서 주로 사용되는 제한적인 1인칭 화자 시점에 대해 살펴본다. 『나사못 조이기』에서는 주로 제한적 1인칭 시점으로 사건을 기술하는데, 이러한 제한적 시점은 부분적인 정보만을 독자에게 전달하고 나머지 정보는 차단한다. 이로써 독자는 파편적인 이야기를 종합하여 전체의 이미지를 상상하여 재구성하는 과정을 거치게 되고, 이 과정에서 다양한 해석을 양산한다. 뿐만 아니라 제임스는 말하기 기법(telling)을 지양하고 보여주기 기법 (showing)을 활용하여 주어진 상황을 언어로 설명하기보다는 극의 한 장면처럼 보여줌으로써 장면에 대한 판독의 권한을 독자에게 넘긴다. 작가가 사용하는 이러한 기법들은 해석의 폭을 넓힘과 동시에 서술의 모호함을 더하는 역할을 하므로 『나사못 조이기』에서 모호성을 더하는 여러 장치들을 살펴보는 것은 소설에 대한 이해를 돕게 될 것이다.

II. 작품의 구조와 화자들

제임스는 『나사못 조이기』 뉴욕판 서문에서 캔터베리 대주교 에드워드 벤슨(Edward White Benson)의 오래된 저택에서 들었던 짤막한 유령 이야기가 이 소설의 출발점이 되었다고 언급한다(Wolff 3). 외딴곳에서 살고 있는 어린이들을 사로잡으려고 시도하는 악한 하인들의 유령에 대한 이 단편적인 이야기는 그에게 깊은 인상을 남겼고, 몇 년 후 그는 이것을 바탕으로 소설을 쓰기 시작했다. 제임스 자신이 서문에서 이야기하듯 그가 벤슨으로부터 처음 전해 들었던 이야기는 "단지 그림자의 그림자"에 불과할 정도로 불투명했지만, 모호성을 중요시 여기는 작가에게 그것은 더할 나위 없이 훌륭한 작품의 원석이었다("The Preface" 127). 심지어 그는 이것에 티끌만큼만 더해져도 그 미묘한 균형을 잃을 것(but another grain, [. . .] would have spoiled the precious pinch, "The Preface" 127)으로 보았다.

작가가 이 소설의 핵심 이야기를 다른 사람으로부터 전해 들은 것과 마찬가지로 『나사못 조이기』의 중심 이야기 또한 여러 사람들을 거쳐 독자에게 전달된다. 어느 겨울밤 오래된 저택의 난롯가에 모여 앉은 사람들은 저마다 하나씩 유령 이야기를 꺼내고, 그중 한 사람인 더글라스(Douglas)는 여태껏 아무도 들어보지 못한 무시무시한 이야기를 알고 있다고 말한다. 기대감에 가득 찬 사람들은 이야기를 서둘러 듣고 싶어 하지만 그것은 글로 작성되어 잠긴 서랍 안에 보관되어 있다. 실망감을 감추지 못하는 청중들에게 더글라스는 자신의 이야기가 본인의 경험이 아니라 여동생의 가정교사였던 이의 "가장 아름다운 손"(4)[1]으로 쓴, "오래되고 희미해져 가는 잉크"(4)의 "원고"(manuscript, 4)에서 비롯된 것임을 밝힌다. 이 부

---

[1] Henry James. *The Turn of the Screw*. New York: Penguin, 2011. 앞으로 이 작품의 인용은 괄호 안에 쪽수만 표기한다.

분에서 더글라스는 가정교사를 사랑하고 있었으며 이들 사이에는 모종의 유대관계가 형성되어 있었던 것으로 암시된다. 그러므로 가정교사는 죽기 전에 오래 간직해 왔던 자신의 소중한 원고를 더글라스에게 전해 준다. 더글라스는 크리스마스이브 무렵 고택에 모여 앉은 청중에게 원고를 읽어주고 이후 다시 이름이 밝혀지지 않은 1인칭 화자인 '나'에게 그것을 전달한다. 여기에 무명의 1인칭 화자가 "몇 마디의 프롤로그"(6)와 제목을 더한 필사본이 독자가 받아보는 최종적인 텍스트가 된다.

본격적인 내러티브 앞에 일종의 프롤로그처럼 붙여진 이 서두는 "그 자체만으로도 이미 한 편의 짧은 이야기라 해도 될 만큼 복잡하고 세밀하게"(Lind 235) 구성되어 있으며 소설을 이해하는 데 중요한 기능을 한다. 일차적으로 프롤로그를 통해 독자들은 이야기에 대한 여러 가지 사전 정보를 취득한다. 더글라스가 읽기 시작하려는 이야기의 출처나 가정교사에 대한 더글라스의 평가, 블라이(the Bly) 저택으로 가정교사가 어떻게 가게 되었는지 등 가정교사의 원고에는 나와 있지 않은 중요한 실마리들이 여기에 언급되어 있고, 이는 앞으로 벌어질 사건들을 이해하는 데 필수적인 정보이다. 그러나 '프롤로그'는 비단 정보 제공의 역할에만 그치는 것이 아니라 차후 이야기를 어떻게 읽어나가야 할지에 대한 방향을 제시한다 (Goetz 71)는 점에서 면밀히 분석해야 할 필요성이 있다. 또한 소설의 서두는 내부의 내러티브를 외부에서 한 겹 더 둘러쌓아 격자구조를 형성함으로써 소설의 구조상 중요한 역할을 수행한다.

이야기 속에 이야기가 존재하는 격자구조는 많은 작가들이 차용해왔으며, 존스(Alexander E. Jones)가 지적하듯 특별히 애드가 앨런 포(Edgar Allan Poe), 루디야드 키플링(Rudyard Kipling) 등 초자연적 현상을 다루는 작가들의 작품에서 종종 찾아볼 수 있는 형태이다(Jones 112). 이들이 격자구조를 공포 소설에 사용하는 이유 중 하나는 프롤로그를 통해 구술 전통

(oral tradition)을 소설로 끌어들일 수 있기 때문이다. 유령 이야기는 기본적으로 겨울밤 난롯가에 모여 앉은 사람들이 두런두런 나누는 구전 전통에서 비롯된다. 격자구조는 이러한 구전 전통을 문자화함과 동시에 구전의 분위기를 글에서 재현할 수 있는 유용한 도구이다. 『나사못 조이기』의 서두처럼, 프롤로그에 유령 이야기를 하는 장면을 문자화하여 삽입함으로써 구전에 배어 있는 공포 분위기와 오싹하고 음산한 배경을 전달하기 위해 격자구조를 사용하는 것이다(Jones 112).

이렇게 전통적인 공포 소설에서 격자구조의 역할이 구전 전통을 소설 속으로 끌어들여 오는 것인 한편, 격자구조는 독자와 내러티브 사이의 거리를 두는 기능을 하기도 한다. 소설에서 가정교사와 더글라스, 그리고 프롤로그에서 무명의 화자인 '나'로 이루어진 연결구조는 독자를 이야기의 중심으로부터 떨어뜨려 놓는다. 가정교사는 수기를 적은 후 그것을 수십 년 후에 더글라스에게 전달하고, 더글라스가 자신의 죽음이 목전에 닥쳤을 때 '나'에게 원고를 재전달하였다. '나'는 이 원고의 원본이 아닌 사본을 독자에게 다시 전달하게 되는데, 그러므로 이 소설을 읽는 독자는 물리적인 시간 및 공간상으로 가정교사가 쓴 원본을 접할 수 없도록 '나'와 더글라스라는 이중의 "문턱"에 가로막혀 있다(Renaux 35). 뿐만 아니라 수기로부터 가장 근접한 두 명의 인물, 가정교사와 더글라스가 이미 수년 전에 사망했다는 사실은 이야기에 대한 접근 가능성 자체를 차단하고 사건의 진위 여부를 더 이상 확인할 수 없게 만든다. 이와 같이 격자구조에서 가정교사와 더글라스, 그리고 무명의 화자인 '나'로 가로막혀 발생하게 되는 원본과의 거리는 『나사못 조이기』에서 모호성을 구축하는 데 핵심적인 역할을 한다.

흥미로운 것은 『나사못 조이기』에서 격자구조가 기존의 문학전통에 충실한 역할을 하면서도 동시에 여타 소설에서 사용되는 것과는 다른 형태를 띠고 있다는 점이다. 보통의 격자구조라면 마일즈의 죽음 이후 적절한 에필로그를 덧붙여 이야기의 전후를 완벽히 감싸는 대칭 구조를 이루었을 것이다. 그러나 제임스는 소설의 마지막에 그 어떤 후기도 덧붙이지 않은 채 사건의 현장에서 "[. . .] 그리고 그의 작은 심장은 [. . .] 멈췄다"(125)는 말로 이야기를 끝맺는다. 아무런 부가 설명도, 이후의 이야기도 없는 이러한 결말에 독자는 당혹감과 불안감을 느끼게 된다. 괴츠가 표현하는 것 같이 마치 무명의 화자인 '나'가 적절한 프롤로그를 덧붙이고 싶어 했던 것처럼, 독자는 이 소설에 "적절한 에필로그"를 덧붙이고 싶어지는 것이다(Goetz 73). 그러나 "적절한 에필로그"가 존재하지 않기 때문에, 독자는 이야기의 전달자인 '나'나 더글라스, 더 나아가 가정교사와의 연결고리를 모두 잃고 작품의 해석에 대해 그 어떤 결정도 내릴 수 없는 모호한 상태에 남게 된다(Goetz 73).

이처럼 비대칭적으로 구성된 격자구조는 불안정감을 조성함과 동시에 작품의 모호성을 증폭시킨다. 맥휘터(David Mcwhirter)는 격자구조가 마지막에 삽입되지 않은 점이 두드러진다는 것을 지목하면서, 더글라스가 가정교사의 이야기를 꺼낸 밤 마지막으로 사람들이 나누었던 이야기처럼 이 소설이 "불완전하고 단지 [이어질] 연재물의 서두에 불과"(6)하다고 표현한다(Mcwhirter 133). 즉 균형 있게 배치되어야 할 후기가 빠짐으로써 마치 소설이 아직 끝나지 않은 것과 같은 느낌을 독자에게 준다는 것이다. 안정적이고 고정되어 있는 결말과는 달리, 이처럼 열린 결말의 구조는 소설을 더욱더 불안정하고 모호하게 만든다.

한편 프롤로그에서 나타나는 연쇄적 서술구조 또한 『나사못 조이기』에서 눈여겨보아야 할 요소이다. 앞서 언급한 바와 같이, 소설의 중심 이야기는 가정교사에서 더글라스로, 더글라스에서 다시 '나'로 재전달되는 과정을 거쳐 독자에게 도달한다. 펠먼은 이와 같은 "서술의 사슬"(narrative

chain)이 어느 한 명의 화자에만 목소리를 부여하는 것이 아니라, 이전 목
소리를 다음 화자가 다시 재생산해 내는 과정을 반복하며 일종의 "메아리
효과"를 낸다고 주장한다(Felman, "Turning" 121). 가정교사의 원고를 반복적
으로 재생산해내는 과정은 결과적으로 원본과 독자와의 사이에 시간적·
공간적 거리를 만들어내고 이것은 끝없는 "연기"(deferral, Felman, "Turning"
122)의 과정인 것이다. 원본과 독자 사이의 무한한 연기, 다시 말해 거리
두기는 결국 "이야기의 기원"에 대한 "상실"(Felman, "Turning" 122)을 가져오
고 이는 이야기의 모호함을 가중시킨다.

이와 같이 프롤로그에서 연쇄적인 서술 구조가 소설의 모호함을 심화
시킨다면, 이 서술 구조에서 중심적인 역할을 하는 각각의 화자에 대한 고
찰 또한 『나사못 조이기』에서 모호성을 이해하는 데 도움이 될 것이다. 격
자구조의 가장 외부에 있는 서술자는 이름이 나와 있지 않은 1인칭의 화
자 '나'이다. '나'는 으스스한 유령 이야기를 듣기 위해 모인 청중 중 한 명
이지만, 다른 청중들과는 달리 더글라스와 특별한 유대관계가 있는 것처
럼 묘사된다. 더글라스가 "모든 것을 넘어서는"(4) 무시무시한 유령 이야기
를 알고 있다고 했을 때 경박스럽게 기뻐하는 부인이나 이야기에 대하여
섣부른 예측을 하는 청중과는 달리, '나'는 "예리"(5)하고 더글라스의 의중
을 비교적 잘 꿰뚫고 있는 사람이다. 이들의 관계가 나머지 청중들과는 확
연하게 구분된다는 점은 더글라스가 죽기 전에 다른 사람이 아닌 '나'에게
가정교사의 수기를 넘겨주었다는 사실(6)에서 다시 한번 드러난다.

존스(Alexander E. Jones)는 이 1인칭 화자 '나'를 작가인 제임스라고 본
다. 그는 제임스가 자신을 "전지적인 작가"로 두는 것이 아니라 소설의 화
자 중 하나인 '나'로 만들어 스스로가 유령 이야기를 하기 위해 둘러앉은
사람들 사이로 들어왔고, 이로써 소설 밖에 남겨진 사람은 아무도 없고 모
두가 이야기 속에 참여하게 된다고 주장한다(Jones 112). 작가가 청중 중 하

나, 혹은 독자 중 하나로 이야기에 참여한다는 사실은 작가를 독자화함으로써 프롤로그에 뒤이어 서술될 이야기들과 자신을 분리하고 이야기에 대한 책임을 전가하는 것이다. 즉 작가는 가정교사가 진술하는 일련의 사건들과 작가와의 관련성을 부정하는데 이것은 이야기의 근원과 신뢰성에 대한 불확실함을 증폭시킨다.

펠먼은 무명의 화자 '나'와 작가와의 관련성에 존스와는 다른 각도로 접근한다. 특별히 펠먼이 유의미하게 보는 것은 '나'가 이 책에 제목을 붙였다는 점이다. 더글라스가 난롯가 옆에서 드디어 "가장자리를 금으로 두른 오래되고 얇은 앨범의 빛바랜 붉은 커버를 열었"(10)을 때 청중 중 한 명의 숙녀가 이야기의 제목을 묻는다. 더글라스는 이 질문에 제목이 없다('I haven't one.', 10)고 대답하고, 반면 '나'는 떠오르는 제목이 있다고 말한다('Oh *I* have!', 작가의 강조, 10). 펠먼은 더글라스의 사후 제목과 함께 적절한 프롤로그를 더한 이가 바로 '나'라는 점에 주목하면서, 이것을 독자가 작가의 역할을 수행한 것으로 본다(Felman, "Turning" 127). 이렇게 가정교사의 수기를 읽는 독자에 불과한 '나'가 작가의 역할을 대신한 것은 작가의 권위에 대한 해체이며 작가와 독자 사이 관계에 대한 전치(displacement)이다(Felman, "Turning" 127). 작가와 독자 사이의 경계가 허물어지고 양자의 관계가 역전되는 이 이야기는 작가가 없는(authorless) 이야기, 제목이 없고(nameless) 그 기원을 상실한 이야기가 된다.

흥미로운 것은 가정교사의 원고에 제목이 없다는 점, 다시 말해 작가가 없다는 점이 소설에서 주인(the Master)의 부재와 맞물린다는 점이다(Felman, "Turning" 127). 프롤로그에서 더글라스는 가정교사에게 주인이 내건 기묘한 조건에 대해 언급하는데 그는 그 어떤 일이 일어나도 자기에게 알리지 말고 모든 것을 혼자서 해결하라는 이상한 조건을 가정교사에게 제시한다. 가정교사는 단 두 번 그를 보았을 뿐 다시는 그를 만나지 못하고 주인과의 모든 소통은 금지된다. 또한 주인은 할리 가에 머무른 채 블라이 저택에서 일어나는 모든 일에 대한 권한을 가정교사에게 일임한다. 소설에서 모든 사건의 배경이 되는 블라이 저택은 주인의 부재하에 있는 것이다. 이와 같은 "주인의 부재"(ownerless)는 소설에서 앞서 언급한 "작가의 부재"(authorless)와 동일 선상에서 볼 수 있다(Felman, "Turning" 127-28). 더 나아가 괴츠는 주인이 모든 책임을 가정교사에게 전가했듯이 작가가 작품에 대한 모든 해석의 권한을 독자에게 이임했다고 설명한다(Goetz 74). 결과적으로 해석의 권위를 쥐고 있는 작가가 존재하지 않기 때문에 소설에 대한 절대적인 해설은 존재하지 않는다는 것이다. 이것은 소설의 모호성을 가중시키면서 동시에 『나사못 조이기』에 대한 다양한 해석을 가능하게 하는 요소로 작용한다.

프롤로그에서 연쇄적인 서술 구조의 한 축을 담당하고 있는 다른 한 명의 화자는 더글라스이다. 더글라스의 이야기는 그가 실제로 가정교사를 만나본 유일한 화자라는 점에서 소설을 분석할 때 상당히 중요한 역할을 하는 반면, 그가 가정교사를 사랑했다는 사실(6) 때문에 진술의 신뢰 가능성에 의심을 받을 수도 있는 인물이다. 더글라스는 가정교사에 대해서 "가장 매력적"(5)인 인물이라고 평하고, "그녀의 위치에 있는 사람 중 내가 아는 한 가장 호감이 가는"(the most agreeable woman I've ever known in her position, 5) 사람이라고 묘사한다. 이와 같은 그의 증언은 가정교사에 대한 신뢰 가능성에 무게를 실어준다. 더글라스의 말처럼 가정교사가 신뢰할 만한 인물이라면, 수기에서 그녀가 목격하는 사건과 그에 대한 해석 또한 신뢰할 만할 것이다. 그러나 더글라스의 잇따른 증언에 따르면, 가정교사는 런던에 갓 상경한 "안절부절못하고 불안해하는 소녀"(7)로 할리 가에서 만난 "인생의 전성기를 구가하고 있는 독신인"(7) 신사에게 매료된 것이 분명해 보인다. 이와 같은 사실은 가정교사가 주인에 대해 억눌린 성적 욕구를 지니고 있는 신경증 환자로서 그녀가 본 것은 환영에 불과하다는 프로이트식 해석을 뒷받침하기에 충분하다. 이처럼 더글라스의 증언은 전혀 상반된 두 가지 해석 모두를 가능하게 만들면서 사건의 진실을 파악하기 어렵게 만든다. 서두에 언급한 바와 같이 전통적으로 소설에서 격자구조는 정보제공의 기능을 하는데, 『나사못 조이기』의 프롤로그에서 더글라스가 제공하는 정보는 오히려 소설의 모호성을 가중시키고 있다는 점에서 주목할 만하다.

이렇게 프롤로그에서 서술의 연쇄 구조를 형성하고 있는 화자들은 가정교사의 이야기를 재전달하면서 동시에 작품의 모호성을 구성하는 데 기여한다. 더 나아가 앞서 살펴본 것처럼 서술의 연쇄적 구조나 격자구조 또한 모호성에 중요한 기여를 하고 있다. 이 밖에도 코스텔로(Donald P. Costello)는 『나사못 조이기』에서 특이할 만한 서술 구조로 "보고-해석"(report-interpret, Costello 313)의 반복을 지적하며 이와 같은 구조가 공포와 "신비화"(mystification, Costello 313)를 조장한다고 분석한다.

소설에서 대부분의 주요 사건을 목격하고 이를 기술하는 화자는 가정교사이다. 그녀는 할리 가에서 만난 주인의 매력에 굴복하여 블라이 저택으로 내려간다. 그곳에서 가정교사는 두 명의 아이들, 플로라와 마일즈를 돌보게 된다. 겉으로 보기에는 조용하고 평화로운 고택으로만 보이는 이곳에서 그녀는 죽은 가정교사 제셀 양과 하인 피터 퀸트의 유령과 마주치게 된다. 가장 먼저 해 질 녘 저택의 탑 위에서 자신을 내려다보고 있는 피터 퀸트의 유령을 만나고, 일요일 저녁 무렵 식당에서 다시 한번 그와 마주친다. 이 일이 있은 후 얼마 안 되어 플로라와 함께 아조프해(Sea of Azof)라고 이름 붙인 호숫가에서 놀고 있을 때 전 가정교사인 제셀의 유령이 플로라를 지켜보고 있는 것을 목격한다. 가정교사는 이들이 어리고 순수한 아이들에게 악한 영향력을 끼치기 위해 이 집을 배회하는 것으로 여긴다. 그러면서 처음에는 천사같이 보였던 아이들이 사악한 유령과 만나면서 수상한 일들을 벌인다고 확신하기에 이른다. 한밤중에 마일즈나 플로라가 몰래 침대에서 나와 밖을 배회한다거나 마일즈가 학교에서 무엇인가 큰 잘못을 저질러 "다른 아이들에게 해를 끼쳤기"(17) 때문에 학교에서 퇴학을 당한 일 등 모든 사건들의 배후에 유령들이 있다는 것이다.

가정교사는 이렇게 주요 사건을 목격하고 이것을 보고하는 한편, 사건을 자기 나름의 방식으로 해석한다. 예를 들어 호숫가에서 제셀 양의 유령과 마주치는 사건이 일어났을 때 그녀는 플로라가 유령의 존재를 이미 알고 있으면서도 말하지 않는다고 해석한다. 가정교사는 더 나아가 플로라가 유령에 대해서 말하지 않을 것이며 거짓말을 하리라고 단정한다(45). 코스텔로는 이처럼 사건의 목격과 이에 대한 해석이 반복적으로 일어나는 서술 구조가 공포감을 조장하고 이야기를 신비화하는 "이중 효과"를 가져온다고 주장한다(Costello 313). 즉 그는 가정교사가 목도한 현상을 "보고"하는 과정에서 유령에 대한 현실성을 부여하여 공포감을 준다고 본다. 더 나아가 코스텔로는 현상에 대해 가정교사의 "견해"를 밝히는 과정에서 유령을 신비화하고 이것이 가정교사에 대한 신뢰 가능성(reliability)에 의문을 갖게 한다고 주장한다(Costello 313). 이렇게 사건에 대한 보고와 분석이 반복되는 구조 속에서 가정교사의 진술은 더욱더 불분명해지고 이는 작품 전체의 모호성을 심화시킨다.

가정교사의 서술에서 신뢰 가능성에 대한 의문은 『나사못 조이기』의 발표 이후 지속적으로 제기되어온 중요한 질문 중 하나이다. 제임스는 뉴욕판 서문에서 가정교사의 진술에 대해 다음과 같이 설명한다.

> 믿어 주시라, 『나사못 조이기』에서 가정교사가 매우 많은 강렬한 이례적인 일들과 모호한 것들에 대한 그녀의 기록을 명쾌하게 유지한다는 일반

적인 명제는 훌륭하게 설정되어 있다. 물론 이것이 [사건에] 대한 그녀의 설명까지 의미하는 것은 아니다. 그것은 또 다른 문제이다. [. . .] 그녀는 "권한"을 가지고 있고, 상당한 권한이 그녀에게 주어져 있다. 그리고 만약 내가 서툴게 그 이상을 노력했다면 여기까지 다다르지 못했을 것이다.

It was "déjà très-joli" (nicely settled), please believe, in "The Turn of the Screw," the general proposition of our young woman's keeping crystalline her record of so many intense anomalies and obscurities—by which I don't of course mean her explanation of them, a different matter; [. . .] She has "authority," which is a good deal to have given her, and I couldn't have arrived at so much had I clumsily tried for more. ("The Preface", 129)

소설의 주요 화자로서 가정교사에 대한 작가의 언급은 겉으로 보기에는 그녀의 서술에 힘을 실어주는 것으로 보인다. 제임스는 가정교사에게 서술에 대한 "권한"을 부여했고, 이것을 통하여 작가가 추구하는 바를 이루었다고 말한다. 만약 작가가 이처럼 가정교사의 진술에 적절한 권한을 부여했다면, 독자는 가정교사가 목격한 사건에 대한 서술을 그대로 받아들이는 수밖에는 없을 것이다. 그러나 다른 한편으로 그는 사건에 대한 가정교사의 "기록"(record)과 "설명"(explanation)은 다른 문제라고 말한다. 다시 말해 사건을 목격한 가정교사의 해석에 대해서는 이론의 여지를 남긴 것이다.

작가 자신조차도 이처럼 이중적으로 표현하고 있는 가정교사는 소설에서 모든 사건의 중심에 있는 핵심적인 인물이며 사건을 실제로 목격하고 기록한 원고의 주인이다. 뿐만 아니라 『나사못 조이기』를 둘러싼 프로이트적 해석과 전통주의적 비평의 오랜 논쟁의 중심에는 가정교사가 있으며, 잘 알려진 이 두 가지 관점이 아니더라도 어떤 각도에서든 이 소설을 분석하려고 한다면 종국에는 가정교사와 대면하게 된다. 결국 가정교사라는 나사를 어떤 방향으로 회전시키느냐에 따라 작품의 해석은 전혀 다른 방향으로 돌아갈 수 있는 것이다. 그러므로 가정교사에 대하여 분석하는 것은 『나사못 조이기』에서 모호성을 파악하는 데 필수적이라 할 수 있다.

가정교사에 대하여 다양한 해석을 가능하게 하는 세부적인 정보들은 작품 전체에 걸쳐 숨겨져 있다. 더글라스는 프롤로그에서 가정교사에 대해 언급하면서 그녀를 "가난한 시골 목사의 딸 중 하나"(7)로 햄프셔 (Hampshire)에서 이제 갓 상경하여 화려하고 사치스러운 런던 할리 가에서 매력적인 주인을 만나 안절부절못하는 스무 살의 앳된 여성으로 묘사한다. 고다드(Harold C. Goddard)와 같이 심리학적 해석을 지향하는 비평가들에게 이러한 묘사는 상당히 의미가 깊다. 이들은 가정교사가 사회경제적으로 불안정한 위치에 있었으며 외딴 시골에서 자라 세상 경험이 없는 나이 어린 여성으로서, 감정적이고 신경이 과민한 성격의 소유자라는 사실에 주목한다(Goddard 7). 그녀의 어린 시절 배경으로 미루어 보았을 때 종교적·경제적·사회적으로 억압받으며 성장했을 가능성이 높고, 따라서 기본적으로 가정교사에게는 신경증적인 성향이 잠재되어 있다는 것이다. 이에 더하여 주인에게 매료되어 "넋을 잃고 휩쓸려"(to be carried away, 13) 블라이 저택으로 오게 되었다는 사실은 주인에 대한 금지된 사랑, 억압된 성적 욕망을 품고 있다는 점을 암시한다고 분석한다. 정신분석이론을 기반으로 하는 작품의 해석을 지지하는 이들은 더글라스의 이야기를 통해 얻는 정보로 미루어 가정교사가 신경증 환자일 가능성을 제시한다.

이렇게 폐쇄적인 환경에서 장성한 그녀가 블라이의 대저택에서 만나게 된 것은 검소한 시골 목사의 집에 비하면 "크고 인상적인 방"과 "훌륭한 침대", 그리고 난생처음으로 전신을 비춰보게 된 "긴 거울들"(12)이었다.

자신의 초라한 고향 집에서 이처럼 웅장한 저택으로 옮겨 오면서 그곳의 하인들로부터 받는 대접은 그녀가 "여주인이나 귀한 손님이나 되는 양"(11) 느끼게 한다. 마치 사회・경제적인 신분의 상승을 이루어 낸 것과 같은 흥분 속에서 가정교사는 밤에 쉽사리 잠을 이루지 못한 채 "희미하고 멀리서 들려오는 아이의 울음소리"나 문 앞에서 들려오는 "가벼운 발걸음" 소리를 들었다고 생각하기도 한다. 소설에서 그녀는 잠을 이루지 못하는 불면 증세를 지속적으로 보이는데, 이러한 묘사는 가정교사의 과민하고 신경증적인 면모를 구체적으로 보여준다. 소설에 정신분석적으로 접근하고자 하는 이들이 이 사실을 바탕으로 주장하는 것과 같이 가정교사가 신경증 환자이며 비정상적인 인물인 것은 아니라 할지라도 그녀가 다소 과민하고 신경증적 성격의 소유자라는 사실은 이야기의 화자로서 서술에 충분히 의심을 드리울 수 있는 조건이다.

갑작스러운 환경의 변화에서 비롯된 극도의 흥분과 긴장 상태에 있는 가정교사를 더욱더 고무시킨 것은 그녀가 블라이 저택이라는 "표류하는 배"(15)의 구성원들을 구하기 위해 "키"(helm, 15)를 잡는 중차대한 임무를 주인으로부터 부여받았다는 점이다. 프로이트주의자들은 주인과 사회적・계급적으로 금지된 사랑이라는 낭만적인 감정이 "과도하게 영웅적이거나 자기희생적"(Goddard 8)인 행동을 불러일으켰다고 설명한다. 그녀는 "웃으며 [자신을] 인정하는"(24) 주인의 모습을 보기 위해서라면 자신의 모든 것을 다 바쳐서 아이들을 지켜낼 것이었다. 따라서 그녀는 "가정의 평화를 지키고 [. . .] 특별히 아이들을 보호하여 완벽하게 구해내"(38)야 한다는 강박적인 책임감을 느낀다. 그녀는 "아이들에게는 오로지 나쁜"(41)이라고 생각하며 두 아이를 잠재적인 위험으로부터 구해내고자 집요하게 매달린다. 전통적인 관점에서 본다면 가정교사의 강박은 아이들을 구원해 내기 위한 끈질긴 선의의 투쟁일 것이고, 반대로 프로이트적 측면에서 본다면 이 강박관념이야말로 마일즈를 죽음으로 몰아간 원인이 될 것이다. 양측의 이론이 어떠하건, 주목해야 할 점은 소설에서 중요한 서술의 한 축을 담당하는 화자가 모종의 강박관념에 시달리고 있다는 점이다. 이렇게 아이들을 지켜내야 한다는 강박관념에 집착하는 화자를 독자가 신뢰할 수 있는지에 대해서는 의문의 여지가 있을 수 있다는 것이다.

가정교사를 화자로서 신뢰할 수 없다는 점은 다른 성격적인 측면에서 살펴보아도 분명해 보인다. 소설에서 가정교사는 줄곧 즉흥적이고 단정적인 판단을 내리고 논리적 근거가 없는 직관적인 주장을 일삼는다. 그녀는 아이들과의 첫 만남에서 즉각적으로 이들이 "놀랍도록 신선한 광채"(21)에 휩싸여 "천사의 아름다움"(12)을 지녔다고 표현한다. 특히 학교에서 퇴학 통지를 받은 마일즈에 대해서는 그를 부정적으로 평가했던 마음을 만나는 즉시 해소하고는 소년을 "순결의 향기"를 풍기는 "성스러움"(21)을 소유한 아이라고 성급하게 단정 짓는다. 그러나 마일즈가 한밤중에 잔디 위에서 탑을 바라보고 있는 장면을 목격한 후 아이들에 대한 그녀의 평가는 즉각 정반대로 바뀐다. 가정교사는 역시 별다른 논리적 근거 없이 마일즈가 유령과의 교감을 위하여 몰래 야밤의 모험을 감행했다고 직관적으로 결론 내린다. 불과 하룻밤 전까지만 해도 천상의 아름다움을 지녔던 아이들은 착한 심성을 가장하여 사악한 유령들이 이끄는 대로 책략을 꾸미는 존재로 순식간에 전락하는 것이다(70).

유령에 대한 가정교사의 증언은 더욱더 즉흥적이고 직관적이다. 그녀는 피터 퀸트의 유령을 두 번째로 목격하고 블라이 저택의 가정부 그로스 부인(Mrs. Grose)으로부터 그에 대한 이야기를 듣는다. 피터 퀸트가 주인의 타락한 하인이었으며 이미 죽은 사람이라는 충격적인 사실을 접한 후, 가정교사는 유령이 출몰하는 이유에 대해 피터 퀸트가 마일즈와 접촉하기 위해 블라이 저택을 배회하는 것이라고 즉각 결론을 내린다. 그러나 그녀는 그로스 부인이 어떻게 그 사실을 아느냐고 물었을 때 논리적으로 답하지 못한다. 다만 화자는 "점점 더 흥분"(38)하여 "난 알아요!"(38)라는 말만을 반복할 뿐이다. 따라서 유령이 아이들을 노리고 나타났다는 주장은 지극히 감정적이고 직관적인 혼자만의 해석에 불과하다. 실제로 유령이 나타났을 때 가정교사가 유령과 대화를 나눈다거나 모종의 교류를 통하여 이들의 목적을 파악한 것은 전혀 아니다. 그럼에도 불구하고 가정교사는 피터 퀸트가 나타났다는 사실에서 곧바로 그가 마일즈를 원한다는 귀결을 내는 논리적 비약의 오류에 빠진다. 이것은 제임스가 「서문」에서 언급했듯 가정교사가 목격한 사건의 기록에 대한 신뢰 가능성과 그녀의 해석에 대한 신뢰 가능성은 다른 차원에서 보아야 한다는 사실을 분명하게 나타낸다.

전통주의적 관점에 따르면 블라이 가의 가정부인 그로스 부인은 화자의 신뢰성을 측정하는 시금석 역할을 한다. 그로스 부인은 에밀리 브론테(Emily Brontë)의 『폭풍의 언덕』(*Wuthering Heights*, 1847)에서 등장하는 가정부인 넬리(Ellen Nelly Dean)와 같이 성실하고 믿음직한 전형적인 영국의 가정부로 묘사된다. 또한 소설에서 블라이 저택의 주인은 그녀를 높이 평가하며 제셀 양의 죽음 이후 아이들의 관리를 그로스 부인에게 모두 일임할 정도로 신뢰한다(8). 이 "평범하고 가정적인" 부인은 "선하지만 이해가 느린"(Heilman 438) 성격으로, 가정교사가 본문에서 표현하듯이 "상상력이 풍부하지 못하다"(86). 이렇듯 단순하지만 진중한 그녀가 이야기의 마지막에 이르러서 가정교사의 조언을 믿고 플로라를 데리고 블라이 저택을 떠난다는 사실은 전통주의적 비평가들에게 가정교사의 신뢰성을 뒷받침하는 중요한 증거로 제시되었다(Heilman 438; Reed 420).

그러나 신뢰할 수 있는 성격의 등장인물인 그로스 부인이 가정교사를 믿고 그 조언에 따르기 때문에 가정교사의 신뢰 가능성이 입증된다는 주장은 사실 소설을 면밀히 살펴보면 납득하기 어려운 결론임을 알 수 있다. 이야기의 전반에 걸쳐서 가정교사는 자신의 주장, 즉 블라이 저택을 떠도는 유령들이 있으며 이들은 마일즈와 플로라를 타락시키려고 한다는 사실을 가정부에게 주지시키려고 애쓴다. 그로스 부인은 "상상력이 결핍된"(65) 등장인물로 그 이야기를 믿기 어려워하지만 가정교사는 부인을 계속 "압박"(51; 52)한다. 가정교사가 그로스 부인을 "압박"했다는 표현은 8장에서 반복적으로 사용되는데, 이렇게 부인을 지속적으로 압박함으로써 결국에는 자신의 주장을 받아들이게 만든다. 결국 가정교사가 "마녀의 수프를 만들고 그것을 확신에 차서 주면" 그것을 "크고 깨끗한 냄비를 내밀어" 받는 것처럼(66) 그로스 부인은 유령과 아이들에 대한 화자의 가정을 받아들이게 된 것이다. 비록 가정부가 신뢰할 만한 등장인물이라 할지라도 반복적인 설득과 압력에 의해 가정교사와 동조하게 되었다면 그것이 화자의 신뢰성과 그 진술의 정확성을 보증한다고 보기는 어려울 것이다.

『나사못 조이기』의 주요 화자로서 가정교사의 증언을 신뢰할 수 없다면 그녀의 이야기에서만 존재하는 제셀과 피터 퀸트의 유령에 대해서도 의심해 볼 수밖에 없다. 소설에서 유령을 보았다고 진술하는 등장인물은 오로지 가정교사뿐이고, 그 외의 다른 등장인물이 유령을 목격하지는 못한다. 가정교사가 신뢰성의 의혹에서 벗어날 수 있을 만한 결정적인 장면에서조차 유령의 존재는 입증되지 못한다. 마일즈와 플로라를 주시하고 있던 가정교사는 어느 날 플로라가 혼자 밖으로 나갔다는 사실을 깨닫고 그로스 부인과 함께 서둘러 뒤를 쫓아가는데, 소녀는 홀로 보트를 타고 호수를 건너갔고 두 명의 보호자들은 호수의 건너편에서 혼자 미소를 짓고 있는 아이를 발견한다. 이 순간 가정교사는 제셀 양의 존재를 발견하고 다급하게 동료에게 이를 알리지만 그로스 부인의 반응은 그녀가 기대했던 것과는 다르다. 그로스 부인은 이 결정적인 순간에 "대체 뭐가 보인다는 말이죠?"(102)라는 충격적인 발언으로 유령을 부정한다. 유령을 보지 못하는 것은 그로스 부인뿐 아니라 어린 플로라도 마찬가지이다. 플로라는 "나는 무슨 말인지 모르겠어요. 나는 누구도 보지 못해요. 나는 아무것도 안 보여요. 나는 그런 적 없어요. 나는 당신이 잔인하다고 생각해요. 나는 당신을 좋아하지 않아요!"(103)라는 말로 제셀의 존재에 대해 묻는 가정교사에게 응수한다. 다시 말해, 오로지 가정교사만이 이 초자연적인 존재를 볼 수 있었던 것이다. 물론 다른 인물들이 유령의 존재를 보면서도 이를 감추었을 가능성도 있으나, 유령의 존재가 객관적으로 드러날 수 있는 중요한 장면에서 유령을 목격하는 등장인물이 신뢰할 수 없는 화자인 가정교사뿐이라는 사실은 유령의 실존 여부에 대한 모호성을 심화한다. 결국 화자의 서술에 대한 신뢰 가능성의 문제가 유령이 존재 여부에 대한 논란으로 확장되는 것이다.

지금까지 살펴본 것처럼 『나사못 조이기』에서 화자인 가정교사는 신뢰할 수 있는 서술자라고 보기 어렵다. 독자는 서문에서 제임스가 말한 가정교사의 진술의 권한을 믿어야 할지, 아니면 본문에서 나타난 불안정하고 과민한 성격적인 면을 근거 삼아 그녀를 신뢰하지 말아야 할지를 두고 고민할 수밖에 없다. 화자의 신뢰성 문제는 결국 화자를 신뢰할 것인지, 더 나아가 유령의 존재를 믿을 것인지 선택해야 하는 기로에 독자를 놓는 것이다. 그리고 각자가 선택한 입장에 따라 작품에 대한 해석은 판이하게 달라질 수 있다.

프로이트식으로 『나사못 조이기』를 읽고자 하는 비평가들에게 가정교사는 "성적 욕구의 억압"에서 비롯된 "신경증 환자"(Wilson 102)이며 신뢰할 수 없는 화자이다. 그녀의 이야기는 단지 블라이에서 자신의 행동에 대한 "정당화"에 불과하다(Silver 207). 따라서 가정교사가 목격한 유령은 진짜 유령이 아니고 가정교사의 "환영"(Wilson 102)일 따름이다. 그러나 만일 유령이 가정교사의 환영에 불과하다면 과거에 만난 적이 없는 제셀과 퀸트에 대한 그녀의 세밀한 묘사를 설명할 방법이 없다. 가정교사가 처음 퀸트의 유령과 만난 후 그로스 부인에게 그의 외모를 설명할 때, 그녀는 퀸트가 "모자가 없고 [. . .] 붉은 머리카락, 거의 곱슬거리는 머리에, 창백한 얼굴과, 긴 모양을 하고는, 곧고 풍채가 좋고 그의 머리처럼 붉은 약간 이상한 구레나룻이 있었다"(35)고 매우 자세하게 표현한다. 이렇게 섬세한 묘사는 그녀가 직접 유령을 목격하지 않았다면 불가능할 것이며, 정신분석적 해석의 한계로 많은 비평가들이 지적하는 대목이다(Heilman 437; Reed 420-21).

반면 가정교사를 신뢰해야 한다고 주장하는 입장에서는 가정교사의 서술에 따라 유령이 실제로 존재한다고 본다. 이들은 가정교사의 서술을 신뢰하기 때문에 그녀의 추측대로 유령들이 악한 의도를 가지고 아이들에게 접근했으며 실제로 가정교사는 마일즈와 플로라의 타락을 막기 위해 최선을 다해 노력했다는 것이다. 가정교사의 진술이 사실이고 유령이 존재한다고 가정한다면 심리학적 해석에서는 설명하지 못하는 두 유령에 대한 가정교사의 자세한 묘사에 대한 해명이 가능하다. 그러나 이들의 주장처럼 가정교사가 사악한 유령들로부터 아이들을 지키기 위해 노력한다면, 가정교사의 추궁으로 궁지에 몰린 가운데 소년 마일즈가 죽음을 맞이하는 소설의 결말을 납득하기 어렵다(Silver 208).

화자의 신뢰 가능성과 유령의 존재 여부에 따른 『나사못 조이기』에 대한 해석은 크게 위의 두 가지 방향으로 나뉜다. 그러나 어떠한 방향을 선택하더라도 종국에는 모순에 봉착하게 되고 이는 작품의 모호성이 단순히 한 가지 해석의 방향으로 파악할 수 있는 것이 아님을 입증한다. 따라서 다양한 각도에서 작품을 보는 시각이 중요한데, 맥매스터(Juliet McMaster)는 기존의 입장 중 하나만을 고수하지 않고 다양한 해석의 갈래를 모두 포섭하고자 하는 비평가 중 하나이다. 그녀는 소설에서 더글라스의 이야기를 듣는 청중을 두 가지 부류로 구분하고, 작가가 두 가지 부류의 독자 모두를 사로잡기 위해 노력한다고 본다. 한 부류의 독자는 더글라스의 이야기에 대해 듣고는 "멋져라!"(how delicious! 4)라고 단순하게 탄복하는 부인과 같은 일반 독자들이고, 다른 한 부류는 제임스가 서문에서 말하는 것과 같은 "쉽사리 사로잡을 수 없는 독자", 프롤로그에서 등장하는 '나'처럼 "예리한" 독자들이다(McMaster 129). 이들 모두가 소설을 즐길 수 있도록 '나'와 같은 독자들이 선택할 만한 '프로이트식 해석'이나 더글라스의 이야기를 듣는 부인들이 즐길 만한 '전통적 해석' 중 어느 것이든 원하는 방향의 해석을 선택할 수 있다는 것이 그의 주장이다(McMaster 130).

맥매스터의 이러한 주장은 시사하는 바가 크다. 물론 그의 주장 중 이름이 밝혀지지 않은 1인칭 화자 '나'를 작가인 제임스로 보고 작가가 '심리학적'인 방향으로 소설을 읽기 원한다고 보는 시각에는 무리가 있을 수 있다. 제임스는 뉴욕판 서문에서 "현대의 심리학적" 분석이 옛날 유령 이야기의 신비로움을 "깨끗이 씻어 버렸"("The Preface" 126)음을 안타까워하면서 "친애하는 성스러운 옛 공포"(the dear old sacred terror, "The Preface" 126)를 일깨울 수 있도록 이 소설을 썼다고 밝히고 있다. 그러므로 작가가 심리분석적으로 『나사못 조이기』에 접근하는 것을 달갑게 여기지 않는다는 사실은 명백해 보인다. 그러나 맥매스터가 제시하는 것과 같이 풍부한 해석 가능성을 바탕으로 하여 다각적으로 작품을 읽는 것은 "현대의 심리학적" 분석으로 명쾌하게 해결될 수 없는 다층적인 모호성을 일깨움으로써 "옛 공포"를 불러일으킬 수 있다는 점에서 작가가 의도하는 바와 일치한다.

소설에서 일어나는 사건과 유령에 대한 가정교사의 설명은 무조건 신뢰할 수도 없고 그렇다고 해서 완전히 부정할 수도 없다. 화자의 신뢰성 문제, 그리고 이와 긴밀하게 연결된 유령의 존재 여부에 대한 논란은 작품에 대한 다양한 해석을 양산하는 토양이 되고 더 나아가 『나사못 조이기』

에서 다층적인 모호성을 구성한다. 소설을 읽는 독자는 끊임없이 "그로스 부인처럼 믿거나 [. . .] 가정교사처럼 의심"(Felman, *Writing* 231)하면서 이야 기를 분석하고자 하지만 결국 모호함의 미로 속에서 "순전한 공포"(4)를 발 견하게 된다.

III. 제한적 1인칭 시점과 보여주기 기법

헨리 제임스는 이전에는 평가절하되었던 장르인 소설의 예술로서의 위치를 격상시키면서 각종 서문이나 비평을 통해 소설의 여러 구성 요소 에 대한 본격적인 논의를 시작했고, 이것은 훗날 예술로서의 소설 이론을 발전시키는 데 크게 기여했다(Hale 79). 현대 영미 소설 비평 이론의 근간 이 된 그의 서문들을 살펴보면 제임스가 소설의 다양한 서술 요소에 세밀 한 관심을 기울였음을 알 수 있다. 그중에서도 시점(point of view)에 주목 한 것은 그가 "소설의 이론에 공헌한 바 중 가장 의미 있는 점"(Miller 15)이 며 "현대 소설 기술의 잇따른 진보를 직접적으로 이끌었다"(Powers 137)고 평가받는다. 제임스는 여러 소설의 서문에서 반복적으로 자신의 작품들 중 시점이 가장 훌륭하게 사용된 작품과 그렇지 않은 작품들을 구분하여 논할 정도로(Miller 17) 시점의 선택과 사용에 있어서 주의를 기울였다. 그 렇다면 『나사못 조이기』에서 제임스가 사용한 시점과 그로 인한 효과 역 시 우연의 일치가 아닐 것이다. 또한 존스는 이 소설을 적절하게 이해하려 면 시점에 대한 기술적인 문제를 반드시 이해해야 한다고 역설한다(Jones 112). 그러므로 『나사못 조이기』에서 화자의 시점과 관련된 문제를 다루는 것은 작품을 이해하는 데 있어 중심적인 역할을 한다.

프라이드먼이 지적하듯 제임스는 이야기의 "중심"을 찾는 것을 중요하게 여기고, 이를 위하여 소설의 서술을 등장인물들 중 하나의 의식 틀 속에 가두어 제한하려고 했다(Friedman 1163). 등장인물이 "볼 수 있고, 들을 수 있는"(Powers 137) 것만 서술하도록 하는 것은 "무책임하고 환상을 깨는 수다스러운" 전지적 작가 시점과는 달리, "강렬함과 생동감, 그리고 일관성을 얻는"(Friedman 1163) 데 도움을 준다는 것이다. 또한 제임스는 작가가 전지적 시점을 통해 작품을 강하게 통제하기보다는 1인칭 시점을 사용하여 작품에 대한 통제를 줄이거나 작품을 "비효과적"으로 통제해야 한다(Power 138)고 보았다. 그러므로 그는 『나사못 조이기』에서도 전지적 서술자의 시점이 아닌 1인칭 화자, 즉 가정교사의 시점으로 이야기를 풀어나간다.

대부분의 유령 이야기에서 1인칭 시점은 이야기의 신뢰도를 높이는 효과가 있다. 그것은 "눈으로 목격한 사실에 대한 진술이야말로 사건에 대한 가장 권위 있는 설명"이기 때문이다(Jones 118). 그러나 『나사못 조이기』에서 1인칭 시점은 증언의 신빙성을 높인다기보다는 오히려 소설의 모호성을 가중시킨다. 이는 화자가 직접 목격한 사실을 믿기에 앞서 가정교사의 신빙성에 대한 검증이 선행되어야 하기 때문이다(Jones 118). 앞서 설명한 것처럼 가정교사는 완벽하게 신뢰할 수 있을 만한 화자가 아니므로, 독자는 그녀의 시점으로 기술하는 이야기를 온전히 믿을 수 없다. 따라서 이 소설에서 1인칭 시점은 역설적이게도 신뢰성보다는 작품의 모호성을 구성하는 데 기여한다. 신뢰할 수 없는 화자인 가정교사의 시점으로 이야기를 서술하는 한 독자는 그것을 완전히 믿을 수 없는 것이다.

『나사못 조이기』에서는 철저하게 원고의 서술자인 가정교사의 시점에서 이야기가 전개되므로 독자는 그녀가 직접 목격한 것과 그에 대한 자신의 해석만을 전달받는다. 즉 독자는 가정교사의 눈을 빌어 유령을 보고 그녀의 귀를 빌어 제셀과 퀸트의 의문에 가득 쌓인 죽음에 대해 듣는 것이다. 이렇게 가정교사가 보고 들은 바를 생생하게 전달하는 것은 유령의 생동감을 더하고 공포감의 무게를 더한다. 뿐만 아니라 소설에서 1인칭 시점은 "긴장감"(suspense, Jones 118)을 구성하는 데 크게 기여한다. 독자는 가정교사가 퀸트와 제셀에 대한 이야기나 그 두 명의 하인과 아이들의 관계 등 유령의 토대가 되는 정보를 하나씩 취득해가면서 그녀의 상상력을 통해서 조금씩 사건의 조각을 맞춰 가는 과정에 참여하게 된다. 그러한 과정에 사건의 전말이 점차 밝혀지게 되고 그동안 소설을 읽는 이들은 긴장의 끈을 놓을 수 없는 것이다. 더 나아가 1인칭 시점을 통해 사건을 함께 지켜보며 그것의 의미를 해석하는 화자의 의식의 흐름을 따라가는 과정에서 독자는 해결할 수 없는 공포와 직면하게 된다.

그런데 오로지 가정교사가 인지하는 것만이 서술된다는 사실은 사실 시점이 화자의 내부에 제한되어 있다는 것을 의미한다. 즉 주인공인 화자가 "완전히 그 자신의 생각과 느낌, 그리고 인지에 제한되어 있다"(Friedman 1175-76)는 것이다. 이렇게 가정교사의 내부에 제한된 시점은 "작가의 지식"조차 "한 명의 등장인물에 제한"(Powers 137)한다. 전지적 시점과는 달리, 1인칭 시점을 사용하는 소설에서 독자가 얻을 수 있는 정보는 오로지 1인칭 화자가 인지하는 것뿐이며 이 같은 상황은 작가도 다르지 않다는 것이다. 등장인물 중 하나일 뿐인 가정교사의 시점으로 이야기를 전개하기 때문에 『나사못 조이기』에서는 작가나 전지적 화자가 작품을 완벽히 통제하여 사건의 전모를 명쾌하게 정리하는 것을 기대하기 어렵다. 전지적 화자가 아닌 1인칭 화자가 자신의 범주에서 파악하는 정보는 부분적이고 지극히 주관적일 수밖에 없기 때문에 가정교사는 "단지 추측하고 희망하고 두려워할 뿐"(Jones 118)이다. 따라서 화자를 통해서만 상황을 파악할 수 있는 독자 또한 가정교사와 마찬가지로 주어진 상황을 제한적으로 이해할 수밖에 없다.

이렇게 제한적인 시점은 정보가 주어지지 않은 부분을 독자가 상상하고 해석할 수 있도록 열어둔다. 즉 독자는 가정교사와 마찬가지로 텍스트에 나와 있지 않은 이야기들을 "추측하고 희망하고 두려워"하게 된다. 화자와 독자 모두에게 주어진 것은 다만 암시적이고 모호한 열린 공간일 뿐, 그 무엇도 구체적으로 주어지지 않는다. 이렇게 제한적인 시점에서 오는 모호성은 결과적으로 작품에 대한 다양한 해석을 이끌어내는 자양분이 된다. 독자는 가정교사가 보지 못한 것들을 보려고 노력하거나 혹은 가정교사가 본 것에 충실하게 사건을 재구성하면서 스스로가 '진실'이라고 생각하는 이야기를 써나가는 것이다.

시점과 함께『나사못 조이기』에서 모호성을 불러일으키는 또 다른 주요 서술 기법은 극적 기법(dramatic technique)이다. 극적 기법은 제임스의 소설에서 중요한 특징 중 하나로 그의 희곡작가로서의 경력과 깊은 관련이 있다. 소설에서 주목할 만한 성공을 거둔 후 제임스는 연극으로 눈을 돌려 희곡을 쓰기 시작했는데 그의 극작품들은 그다지 좋은 평가를 받지 못했고, 쓰라린 경험 후 그는 다시 소설로 돌아온다. 비록 극작가로서 좋은 호응을 이끌어내지 못했지만 희곡에 대한 제임스의 관심은 소설가로서 그의 기법에 많은 영향을 끼쳤다(Fergusson 15). 희곡작가로서의 경험 이후 그는 소설에서 희곡의 기법을 도입하려고 시도했고 이러한 영향으로 그의 소설들은 비록 문자 그대로의 희곡은 아니지만 그 형식과 기법에서 극화되어 있다고 할 수 있다(Fergusson 17).『나사못 조이기』역시 연극 무대를 경험한 이후의 작품으로 그의 극적 기법이 돋보이는 소설 중 하나이다.

소설에서는 작가가 서술과 현실의 경계를 무너뜨리고 작품에 직접 끼어들 수 있지만 희곡에서는 그렇지 않다. 극작가는 장면(scene)을 통하여 보여주는 것밖에는 할 수 없는 반면, 소설가는 전지적 시점을 통해 이야기의 총체를 알고 있는 존재로서 이야기에 참여하여 소설을 이끌어나갈 여지가 있다는 것이다. 제임스는 작가가 직접 이야기의 전개를 풀어나가는 것이 대개의 경우 무의미한 "수다"로 전락한다고 느꼈고, 그러한 소설의 서술기법을 부정한다(Fergusson 18). 따라서 그는 연극처럼 등장인물의 행동과 말을 "장면"(scene)으로 나타내고 그들의 생각을 "그림"(picture)으로 보여주고자 노력했다(Hocks 7). 더 나아가 제임스는 이렇게 그림을 만들어내는(picture-making) 기법을 통하여 소설에 삶의 풍요로움을 담아낼 수 있다고 믿었다(Fergusson 18). 그러므로 그는 소설이 말하거나(telling) 해석하기(interpreting)보다는 반드시 보여주어야(showing) 한다고 주장한다(Powers 7).

『나사못 조이기』에서 제임스는 이러한 보여주기 기법을 효과적으로 사용한다. 앞서 논한 바와 같이 시점은 1인칭 화자에게 완전히 제한되어 있고 소설의 한 장면 한 장면이 마치 연극처럼 각각 제시된다. 그중에서도 가정교사가 퀸트의 유령을 처음으로 목격하는 장면은 영화의 한 장면처럼 극적으로 묘사된다.

하늘에는 여전히 황금빛과 공기의 투명함이 남아 있었고, 나를 흉벽에서 바라보고 있는 남자는 액자 안의 그림처럼 분명했다. [. . .] 그는 집에서 멀찍이 떨어진 그런 위치에, 매우 곧게 서 있었고 두 손을 흉벽 턱에 올려 두고 있었다. 그러므로 나는 이 종이 위에 내가 쓰고 있는 글씨들을 보는 것처럼 [선명히] 그를 보았다. 그리고 나서, 정확히, 일 분 후에, 마치 그 장면에 더하기라도 하듯이, 그는 그의 장소를 천천히 바꾸었다. 지나가는 내내 나를 뚫어지게 바라보면서, 그는 반대쪽 구석으로 옮겨갔다.

The gold was still in the sky, the clearness in the air, and the man who looked at me over the battlements was as definite as a picture in a frame.

[. . .] He was in one of the angles, the one away from the house, very
erect, as it struck me, and with both hands on the ledge. So I saw him as
I see the letters I form on this page; then, exactly, after a minute, as if to
add to the spectacle, he slowly changed his place—passed, looking at me
hard all the while, to the opposite corner of the platform. (25-26)

마치 카메라가 장면을 포착해내듯 가정교사의 시각으로 그려내는 이
장면은 영화나 연극의 한 부분 같이 느껴진다. 작가는 이렇게 소설에서 보
여주기 기법을 통해 장면을 생생하게 그려내지만, 이에 대한 작가 자신의
"수다스러운" 해설을 내놓지는 않는다. 가정교사가 "액자 안의 그림처럼"
퀸트와의 만남을 보여주고 나서 이 장은 별다른 설명 없이 마무리되고 뒤
이어 가정교사와 퀸트의 두 번째 만남이 소개된다.

이러한 방식으로 독자는 가정교사가 유령을 만나는 장면, 가정교사와
그로스 부인이 이야기하는 장면, 혹은 가정교사와 아이들이 함께 교실에
서 시간을 보내는 장면을 하나씩 하나씩 '보게 된다.' 보여주기 기법은 각
각의 장면을 생생하고 현실감 있게 전달하는 특징이 있는 반면, 한편으로
는 보여주지 않는 부분에 대한 정보에 대해서는 완벽히 함구한다. 그렇기
때문에 작가가 많은 것을 보여주지 않고 감추려고 노력하는 『나사못 조이
기』에서는 보여주기 기법이 모호함을 가중시키는 데 일조한다. 특히 이
소설에서는 1인칭 화자의 시점으로 볼 수 있는 것만 제공되기 때문에 혼
란은 가중된다. 이처럼 작가가 말하기 기법을 지양하고 대부분의 이야기
를 보여주기 때문에, '장면'과 '장면' 사이에는 공백이 존재한다. 이에 따라
'장면'과 '장면' 사이의 공백을 메우기 위해 독자는 상상력을 동원하게 되고
각자가 이 공백을 어떻게 메우느냐에 따라 각기 다른 해석을 도출한다.

실버와 같은 비평가들은 이와 같은 "무대 뒤"(off-stage, Jones 115) 공백에

다양한 추측을 불어 넣는다. 『나사못 조이기』에서 가정교사가 피터 퀸트의 죽음에 대해 자세히 듣는 장면은 나타나지 않지만 그녀는 그의 죽음에 대하여 상세히 알고 있는 것처럼 보인다(40-41). 또한 제셀을 처음 만났을 때 가정교사는 그녀가 제셀이라는 사실을 즉각 알아본다(45). 실버는 이것을 소설에서 보여주지는 않았지만 가정교사가 장면과 장면의 막후에 마을에 가서 퀸트나 제셀에 대한 정보를 얻었기 때문이라고 설명한다(Silver 210). 이로 인해 화자가 한 번도 본 적이 없는 두 사람을 알아보거나 이들의 죽음에 얽힌 자세한 내막을 알게 되었을 것이라고 추정하는 것이다. 또한 보여주기 기법은 비단 그 공백 때문이 아니더라도 또 다른 각도에서 독자에게 유동적인 해석의 폭을 제시한다. 작가가 이야기에 대한 통제권을 쥐고 사건에 대해 설명하는 것이 아니라 사건을 그저 보여줄 뿐이므로, 이에 대한 해석의 권한은 독자에게 있다. 그러므로 독자는 사건을 보고 그들이 선택한 시각에 따라 작품에 접근할 수 있다. 이는 곧 다양한 각도에서 작품을 읽을 수 있는 열린 가능성으로 연결된다.

IV. 다양성을 위한 모호성

『나사못 조이기』의 출간 이후 많은 독자들이 이야기를 둘러싼 '불필요한' 모호성에 대해 불평을 제기해왔다. 작품의 서문에서 제임스가 그러한 불평에 대해 언급했듯이, 이들은 제임스가 "충분히 [가정교사를] '특징화하여 묘사하지' 않았다"("The Preface" 129)거나 "불필요하게 많은 수수께끼들"(Heilman 441)을 숨겨 놓음으로써 소설을 불가해하게 만들었다는 사실에 불만스러워한다. 그러나 이와 같은 소설의 불가해성과 모호성이야말로 오늘날까지도 작품에 대한 분석과 논의를 활발하게 이끌어 낼 수 있는 원동력이었다. 그리고 이 모호성은 작가가 작품에서 교묘하게 사용하고 있는 다양한 서술 구조와 기법에서 기인하는 것이다. 제임스는 「소설예술론」("The Art of Fiction")에서 구조의 중요성을 강조하면서 아이디어와 구조는 마치 "실"과 "바늘"의 관계와 같다고 표현한다(40). "실"이라는 원재료를 "바늘"이 어떻게 꿰느냐에 따라 각기 다른 형태의 직물이 완성되는 것처럼 다양한 서술 구조와 기법은 작품이 어떠한 방향으로 나아갈지를 결정하는 핵심이다. 제임스는 『나사못 조이기』에서 여러 서술 기법을 효과적으로 소설에 도입함으로써 모호성이라는 커다란 직물을 치밀하게 구성하고 있다.

블라이 저택에는 "우돌포 성의 수수께끼나 예상치 못한 곳에 감금되어 있는 언급할 수 없는 미친 친척"(27)과 같은 숨겨진 비밀이 있다. 작가는 이 비밀을 해결하지 않은 채 남겨두고, 소설의 서술 구조와 각종 기법으로 이야기를 둘러 쌓아 길을 찾을 수 없는 미로로 만든다. 마치 모든 사건과 문제에 대한 설명이 결핍되어 있는 것과 같은 불편함은 작품이 이렇게까지 모호해야 할 필요성이 있는지에 대한 의문을 불러일으킬 수도 있다. 그러나 『나사못 조이기』가 입증하는 것처럼, 역설적으로 이러한 모호성이야말로 작품에 더 다양한 해석의 여지를 남겨 끊임없이 재생산해 낼 수 있도록 하는 비옥한 토양이 된다.

Bell, Millicent. "Class, Sex, and the Victorian Governess: James's *The Turn of the Screw*." *New Essays on Daisy Miller and The Turn of the Screw* (1993): 91-119.

Cannon, Kelly. *Henry James and Masculinity: The Man at the Margins*. New York: St. Martin's Press, 1996.

Cargill, Oscar. "*The Turn of the Screw* and Alice James." *PMLA* 78.3 (1963): 238-49.

Costello, Donald P. "The Structure of *The Turn of the Screw*." *Modern Language Notes* 75.4 (1960): 312-21.

Felman, Shoshana. "Turning the Screw of Interpretation." *Yale French Studies* 55/56 (1977): 94-207.

_____. *Writing and Madness: Literature, Philosophy, Psychoanalysis*, trans. Martha Noel Evans, et al. Ithaca: Cornell UP, 1985.

Fagin, Bryllion N. "Another Reading of *The Turn of the Screw*." *Modern Language Notes* 56.3 (1941): 196-202.

Fergusson, Francis. "James's Idea of Dramatic Form." *Modern Critical Views: Henry James* (1987): 15-25.

Friedman, Norman. "Point of View in Fiction: The Development of a Critical Concept." *PMLA* 70.5 (1935): 1160-84.

Goddard, Harold C. "A Pre-Freudian Reading of *The Turn of the Screw*." *Nineteenth-Century Fiction* 12.1 (1957): 1-36.

Goetz, William R. "The "Frame" of *The Trun of the Screw*: Framing the Reader In." *Studies in Short Fiction* 18 (1981): 71-74.

Guerin, Wilfred L., et al. *A Handbook of Critical Approaches to Literature* 4th ed. New York: Oxford UP, 1999.

Hayes, Kevin J. *Henry James: The Contemporary Reviews*. Cambridge: Cambridge UP, 1996.

Hale, Dorothy J. "Henry James and the Invention of Novel Theory." *The Cambridge Companion to Henry James*. Ed. Jonathan Freedman. Cambridge: Cambridge UP, 1998. 79-101.

Heilman, Robert B. "The Freudian Reading of *the Turn of the Screw*." *Modern Language Notes* 62.7 (1947): 433-45.

Hocks, Richard A. *Henry James: A Study of the Short Fiction*. Boston: Twayne Publishers, 1990.

James, Henry. *The Turn of the Screw*. Ed. David Bromwich. New York: Penguin Books, 2011.

_____. "Preface to the New York Edition." *The Turn of the Screw*. Ed. David Bromwich. New York: Penguin Books, 2011. 126-32.

_____. "The Art of Fiction." *Theory of Fiction: Henry James*. Ed. James E. Miller, Jr. Lincoln: U of Nebraska P, 1972. 27-44.

Jones, Alexander E. "Point of View in *The Turn of the Screw*." *PMLA* 74.1 (1959): 112-22.

Lind, S. E. "*The Turn of the Screw*: The Torment of Critics." *Centennial Review* 14 (1970): 235.

Miller Jr., James E. "Introduction: A Theory of Fiction in Outline." *Theory of Fiction: Henry James*. E. Miller, Jr. Lincoln: U of Nebraska P' 1972. 1-26.

McWhiter, David. "In the "Other House" of Fiction: Writing Authority, and Femininity in *The Turn of the Screw*." *New Essays on Dasy Miller and The Turn of the Screw* (1993): 121-48.

McMaster, Juliet. "The full Image of a Repetition' in *The Turn of the Screw*." *Modern Critical Views: Henry James* (1987): 125-30.

Martin, Robert K. "The Children's Hour: A Postcolonial Turn of the Screw." *Canadian Review of American Studies* 3 (2001): 401-07.

Powers, Lyall H. *Henry James: An Introduction and Interpretation*. New York: Holt, Rinehart and Winston, 1970.

Reed, Glenn A. "Another Turn on James's *The Turn of the Screw*." *American Literature* 20.4 (1949): 413-23.

Renaux, Sigrid. *The Turn of the Screw: A Semiotic Reading*. New York: Peter Lang Publishing, 1993.

Rowe, John Carlos. *The Theoretical Dimensions of Henry James*. Wisconsin: Wisconsin UP, 1984.

Silver, John. "A Note on the Freudian Reading of *The Turn of the Screw*." *American Literautre* 29.2 (1957): 207-11.

Wilson, Edmund. "The Ambiguity of Henry James." *The Triple Thinkers*. New

York: Penguin, 1962. 102-04.

Wolff, Robert Lee. "The genesis of *The Turn of the Screw.*" *American Literature* 13.1 (1941): 1-8.

제9장

『대사들』:
실용주의적 인식의 전향

● ● ● 오세린

I. 『대사들』의 씨앗

『대사들』(*The Ambassadors*, 1903)[1]은 헨리 제임스가 60세 되던 해에 발표된 제임스의 후기 소설 중 하나이다. 『대사들』은 철학적이면서도 교육적인 내용, 의미의 모호성으로 인한 난독성에도 불구하고 여전히 미국 소설 비평가들 사이에서 중요한 작품으로 손꼽힌다. 제임스 역시 『대사들』의 「서문」("Preface")에서 이 작품을 모든 면에서 다른 그의 작품들 중 가장 최고라고 솔직하게 평가한다(2). 제임스는 그가 주로 활약했던 시기인, 빅토리아 시대의 중·후기와 에드워드 시대 때 활동했던 다른 작가들과는 달

---

[1] Henry James, *The Ambassadors*, New York: Norton, 1994. 앞으로 이 작품의 인용은 괄호 안에 쪽수만 표기한다.

리, 시점의 기법에 있어 새로운 장을 연 혁신적인 작가라는 점에서 당시의 전형적인 대표 작가라고 할 수 없다(Bellringer xi). 나아가서 그는 한 등장인물의 중심 의식을 통해서 서사 전체가 여과되는 시점을 사용하는 묘사 기법을 개발했다는 점에서 현대 소설 작법의 발달에 획기적인 역할을 한 작가로 여겨진다. 이 기법은 전지적 작가 시점의 사용 결과로 파생되는 구조의 포화와 느슨함을 피하고, 실제 생활에서 겪은 경험을 바탕으로 하는 복잡한 의식의 흐름에 초점을 맞춘다. 제임스는 바로 이 새로운 기법을 『대사들』에서 성공적으로 이뤄냈다고 할 수 있다(Anderson 221). 제임스는 『대사들』에서 "하나의 중심을 사용하여 주인공의 인식 범위 내에 그 중심을 유지하여"("Preface" 8) 오로지 주인공의 시각과 의식만으로 서술한다.

　『대사들』의 배경은 주인공의 자체 모순된 의식을 보여주기 위해 삼차원적이며 상세하고 구체적인 심리 묘사를 전개한다. 그래서 주인공의 감성의 드라마는 강렬하게 생생한 사회적 현실, 태도와 관습, 사고와 행동양상, 파리의 정원과 거리, 내부 경관이라는 인상적인 경관을 배경으로 펼쳐진다(Sears 18). 그리하여 탄생하게 된 『대사들』의 주인공인 램버트 스트레더(Lambert Strether)는 지성과 상상력을 부여받은 인물로서 사건에 관여하기도 하고 따로 떨어져 있기도 하면서 특별한 통찰력을 발휘한다. 소설 전반에 걸쳐 제임스는 스트레더의 의식의 움직임을 한 편의 펼쳐지는 드라마의 형태로 다룬다. 제임스는 등장인물들 중에서 마담 드 비오네(Madame de Vionnet), 유럽화된 마리아 고스트리(Maria Gostrey), 채드 뉴섬(Chadwick Newsome), 그리고 그의 국외자 친구인 리틀 빌햄(little Bilham)을 한 부류로, 웨이마시(Waymarsh), 뉴섬 부인(Mrs. Newsome), 그리고 포콕 부부(the Pococks)를 다른 한 부류로 배치해 놓고 구세계와 신세계를 대조한다. 그러면서 두 부류는 각각 유럽 문화와 사회 그리고 미국인들의 경직된 시각을 대변하게 되면서 동시에 그것들은 스트레더의 관찰 대상이 된다. 그리고 그 전체의 지각 과정이 스트레더의 의식 변화에 영향을 미친다. 그런 묘사 기법에 있어서 제임스의 관심은 인물들의 개성을 표출해내거나 인간 관계와 행동을 직접 보여주기보다는 그 모든 상황을 받아들이는 주인공의 의식에 초점을 두고 있다(Bellringer xi).

제임스는 그의 친구이자 미국의 대표 소설가인 하울즈(William Dean Howells)가 자신의 인생에서 잃어버린 것에 대해 했던 이야기가 『대사들』의 최초의 근원이라고 1895년 10월 31일 자 그의 비망록에서 밝힌다. 비망록에 따르면 하울즈는 다시 미국으로 돌아갈 수밖에 없었지만 18개월 전 파리(Paris)에 머무르는 동안 받은 인상에 대해 스터지스(Jonathan Sturges)[2]에게, "모든 것이 새로워. 모든 것. 모든 것. 모든 것. 오 자네는 젊네. 자네는 젊어. 그것을 기쁘게 생각하게. 그것을 기쁘게 생각하고 살게나. 한껏 살게나. 그렇지 않으면 잘못이라네. 자네가 무슨 일을 하느냐는 중요하지 않아. 그러나 살게. 난 그것을 지금 알았어. 난 그렇게 해 오지 않았고. 지금 나는 늙었어. 나는 늦었어. [. . .] 자네는 시간이 있어. 자네는 젊어. 살게나!"라고 말했다("Notebook Entries" 374). 제임스는 스터지스에게서 이 말을 듣고 거기에서 생겨나는, 작은 어떤 씨앗과 같은 것을 보는 것 같았다고 전한다. 그러나 그 씨앗은 4~5년 동안의 휴면기를 거친 후, 마침내 발아되었을 때 『대사들』이라는 그의 대표작으로 개화될 수 있었다(Anderson 224).

『대사들』은 총 12권 36장으로 구성된 소설로서 3월부터 이후 6개월가량에 걸쳐 유럽에서 일어나는 일련의 사건들을 주인공인 스트레더의 의식을 중심으로 제한된 관찰자 시점에 의존하여 서술된다. 종종 자신이 만든

---

[2] 조나단 스터지스(1864-1911): 불구이면서 국외자 신분인 미국인이며 제임스의 친한 친구. 제임스의 전기 작가인 에델(Leon Edel)은 스터지스가 리틀 빌헴(little Bilham)이라는 캐릭터에 영감을 주었을 것이라고 한다("Notebook Entries" 374).

소설 속의 인물들이 인위적이고 일상의 사람들과는 거리가 멀다는 비평을 받아온 제임스는 『대사들』에서는 비교적 평범한 주인공을 선택했고 처음으로 관찰자의 의식을 소설의 중심 초점으로 삼았다(Schloss 94). 소설은 단순한 도덕적 체계에서 시작해서 이에 맞지 않는 생생한 사실들과 대면하면서 겪는 사람의 시각(vision)의 점진적 수정과 변화, 정신적 혼란, 재정리, 그리고 의식의 확장을 보여준다(Tanner 110). 이 시점에서 제임스가 강조한 것은 스트레더는 상상력을 통해서 보는 사람이며 그가 유럽 여정을 통해 본 것들은 행동하는 성질의 것이 아닌 감정, 사고, 반응, 이해라는 내면의 행위로서 지각되어져야 한다는 점이다. 소설은 처음에는 스트레더가 뉴섬 부인의 아들인 채드를 미국으로 데려오는 임무를 수행하는 것이 중심 내용이었지만, 나중에는 채드와 그의 연인인 비오네 부인과의 관계가 중심 사건이 된다. 이를 "탐정의 열정을 부여받은 스트레더"(Anderson 221)가 규명해 감으로써 소설은 탐정소설과 같은 특징을 내포하기도 한다.

이 소설의 「서문」에서 제임스는 "우리의 가엾은 명사인 스트레더는 뉴잉글랜드의 심장부에서 나와서 새롭고 예상치 못한 습격과 주입(assaults and infusions)의 결과로 문자 그대로 매시간 변화를 겪고 있는 마음 상태로 파리에 왔다"(6)라고 스트레더를 소개한다. 스트레더는 옛 시각으로 새로운 사실과 맞서는 "부조화된 입장"(a false position, 5)에서 혼란스럽고 생생한 사실들에 도전을 받는 인물이다. 그 결과, 그가 새로운 환경으로부터의 자극을 보다 포괄적인 시각을 통해서 자신의 그러한 경험에 대해 새롭고 적절한 체계를 찾으려고 노력한다는 점에서 그의 의식 변화는 "혁명"(7)이라고 규정될 수 있다. 그리고 "그 혁명이란 파리가 제공하는 세속적인 유혹과 관련 있는 것이 아니라 오히려 섬세하고 감성적인 상상력을 자극하는 힘과 관련되어 있다"(Tanner 109). 소설의 시작부터 서술자는 스트레더가 "이상한 이중적인 의식으로 고민하고 있다"(18)는 말로 "열성적이면서도 초연한 데가 있고 무관심한 가운데도 호기심이 깃들어 있는"(18) 그에 대해 설명한다. 이는 유럽의 자유분방한 모습에 매료되면서 동시에 혼란스러운 스트레더의 의식 상태를 설명해주는 것으로 그의 "부조화된 입장"을 뒷받침해 준다.

울렛(Woollett)과 파리라는 두 도시를 중심으로 청교도 사회와 유럽 사회에서 느끼는 양가감정으로 고뇌하는 스트레더는 울렛에서 억눌려 왔던 그의 감수성이 파리로 오면서 점점 깨어난다. 이와 더불어 스트레더는 파리에 와서 미국이 본질적으로 "여성의 사회"(216)라는 것을 절감하고, 울렛과 파리라는 지리적 거리만큼이나 엄격한 청교도적인 울렛 사회와 심리적으로 멀어지는 것을 느끼며 양심의 가책을 느낀다. 하지만 스트레더는 그가 파리의 어디에 멈춰서든 간에 상상력이 억제시킬 수 없을 정도의 반응을 일으킨다는 사실을 인정하지 않을 수 없다(70). 그가 본 파리의 모습과 그곳에서 만난 여러 사람들을 통해 스트레더의 인식은 점점 편협한 도덕적 세계를 벗어나서 열정과 미학의 세계로 향하게 되며, 그의 사고도 고착화된 틀에서 벗어나 유연성을 띠게 된다.

II. 청교도주의 사회의 이중성

55세의 스트레더는 지적이고 풍부한 상상력을 지닌 미국인이며 "직업상 그리고 개인적인 의무감에 붙들려 있는 별 특징 없는 잡지의 편집자이다"(Schloss 94). 그는 자신의 고용주이자 "미래의 부인"(75)이 될 뉴섬 부인에게서 유럽에 있는 그녀의 아들인 채드를 미국으로 귀환시키라는 임무를 부여받고 뉴잉글랜드의 소도시인 울렛에서 유럽으로 파견된다. 뉴섬 부인은 울렛에서 제조 공장을 운영하는 부유한 미망인이다. 소설의 배경이 되는 울렛은 가상의 공간이기는 하나, 뉴잉글랜드 매사추세츠(Massachusetts) 주에 위치한 곳으로 역사적인 의미를 내포하고 있다. 뉴잉글랜드는 최초의 청교도 이주자들이 정착했던 곳이다. 1680년대까지 미국에서 청교도 식민지로 매사추세츠, 코네티컷(Connecticut), 플리머스(Plymouth), 그리고 로드 아일랜드(Rhode Island) 등이 주를 이루었고, 그중에서도 매사추세츠가 압도적으로 많은 부분을 차지하였다. 매사추세츠는 초창기 영향력에서 다른 식민지들을 압도하여 당시 뉴잉글랜드 청교도 식민지의 대명사였다(정만득 10). 그래서 "작은 공업단지"(47)가 있는 울렛은 미국인의 정신적 근간을 이루는 청교도주의와 당대를 반영하듯 산업 기술이 발달한 자본주의를 동시에 대변한다. 뉴섬 부인은 소설 속에서 비가시적인 존재임에도 불구하고 스트레더의 귀에 "그녀의 말소리가 주위에서 들려오는 것"(60)처럼 느껴질 정도로 그녀의 영향력은 지대하다. 그녀는 차가운 빙산의 이미지(300)로 표현될 만큼 "냉철한 생각으로 뭉쳐진 사람"(298)으로서 자신의 일에 철두철미한 청교도적인 인물이다. 스트레더 역시 "도덕적 책무의 지시에 반응하는 뉴잉글랜드 양심의 습관적 특징"(Sears 21)을 지닌 인물로서 "울렛에서 온 순례자"(270)로 등장하여 유럽문화의 아름다움과 그 이면을 경험하게 된다.

소설의 첫 장면에서 스트레더가 호텔에 도착했을 때 제일 먼저 물어본 것은 친구인 웨이마시가 도착했는지의 여부이다. 웨이마시가 저녁때까지 도착하지 않으리라는 말을 들은 스트레더는 당황하거나 낙심하지 않는다. 대신에 스트레더는 재회의 지연이 가져다준 기쁨을 만끽하면서도 다른 온갖 생각과 뒤섞인 불안감을 느낀다. 스트레더는 웨이마시에게 배의 입항 시간을 고의로 알려주지 않아 서너 시간 재회의 시간을 늦추어 당분간 어떤 사람, 어떤 일에도 신경 쓸 필요 없이 수년 동안 맛보지 못한 자유로운 기분을 유럽에 와서 맛본다(17). 스트레더가 웨이마시를 기다리는 동안 만난 마리아 고스트리는 스트레더의 유럽 여정 마지막까지 함께하면서 유럽의 풍습과 시내를 그에게 안내하는 안내자와 교사의 역할을 한다. 실제로 그녀는 미국에서 유럽으로 온 사람들에게 유럽의 대한 전반적인 안내를 해주는 안내자이다. 그녀는 풍부한 경험을 토대로 그녀가 상대하는 사람들의 심리를 예리한 눈으로 간파하며 유형별로 자유로이 정리·구분할 수 있다(21). 고스트리의 안내를 받으며 유럽의 거리를 처음으로 산책하는 스트레더는 기쁨으로 벅찬 감정을 누군가와 나누고 싶은 충동을 느끼지만 드러내지 못한다. 즐길 줄 모르는 스트레더는 고스트리의 눈에 "옳다고 생각되지 않은 일을 하고 있는 사람"(25)으로 비친다. 스트레더는 자신이 즐거운 기분을 느껴서는 안 된다는 경직된 도덕의식이 울렛의 의식이라거나 울렛은 근본적으로 즐거움을 죄악시한다고 스스로 생각함으로써 자신이 뉴잉글랜드의 엄격한 금욕주의의 틀에 갇힌 존재임을 의식한다(25). 따라서 금욕적인 생활을 강조하는 청교도 사회에서 마음껏 즐긴다는 것은 청교도 규율에 어긋나는 행동으로, 스트레더가 맨 처음 유럽에 와서 자유로움과 더불어 느꼈던 불안감은 곧 청교도 금욕주의에서 기인한, 앞서 시어즈가 "뉴잉글랜드 양심의 습관적 특징"이라고 말한 "양심의 가책"(57)이라고도 할 수 있다. 그러므로 청교도적 학습에 짐을 지고 있는 풍류인인 스트레더의 감성을 가장 만족시켜주는 바로 그러한 것들이 스트레더에게는 그의 양심을 괴롭히고 있는 딜레마로 작용한다(Sears 21).

한편 웨이마시는 유럽에 대해서 전혀 이해하지 못하고 조화될 기대조차 상실한 채 석 달째 체류 중이다. 그는 코네티컷주 밀로즈(Milrose) 출신의 변호사로서 "미국 정치가"(29)다운 얼굴을 하고 있어 전형적인 미국인을 대변한다고 할 수 있다. 그리고 웨이마시가 코네티컷 밀로즈 출신이라는 사실은 그도 역시 청교도적인 인물임을 시사한다. 서술자는 "밀로즈의 화신"(31)이라는 말로 웨이마시가 엄격한 청도교적인 인물임을 재차 강조한다. 스트레더를 돋보이게 하는 대조 인물(foil) 역할을 하는 웨이마시는 유럽에서의 모든 새로운 경험과는 벗어나 있는 스트레더의 과거의 자아를 구현하기도 한다(Anderson 230). 이들은 "고향에서는 일의 압력과 직업상의 피로, 일에 대한 몰두와 근심, 걱정 등으로 지난 약 5년 동안 단 하루도 시간을 내어 만날 수가 없었다"(30). 최근 웨이마시는 신경쇠약에 걸려 가까스로 회복되었다. 웨이마시가 일에 함몰되어 병약해진 모습은 "일이 많고 시간에 쫓기는 생활을 하고 있는 데다가 퍽 신경질적이고—몸도 튼튼하지 못한"(46), 현재 뉴섬 부인의 모습과 크게 다르지 않다. 스트레더는 항상 웨이마시를 최고로 성공한 사람으로 평가하며 실제 그[웨이마시]는 큰 수입을 올리는 변호사이다. 결국 유럽을 이해하지 못하는 웨이마시의 태도는 편협하고 폐쇄적인 청교도 사회의 모습을 부정적으로 구현한다.

고스트리의 안내를 받으며 스트레더와 로우즈(Rows) 거리를 산책할 때, 웨이마시는 고스트리에게서 저속한 "사교계의 여성"(38)과 같은 인상을 받는다.

> 그[웨이마시]가 그의 새 여자친구를 가톨릭교회의 회원 모집 대리인이며 예수회의 여성 회원으로 간주하고 있음을 스트레더도 알고 있었다. 웨이마시 말에 의하면, 가톨릭교회란 그의 원수이며 튀어나온 눈을 가지고 떨리는 탐색용 촉수를 멀리까지 뻗치고 있는 괴물이라는 것이다. 그것이 바로 사교계이고, 그들 자신과 다른 사람을 구별하는 언어의 집합체이며, 타이프와 색조의 식별이고, 봉건 제도의 악취가 풍기는 체스터의 사악한 낡은 로우즈 거리이며, 한마디로 말하면 유럽 그 자체라는 것이다.

> He had quite the consciousness of his new friend, for their companion, that he might have had of a Jesuit in petticoats, a representative of the re-

cruiting interests of the Catholic Church. The Catholic Church, for Waymarsh—that was to say the enemy, the monster of bulging eyes and far-reaching quivering groping tentacles—was exactly society, exactly the multiplication of shibboleths, exactly the discrimination of types and tones, exactly the wicked old Rows of Chester, rank with feudalism; exactly in short Europe. (38)

고스트리에 대한 웨이마시의 이와 같은 평가는 곧 청교도 사회의 미국이 유럽에 내린 평가이기도 하다. 웨이마시가 "정확히"라는 단어를 여러 번 반복해서 사용하여 가톨릭교회가 유럽임을 강조하는 의식에는 중세 시대의 가톨릭교회의 부패상과 유럽의 세속적인 면을 연관 지어 생각하는 비판적인 관점이 들어있다. 그리고 웨이마시와 같은 청교도 입장에서 보자면 가톨릭교회는 이교도이고, 청교도 사상을 탄압하며 청교도인을 타락시키는 "원수"이거나 "괴물"이다. 웨이마시는 봉건 제도가 가톨릭교회의 위계질서에 근간을 두고 형성된 것이므로 중세 시대부터 내려온 가톨릭교회의 사상이 현재 자유민주정신에 큰 위험을 가하는 것으로 여긴다. 이러한 웨이마시의 사고는 지극히 편향된 청교도적 사고에서 비롯된 것으로 가톨릭교회를 대단히 부정적으로 평가하는 것이고, 미국인 고스트리를 "가톨릭교회의 회원 모집 대리인이며 예수회의 여성 회원이라고 간주한다"는 것은 그녀를 "겉멋만 들고, 닳았으며, 세속적이고 사악한"(39) 유럽인으로 보고 있다는 것이다.

웨이마시는 감수성이 고갈되고 심미적 인식이 부재하는 청교도적 인물의 표상이다. 그는 울렛의 상점과는 다른 유럽 상점의 창문을 들여다보며 아주 분별 있는 사람인 양 행동하려 한다. 그러나 정작 그는 보잘것없는 실용품에만 관심을 보일 따름이다. 그는 고스트리가 스트레더에게 장갑 한 켤레를 구입하는 것을 허용하는 것을 본다. 웨이마시에게 있어 "단순한 장갑 한 켤레의 안목은 근본적으로 유럽의 문란함을 상징한다"(Sears 21). 그래서 그는 스트레더가 저속한 종교 활동을 하는 고스트리에 의해 타락해 가고 있다고 생각한다. 거리를 걷고 있는 동안, "웨이마시는 무언가를 알게 되기 시작했거나 또는 알기를 완전히 단념한 결과로 애매한 침묵을 지키는 듯했다"(37). 그는 시종일관 침묵으로 일관하며 불쾌감을 드러내는데, 이 불쾌감은 주기적으로 "신성한 분노"(41)로 표출된다. 그가 주기적으로 표출하는 "신성한 분노"는 청교도 정신을 지키고자 하는 나름의 "대항 의식"(159)이다. 이러한 웨이마시의 이미지는 빌햄의 눈에는 "천정을 굽어보던 모세 상(像)"(125)으로, 배러스 양(Miss Barrace)의 눈에는 "위대한 아버지를 만나기 위해 워싱턴에 온 인디언 추장"(125)으로 각각 비친다. 이처럼 어딘가에 "얽매인 정신의 소유자"(201)인 웨이마시의 태도는 "파리에 수용적인 반응"(64)을 보이는 스트레더와 대조적이다.

자신을 유럽 문화의 안내자로 소개하는 고스트리는 미국인의 문화적 피폐함에 대해 통렬하게 인식하고 있는 인물이다. 그녀는 단순히 돈을 바라고서 그 일을 하는 것이 아니라, 미국인의 국민의식이라는 거대한 짐, 즉 미국 자체를 짊어지고 악한 세상에서 상처 입은 조국을 지키기 위해 운명적으로 이 일을 하게 되었다고 스스로 생각한다. 고스트리가 말한 "전 딴 사람들이 그러듯이 돈 따위는 바라지 않아요"(26)라는 말 속에는 현재 미국 사회의 풍조에 대한 함축적인 의미가 들어 있다. 이는 현재 산업화로 변화하는 세태 속에서 순수한 신앙과 도덕의식을 바탕으로 한 초기 청교도주의 사상이 물질적이고 세속적으로 많이 변질되어 있는 현실을 반영하는 말로써, 이에 단적인 예가 바로 뉴섬 부인과 그녀의 가업이라고 할 수 있다. "매우 냉철한 사고를 하고 모든 일을 미리 계획해 두는"(299) 뉴섬 부인은 "자기 나름의 완전성으로 다져진 여자이다"(300).

"훌륭한 수완가"(50)인 뉴섬 부인은 경직된 미국인의 산업자본주의와 물질주의 가치관을 대변한다. 그녀는 선조로부터 물려받은 가업을 번영시켜 막대한 부를 얻었다. 그녀는 "사업에 재간이 있는 채드"(217)를 통해 가업을 "독점사업"(47)으로 발전시킬 계획을 하고 있었다. 그리고 뉴섬 부인의 후원으로 발간되는 녹색 평론지만을 보아도 그녀가 얼마나 경제적 가치와 종교적 윤리를 우선시하는지 알 수 있다. 명분은 문예 평론지이지만 그 잡지의 발간 목적에서 문학은 중요하지 않다. 그 잡지의 "알맹이는 경제, 정치, 윤리에 관한 풍부한 글들로 이루어진 것이고 문학이란, 스트레더와 의견이 다른 뉴섬 부인의 말을 빌자면 말을 윤나게 칠을 해서 만지기에 아주 기분 좋게 하고 알맹이를 감싸주는 껍데기에 불과한 것이다"(63). 이와 같은 뉴섬 부인의 말에서 청교도적인 윤리를 중요시하면서도 금욕적인 삶과 상충되게 이윤 창출을 중요시하는 자본주의 사회에 부합하듯, 문학을 경제와 정치와 같은 다른 분야에 비해 경시하는 그녀의 사고를 읽을 수 있다.

고스트리가 뉴섬 부인의 공장에서 생산해 내는 제품에 대해 스트레더에게 묻자 그는, "작고 사소하고 다소 우스꽝스러운 흔해빠진 가정용품이지요"(48)라며 정확한 답변을 피한다. 이에 고스트리는 뉴섬 부인의 공장에서 생산되는 제품을 저속한 물건으로 단정 지으며, 가업을 시작할 수 있었던 채드 조부의 재산 출처도 그다지 깨끗하지 못할 것이라고 의심한다. 이에 스트레더는, "그녀는 자기가 번 돈을 큰 자선 사업에 쓰고, 자기의 생활도 이 사업을 위하여 설계하고 영위하고 있지요"(49-50)라고 뉴섬 부인을 애써 변호하지만 고스트리는 "자기가 범해 온 죄에 대한 일종의 속죄로군요"(50)라며 스트레더의 말을 일축해 버린다. 고스트리의 말은 뉴섬 부인이 행하는 "속죄"를 그저 몸에 밴 종교적 교리에서 나온 행위로서 "뉴잉글랜드 양심의 습관적 특징"에 지나지 않는 것으로 치부해 버리는 발언이다.

이렇듯 제임스는 뉴섬 부인의 가업을 정확하게 묘사하지 않음으로써 뉴섬 가 사업의 천박하고도 부도덕한 배경을 상기시키고 물질주의로 변질되어 가는 청교도주의 정신을 지적한다.

뉴섬 부인은 결혼이나 성 역할에 대해서도 극도로 편협하고 경직된 시각을 가지고 있다. 그녀가 채드와 결혼시키려고 계획하고 있는 채드의 결혼 상대자는 메이미 포콕(Mamie Pocock)이다. 스트레더는 메이미가 울렛에서 "예쁘고 총명한 여자"로 알려져 있고, 채드의 결혼 상대자로 최고라고 고스트리에게 소개한다(55). "사람의 유형을 남자와 여자로만 구분하는"(44) 울렛에서는 개인의 재능이나 특성은 중요하지 않다. 이와 더불어 스트레더가 고스트리와 메이미에 대해 나누는 대화에서, "대체로 미국에서는 돈에 대해서는, 처녀가 예쁘기만 하다면 말이오, 별로 따지지 않지요"(55)라고 언급하는 부분은 현재 여성의 미모가 미국에서 미혼여성에게 결혼하기 위한 가장 우선시되는 조건이자 여성을 평가하는 기준이 되었음을 시사한다. 고스트리는 울렛의 젊은 남자들이 예쁜 여자들에게 "흠이 없기"(55)를 바라는, 즉 오래전부터 청교도 사회가 강요해 온 엄격한 여성의 순결성에 대해 지적한다. 고스트리의 지적에 스트레더는 울렛의 젊은이들이 해이해져 가는 시대의 정신과 저속해 가는 풍속 때문에 자꾸 파리로 가버리고 있다고 개탄한다(55). 이와 같은 스트레더의 말 속에는 울렛의 젊은이들이 지금은 부패와 타락의 온상지라고 여기는 파리로 떠나가는 풍조와 순수한 신앙을 지켜나간다는 높은 이상을 품은 초기 청교도 사상이 변질되어가는 현상이 함축되어 있다.

하지만 정작 뉴섬 부인의 도덕성도 의심스럽기는 마찬가지다. 그녀는 자신의 사위인 짐 포콕(Jim Pocock)이 도덕적인 일에는 무신경한 사람임에도 불구하고 그가 "울렛의 일류 사업가"(215)라는 점 때문에 그를 높이 산다. 이렇듯 "도덕적으로 수완가"(51)인 뉴섬 부인은 도덕적으로 이중성을 지닌 인물이다. 짐은 자신의 부인이자 뉴섬 부인의 딸인 사라(Sarah Pocock)에 대해 "자기 어머니처럼 마음속의 감정을 절대로 겉으로 나타내지 않는다"(217)고 말한다. 그리고 이어서 "마치 털가죽을 쓰고 있는 것처럼 표면은 부드럽지만 그것을 일단 벗기면 딴판"(217)이라고 말하는 짐의 말은 뉴섬 부인의 겉과 속이 다른 이중성을 노골적으로 표현해주고 있다. 아울러 뉴섬 부인의 엄격한 도덕성을 지지하는 사라 역시 뉴섬 부인과 이러한 점을 공유하고 있고, "울렛의 겨울을 연상케 하는 무미건조한"(223) 사라의 이미지가 뉴섬 부인의 빙산의 이미지와 닮아 있는 것이 이 둘의 공통적인 속성을 가늠하게 한다.

스트레더의 후임 대사로 사라와 함께 채드를 찾아온 짐은 파리에 온 것에 대해 "진짜 뜻밖의 행운"(216)으로 여긴다. 그는 "울렛의 일류 사업가"로서 사회적인 면에서나 사업적인 면에서나 인정을 받고 또 환영을 받았지만 그가 간절히 바라는 것은 자유를 얻는 것이다(215). 그는 울렛에선 도저히 가져볼 수 없는 즐거운 파리의 인상을 만끽해 보기 위해 그의 모든 감각을 개방한다(217). 그는 파리에 온 이상 무슨 오락이건 마음껏 즐기겠다고 다짐한다. 쾌락을 추구하는 짐의 이와 같은 태도는 쾌락에 대한 스트레더의 양가감정과 상이한 점을 보이는 듯하나, 사실상 물질적으로 성공한 짐도 울렛에서는 자유롭게 즐길 수 있는 삶이 허락되지 않은 점에 있어서 스트레더의 경우와 마찬가지로 보인다. 한편 스트레더에게 파리가 그의 상상력을 자극시키는 열정과 미학의 도시인 반면, 짐이 파리를 단순히 즐길 수 있는 환락의 도시로만 여긴다는 점은 그 두 사람의 현저히 다른 가치관을 보여준다. 그것은 또한 도덕성이 부재하고 실리만을 추구하는 짐과 같은 부류의 사람들, 즉 사라, 뉴섬 부인, 그리고 채드에게는 상상력이 부재해 있음을 시사한다. 스트레더는 그러한 짐을 "냉소적인 사람"(234), "형편없는 사람"(247)으로 평가한다.

도덕적으로 흔들릴 수 있다는 점에 있어서는 웨이마시도 크게 다르지 않다. 처음 유럽에 왔을 때 "전염성을 가진 불유쾌한 기분"(29)이 얼굴 표정에 역력했던 "밀로즈에서 온 순례자"(201)인 웨이마시는 사라를 만난 이후부터 대담하고 건강하며 놀라울 만큼 일을 잘 추진한다. 그리고 웨이마시의 거무스름한 얼굴과 테 넓은 파나마모자의 멋있는 조화가 생생하게 위대했던 시절의 남부 농장주를 연상시킨다(270). 사라는 이러한 웨이마시의 모습에 관심을 갖게 되고, 웨이마시는 사라와 가까이 있는 동안에는 "신성한 분노"를 상실한 채 사라와의 "로맨스"에 빠져있다(244). 서술자는 웨이마시의 변화된 모습에 대해 "웨이마시는 지금 즐기고 있는 것이었다. [. . .] 웨이마시는 지금 여기에서 즐기고 있는 것이다. 그는 유럽에서 자기 자신도 시인할 수 없는 환경의 보호하에 즐기고 있는 것이다"(273)라고 세 차례에 걸쳐 강조하고 있다. '즐긴다'는 것은 앞서 언급했듯이 울렛에서는 거의 금기된 행위로 간주된다. 엄격한 청교도 정신을 표방하는 웨이마시가 울렛 사람들이 부패하고 타락한 곳으로 여기는 유럽에 와서 '즐긴다'는 것은 처음 그가 청교도적 전통을 지키고자 표출했던 "대항 의식"이 일시적으로나마 와해되었다는 것을 의미한다. 더욱이 엄격한 청교도적 도덕성의 표상인 사라와 웨이마시가 청교도주의 사회에서 보자면, 일시적인 "로맨스"라는 비도덕적인 행위를 저지르고도 정작 본인들에게는 관대하여 양심의 가책을 느끼지 못하는 것은 사실상 자신들의 이중적인 도덕성을 보여주는 것이다.

　　그런데도 불구하고 그들이 청교도주의의 맹목적인 편견과 편협한 도덕성을 바탕으로 채드가 타락했다고 여기는 것은 울렛 정신의 아이러니와 허구성을 풍자한다. 그들은 심지어 스트레더도 역시 유럽이라는 적에 의해 타락했다고 판단한다. 사라가 채드의 변모를 가져오게 한 파리의 새로운 가치를 인정하려 들지 않는 태도는 한쪽을 인정하면 다른 한쪽도 인정하지 않으면 안 되기 때문에 그 어느 쪽도 인정하지 않는 청교도주의의 폐쇄성을 반영한다(281).

III. 자유라는 환상과 스트레더의 성찰

스트레더가 파리에 체류하는 경험은 그에게 일차적으로 낭만적 환상을 불러일으켰다가, 결국은 그 환상이 스스로 무너지는 과정으로 요약될 수 있다. 그는 파리의 프랑세즈(Francais) 극장에 예고 없이 등장한 채드와 조우한다. 오랜 기간 파리에 거주하며 "아주 '불순한 동기'를 가진 여자들과 차례차례 '동거'했다는"(67) 소문이 돌 만큼 채드는 울렛의 사람들에게 타락한 생활을 하며 귀국하지 않는다고 알려져 있다. 하지만 이곳에서 만난 채드는 과거의 거친 시골 청년의 모습이 아닌 세련되고 부드러워진 모습으로 달라져 있다. 28세의 채드는 "연령에 보기 드문 흰 머리카락"(92)이 혼재한 모습에 얼굴에서 느껴지는 "원숙미"(96)와 "많은 경험을 쌓고 여러 가지 지식을 터득한, 산전수전을 겪은 사람의 얼굴"(97)을 하고 있다. "우발적인 일"(90)로 인해 스트레더는 당혹스러워하지만 세련되고 위엄을 갖춘 청년으로 변모한 채드의 모습을 "몸체만 크고 형태가 없었던 사람을 견고한 주형 속에 집어넣어 멋있게 빼낸 결과 딴사람이 된 듯했다"라며 "이것은 하나의 현상이요, 훌륭한 사례라고 생각하며 응시하고 있다"(96).

스트레더는 채드의 외견상의 변모라는 "예측할 수 없는 새로운 사태"(96)에 준비 없이 노출되어 채드의 변모가 허위라는 것을 식별해 내지 못한다. 유럽 문화에 익숙하지 않은 스트레더가 더욱이 "쇼와 연극을 상연하는 극장에서" 채드와 조우한다는 것은 극장이라는 장소가 "기만적인 환상의 장소로 가장 알맞은 곳"이라는 점에서 중요한 의미를 갖는다(Tanner

118). 과거 런던 극장에서 스트레더는 "배우와 관객 중에서 어느 쪽이 더 진실한지 알 수 없다"(44)라는 예고적인 혼돈을 경험한 바 있다. "채드의 눈부신 입장은 완벽한 무대연출을 연기하는 훌륭한 입장"(Tanner 118)으로 관객인 스트레더를 매혹시킨 것이라고 할 수 있다. 극장이 기만과 혼동의 장소라는 점은, 『프린세스 카사마시마』(The Princess Casamassima)에서 하이어신스(Hyacinth Robinson)가 처음으로 프린세스 카사마시마를 만나는 장소가 극장이라는 것에서도 입증된다. 하이어신스는 프린세스 카사마시마와의 첫 만남에서 고결함과 순수성을 느끼고 그녀와의 비현실적인 만남이 "극 안의 극"(192)인 것과 같은 인상을 받으며 그녀의 실체를 파악하지 못한다. 브루어(Brewer)에 의하면, 프린세스 카사마시마는 하이어신스 자신이 수행해야 할 임무와 그가 사랑하는 아름다운 것들 사이에서 갈등하다 결국엔 죽음에 이르게 하는, 예술과 부의 시각을 제공하는 마녀와 같은 존재이다(20-21). 공교롭게도 비밀과 의문으로 가득 찬 내용의 극이 진행되는 동안 이루어지는 둘의 만남은 앞으로의 하이어신스의 운명과 프린세스 카사마시마의 영향력을 암시한다 할 수 있다.

마찬가지로 채드의 외모에 현혹된 채 스트레더는 채드의 눈에 띄는 변모를 도덕성으로 오인하고 그를 구제해야 하는 일에 대해 의구심을 갖게 된다. 다른 한편으로 그는 채드에 대한 울렛의 평가는 낯선 세계의 문화에 익숙하지 않은 이분법적인 편협한 기준에 의해 비롯되었음을 느낀다. 하지만 스트레더의 유럽 여정의 안내자이자 조력자인 고스트리는 "채드는 당신이 생각하고 있는 만큼 착하지 않아요"(107)라고 반박한다. 채드의 친구 빌헴 역시 채드의 변모에 대해 "채드가 이렇게 좋은 사람이 되도록 정말로 타고났는지 전 모르겠어요. 좋아하던 옛날 책의 신판 같은 느낌이죠 —개정 증보하여 최신의 것으로 바뀌었지만, 어딘가 이전에 제가 좋아하고 익히 알던 책과는 다른 것 같아요"(111)라고 평가한다. 이와 같은 빌헴의 말에는 채드의 보기 좋은 외적인 변모가 내면까지 훌륭할 수 있다는 것을 결코 확인해 줄 수 없다는 의미를 내포하고 있다. 스트레더는 채드의 변모에 매료되어 "도무지 알 수 없는 불가사의한"(97) 채드의 변화를 깊이 있게 파악하지 못한다. 스트레더는 "어느 때고 무언가 좋은 대상이 나타나면, 아무 거리낌 없이 끊어 버렸으니깐요"(100)라는 채드 자신의 말이 암시하는바, 그[채드]가 그저 실리만을 추구하는 저속한 존재라는 사실을 발견해내지 못한다. 그는 "이 같은 경이가 사람들을 마비시키고 적어도 열광케 한다는 것을 부인할 수 없다"(106)는 말과 함께 채드의 극적인 변모에 깊게 빠져들게 되고 채드의 변모에 도움을 준 비오네 부인과 이 둘의 관계를 상세히 알고자 하는 충동을 느낀다.

스트레더가 경험하는 낭만적 환상은 글로리아니(Gloriani)의 정원 파티에서 첫 절정 상태에 이른다. 화창한 일요일 오후, 채드는 스트레더를 글로리아니의 정원으로 초대한다. 글로리아니의 "기묘하고 오래된 정원"(118)에 스트레더를 제외하고도 많은 각계각층의 인사들이 초대되었다. 이곳에서 스트레더는 불가사의한 모습의 예술가인 글로리아니의 환영을 받고 "예술의 집에 있는 매력적이고 오래된 정원"(2)에 깊은 감명을 받는다. 그는 초대받은 모든 사람들에게서 자유, 정열, 그리고 다양성을 느끼며 어느새 자신도 흥겨운 기분이 된다. 그리고 그들의 전반적인 생활 모두가 이 장소의 멋진 환경에 잘 조화되고 융화되어 있음을 느낀다. 가든파티에서 스트레더는 "꽃에 묻혀 숨이 막힐 것 같은 기분"(118)이 들지만 이에 뒷걸음질 치기보다는 "모든 형태의 미에 대하여 의심쩍은 눈으로 보는 자신의 역겨운 금욕적인 태도"(118)를 의심하게 된다. 이처럼 스트레더는 유럽 사회의 자유, 정열, 그리고 다양성에 감탄하고 울렛의 청교도적 금욕주의를 새삼 인식하게 된다. 그러므로 글로리아니의 정원과 장중한 저택은 스트레더에게 유럽과 미국의 상반된 문화를 보여주는 중요한 기능을 한다

(Hocks 57). 그를 엄습해 오는 여러 가지 영상에 압도당하며 글로리아니의 얼굴을 처음 본 순간, 과거 이 예술가의 작품을 감상했던 행복한 순간을 떠올리며 "마음의 창문을 모두 열어놓고 그의 묵은 지도에 표시 안 된 지역의 태양을, 회색 띤 마음속에 한꺼번에 받아들인다"(120).

그처럼 감상적인 심리상태에서 스트레더는 또 하나의 다른 생각에 이르게 된다. 파리에 사는 사람들은 시각이 너무 발달해서 시각 외엔 다른 감각은 지니고 있지 않은 듯하다고 말하며 파리의 도덕적 감각의 결핍을 어렴풋이 감지하기도 한다(126). 스트레더의 말에 배러스 양은 "우리들은 모두 서로 상대방을 쳐다보고 있는 거예요–파리의 불빛으로는 사물의 외관만 볼 따름이지요. [. . .] 그건 파리의 불빛이 지니고 있는 결함입니다 [. . .] 모든 사물이, 모든 사람이, 외관만 보여주고 있지요"(126)라고 지적한다. 파리는 "거대하고 화려한 바빌론처럼 찬란하고 단단한 보석"(64)처럼 외양과 내면을 식별하거나 차이점을 가려내기 어려운 곳이다. 일찍이 스트레더는 룩셈부르크 공원(Luxembourg Gardens)에서 "파리의 어떤 매력이라도 받아들이게 되면 그의 위신이 사라지고 말 것이라는 불안한 인상 때문에 그의 마음은 걱정으로 가득 찬"(64) 경험을 한 바 있다. 배러스 양이 지적하듯이 "역사 깊은 정다운 빛"인 파리의 빛으로는 사물의 이면에 있는 진실을 볼 수 없다. 이러한 점은 유럽의 부족한 도덕 관념을 함축하기도 하면서 동시에 스트레더가 파리라고 하는 새로운 세계에서 겪는 정신적 어려움과 혼란을 상징적으로 나타내준다고 할 수 있다.

스트레더는 글로리아니의 저택의 주변 경관과 다양한 부류의 사람들과의 만남에서 얻은 인상으로 자신의 삶을 되돌아보게 된다. 그는 파리에 와서 울렛의 편협하고 경직된 사고를 인식하고 울렛이 강요하는 삶에 순응하며 살아온 자신의 과거에 대해 후회한다. 곧이어 스트레더가 빌햄에게 하는 충고는 제임스가 「서문」에서 밝혔듯이, "이 소설의 정수"(1)이자 소설의 첫 번째 클라이맥스에 해당한다. 스트레더는 빌햄에게 삶을 적극적으로 살라고 충고한다.

"[. . .] 한껏 살게나. 그렇게 하지 않는다면 잘못이야. 자신의 삶을 갖는 한 특정하게 뭘 하는지는 중요하지 않다네. 만일 자네가 자신의 삶을 온전히 살지 않았다면 무엇을 가졌다고 할 수 있겠는가? [. . .] 이제야 나는 그걸 알겠네. 내가 이전에는 알 수 없었는데 말일세―그런데 지금 나는 늙었어. 어쨌든 내가 깨달은 걸 실행하기엔 너무 늙었어. 마치 기차가 역에서 날 꽤 오래 기다려 주었지만 눈치가 없어서 난 거기에 그 기차가 있는 것조차 모르고 있던 꼴일세. 그런데 지금 나는 선로를 따라 아득히 멀어져 가는 기차에서 울려오는 희미한 기적 소리를 들을 뿐이네. 누구나 일단 놓쳐 버리면 그것으로 끝나는 거야. 이 점 명심하게. [. . .] 그런데도 사람에겐 자기가 자유롭다는 환상이 있어, 그러니 나처럼 그런 환상의 기억조차 없는 사람이 되어서는 안 되네. [. . .] 나 같은 실수를 범하지 않는 한 무엇이든 자네가 하고 싶은 일을 하게. 난 실패한 게 확실하니까 말이야. 마음먹은 대로 살게!"

"[. . .] Live all you can; it's a mistake not to. it doesn't so much matter what you do in particular, so long as you have your life. If you haven't had that what *have* you had? [. . .] I see it now. Oh I *do* see, at least; and more than you'd believe or I can express. It's too late. And 't's as if the train had fairly waited at the station for me without my having had the gumption to know it was there. Now I hear its faint receding whistle miles and miles down the line. What one loses one loses; make no mistake about that. Still one has the illusion of freedom; therefore don't be, like mè, without the memory of that illusion. [. . .] Do what you like so long as you don't make my mistake. For it was a mistake. Live!" (132)

    지금까지 자기의 운명을 그대로 받아들이는 것이 전부였던 스트레더
는 과거에 놓쳐버린 수많은 기회를 기차에 비유하며 회한에 잠긴다. 그는
풍부한 상상력과 지성을 겸비했음에도 55세의 나이에 이르기까지 경제적
인 성공을 이루지 못한 탓에, 모든 것을 "완벽하게 갖춘 실패자"(40)로 자
신을 간주한다. 이러한 그가 현재의 고통스러운 자아 통찰에 이르러 빌햄
에게 온전한 삶을 살아가기를 호소한다. 아내와 아들을 잃은 스트레더는
"두 죽음이 낀 회색의 사막 같은 시기"(43)를 살며 젊어서 사별한 아내와
죽은 아들의 창백한 모습을 가슴에 안고 있다. 엄격한 도덕적 규범이 명시
되어있는 청교도 사회에서 뉴섬 부인의 힘과 돈에 매어 "신원을 밝히는 수
단"(51)에 불과한 녹색 평론지의 편집자로 살아가는 그가 빌햄에게 하는
말은 곧 자신에게 하는 말이기도 하다. 벨(Millicent Bell)은 스트레더가 아마
도 물질적·정신적으로 궁핍한 미국 환경, 즉 청교도적인 사회에서 성장
했을 것이라고 말하며 그가 놓쳐버린 것은 미국보다는 유럽에서 가능한
심미적·문화적으로 특별한 경험들이라고 언급한다(Meaning 518).

    스트레더는 과거에 유럽으로 신혼여행을 왔을 때, 세련된 취미를 기원
하던 심정으로 "취미의 전당"(63)을 지으려는 맹세를 하며 아내를 위해 열
두 권의 레몬색 서적을 구입하고 싶어 했었다. 그리고 유럽여행을 "더 높
은 교양을 쌓기 위한 기회"(62)로 여기며 자기계발을 위해 수년마다 한 번
씩 유럽을 재방문하려던 계획을 했었다. 하지만 본국으로 귀국한 이후 그
열두 권의 책은 단지 그의 기억 속에 퇴색된 채 남아 있게 되고, 그가 지
으려고 꿈꾸었던 "취미의 전당"은 더 이상 지을 수가 없게 된다. 이렇듯
"이 특별한 실패는 그가 오랫동안 해 온 고되고도 단조로운 일, 여가 없는
하루하루, 모자라는 돈, 기회, 그리고 내세울 만한 위험성조차 없는 생활
을 상징적으로 나타내주며"(163), 위에서 언급한 벨의 말을 뒷받침해준다.
그리고 과거에 구입하고 싶어 했던 레몬색의 프랑스 소설은 청교도 사회

에서 출간한 녹색 평론지와 대비를 이루며 이번 유럽여행에서 느끼는 그의 양가감정에서 생기는 "양심의 가책"을 한층 부각시킨다. 마지막으로, 스트레더는 빌햄에게 자신처럼 환상의 기억조차 없는 사람은 불행한 사람이니 자유로운 환상을 갖도록 조언한다. 이는 인간이 비록 사회의 틀에서 벗어날 수 없을지라도 자유에 대한 환상을 가지라는 말로서, 특히 예술가의 삶을 꿈꾸는 빌햄에게는 무한한 상상 속에서 가능한 자유, 즉 자유라는 환상이 최고의 가치임을 강조한 것이다.

나중에 빌햄은 "기회 있는 대로, 가능한 모든 걸 봐야 한다고 제게 엄숙하게 충고하지 않았던가요!"(165)라며 스트레더의 충고를 떠올린다. 빌햄은 스트레더로부터 들었던 '한껏 살게나'를 '가능한 모든 것을 보라'는 말로 받아들여 이와 같이 스트레더에게 바꾸어 말하지만 스트레더는 바로잡지 않는다. 사는 것과 보는 것을 동일시하는 이 부분은 "사는 것과 보는 것, 의식과 인식이 이 소설의 중심 주제"(Wallace 108)라는 점을 부각시킨다. 글로리아니의 정원에서 스트레더가 쏟아내는 후회와 애석한 자기질책 그리고 다소 막연한 윤리는 "울렛과 거리를 둔 발언이다"(Pippin 158). 그는 울렛의 도덕성이 편협하고 제한적이어서 현실을 왜곡시키고 결국엔 창의적인 삶에 해가 된다는 것을 인식하고 서서히 자신의 도덕성을 단념하기에 이른다(Wallace 107). 그리고 "인생에서 일어나야 할 것들이 있다면 그것들은 시기에 늦지 않게 일어나야 할 것이다"(130)라는 그의 말은 뒤늦은 성찰을 통한 삶의 의지를 드러내는 것으로써 스트레더의 의식에 한층 개선된 변화가 일어났음을 보여준다.

스트레더는 처음 채드를 만나기 위해 채드의 집에 갔을 때, 리틀 빌햄을 보고 관심을 갖게 되어 발코니에 서 있는 그를 관찰하게 된다. 스트레더가 그에게 주목하는 이유는 신사와 같은 외모와 무엇보다 그의 젊음이었다. 이 순간 스트레더는 "자기가 해야 할 일을 제외하고는 모든 게 다

젊음에서 기인하는 거라고"(70) 자각하게 된다. 이때 그는 글로리아니의 가든파티에서 "나는 누구같이 되고 싶어 하는 걸까?"(133)하고 자문했던 질문의 대답이 바로 "보기 드문 행복한 젊은이"(133), 채드라는 것을 인식하게 된다.

"이 기쁨은 이제껏 내 생애에 일어난 어떤 일보다 더 즐겁소. 딴 사람들이야 뭐라 하든 관계 없소—이것은 젊음에 대한 나의 항복이며, 젊음에 대한 나의 찬양인 것이오. 누구든 젊음의 기쁨을 어딘가에 간직해둬야 하는 거요—그건 또 어딘가에 나타나야만 하는 거요. [. . .] 젊은 채드는 회색 머리를 지니고 있으면서도 그 젊음의 기쁨을 나에게 맛보게 해 주었소. 그의 흰 머리는 그의 젊음을 오히려 확실하게 안전하게 그리고 차분하게 만들어 주었소. [. . .] 두 사람 다 젊기는 하지만 최고의 청춘, 가장 싱싱한 젊음의 시기라고 할 수는 없지요. 하지만 그 사실은 이 기쁨과는 관계가 없어요. 중요한 점은 그들이 내 것이라는 거요. 그렇소, 그들은 나의 젊음이오. 어찌 된 셈인지 적당한 시기에 나는 젊음을 누리지 못했으니까 하는 말이오."

"It amuses me more than anything that has happened to me in all my life. They may say what they like—it's my surrender, it's my tribute, to youth. One puts that in where one can—it has to come in somewhere [. . .] Chad gives me the sense of it, for all his grey hairs, which merely make it solid in him and safe and serene. [. . .] Though they're young enough, my pair, I don't say they're the freshest way, their own absolutely prime adolescence; for that nothing to do with it. The point is that they're mine. Yes, they're my youth; sine somehow at the right time nothing else ever was." (199)

스트레더는 유럽에 와서 리틀 빌햄, 채드, 그리고 비오네 부인을 만나고 나서야 비로소 자기감정에 충실하게 자신의 삶을 살겠다는 강한 의지를 피력한다. 그들의 젊음은 스트레더로 하여금 자신의 젊은 시절을 상기시키며 하지 못했던 것을 보상받는 기분을 들게 한다. 젊은 시절에 그는 "술에 취하지도 않고 여자 뒤를 따라다니지도 않고 사랑의 소네트를 쓰는 일도 없었다"(199). 이렇듯 그는 과거 젊은 시절 청교도 사회에서 강요하는 금욕적인 생활로 인해 많은 것을 포기해야만 했고 그래서 그의 감성과 상상력을 제한받아 왔기 때문에 이들의 젊음에 강한 인상을 받는다. 그러므로 스트레더는 자신과 비슷한 기질을 가지고 있는 리틀 빌햄에게 "자유의 환상"을 강조하며 예술가로서 나아가길 바라는 것이고, 채드와 비오네 부인의 젊음을 그가 놓쳐버린 수많은 기회 중의 하나로 여기고 이미 늦어버린 자신을 대신해서 젊은 채드가 삶을 최대한 활용하며 살아가기를 바란다.

글로리아니의 가든파티에 이어 스트레더는 채드의 집에서 상면한 비오네의 딸인 쟌느(Jenne de Vionnet)로부터도 젊음과 자유에 대한 환상을 확인하고 깊은 인상을 받는다. 그는 그녀가 자유를 알고 그 이상이 몸에 배어 있다는 것을 감지하는데, 그녀의 그러한 태도를 비오네 부인으로부터 받은 "교육의 결과가 나타낸 하나의 절묘한 본보기"(155)일 것이라고 생각한다. 쟌느에게서 받은 인상은 비오네 부인에 대해 울렛이 심어준 편견에 대해 재고해 보는 계기가 된다. 비오네 부인의 집을 방문한 스트레더는 "제1제정 시대의 영광과 번영, 나폴레옹 시대의 절묘한 아름다움, 위대한 전통의 광채"(145)를 느낄 수 있는, 옛날부터 내려온 것들로 구성된 물건들에 매료된다. 그는 그런 유서 어린 물건들을 보면서 유럽 문화의 아름다움과 비오네 부인의 예술적인 안목 둘 다에 대해 낭만적 환상을 품게 된다.

스트레더의 감성 속에서 자유에 대한 환상은 낭만적 회상과 결합된다.

그는 화창한 여름날 과거에 보스톤의 화랑에서 본 적이 있는 프랑스 풍경
화가 랑비네(Lambinet)의 소품을 연상케 하는 프랑스의 전원 풍경을 즐기고
싶은 충동을 느껴 기차 여행을 떠난다. 프랑스 전원의 독특한 풍경을 선사
하는 어느 역에서 내려 그가 바라본 풍경은 과거에 보았던 랑비네의 풍경
화와 융합된다. 그처럼 감상적으로 고무된 상황에서 그에게 "그것은 프랑
스였고 랑비네였다. 게다가 그는 그 그림 속을 자유로이 걸어 다니고 있었
다"(303). 스트레더가 "그림 속 같은 감상과 느긋한 기분에 젖어 모든 의무
를 벗어난 자유로운 몸이 되어 걸어 다니는 것"(303)은 빌햄에게 말했던
"자유의 환상"을 실천한다고 볼 수 있다. 스트레더가 '그림 속에 있다'라는
표현은 실제 감각적으로 경험하는 세계가 예술적 감성의 세계와 일치한다
는 것을 뜻한다. 스트레더의 심미적 감각은 예술과 자연이 어우러진 세계
를 여유롭게 누리는 것이다. 이 순간 스트레더는 보트를 타고 있는 채드와
비오네 부인을 목격하고 둘의 간음 사실을 알게 되면서 소설은 두 번째
클라이맥스를 맞는다. 그림 속을 걷는 듯한 상상의 세계에서 "그[스트레더]
가 보았던 것은 진정한 사물(the right thing), 즉 노를 젓고 있는 남자와 분
홍 파라솔을 들고 선미에 앉아 있는 숙녀가 타고 모퉁이를 돌아오는 배
한 척이었다"(309). 월리스는 이 장면을 두고 스트레더가 의식의 죽음(ritual
death)을 경험하고 "정신적 복통"(315)을 느낀다고 설명한다.

스트레더는 절묘한 목가적 풍경 이면에 있는 현실적인 도덕적 타락을
인식하고 의식의 혼란을 겪는다. 비오네 부인의 "탁월한 연기"(313)와 "채
드의 남달리 뛰어난 처세술"(314)로 짐작하건데, 스트레더는 자신이 그동
안 이들에게 기만당해 왔음을 인지하게 된다. 그러나 그는 "진상을 표면에
드러내게 된 두 사람 사이의 친밀도라는 보다 깊숙한 진실을 향해 생각을
돌렸다"(315). 그러자 이내, 자신의 그때까지의 환상이 "그는 마치 어린 소
녀가 인형에 옷을 입히듯이 애매모호한 의복으로 감싸 둔"(315) 것과 같은

낭만적 착각이었다는 생각으로 얼굴을 붉힌다. 다시 말해 스트레더는 울렛에서의 경험과 도덕적 의식에 기반하여 빌햄으로부터 전해 들은 대로 둘 사이를 "고결한 애정 관계"(112)로 확신했던 자신을 자책하는 것이다.

스트레더가 이들의 관계를 "고결한 애정 관계"라고 보는 "견해를 견지하려고 결심"(176)하게 된 계기는 노트르담 성당(Notre Dame)에서 기도하고 있는 비오네 부인을 우연히 목격하는 데서 시작되었다. 그녀는 이미 스트레더의 상상 속에서 "바다의 여신과 요정"(160), 그녀의 금발은 "메달이나 문예 부흥기의 은화"(160) 그리고 그녀의 모습은 "옛날 프랑스 판화나 역사적 초상화"(262)로 신화 속에 존재하는 여성으로 극대화되어 있었다. 더구나 스트레더는 성당이라는 성스럽고 장엄한 분위기 속에서 기도하는 비오네 부인의 모습에 감동을 받고 채드와 그녀와의 관계가 불순한 관계라면 그녀가 감히 그처럼 성당에 들어오지 못했을 것이라며 이들의 관계를 처음 "그(스트레더)가 도달한 결론"(176), 즉 "고결한 애정 관계"라고 결론지은 것이다. 스트레더에게 비오네 부인은 교양과 유산을 겸비한 상상할 수 없을 정도로 "로맨틱한 존재"(176)이다. 그리하여 그는 노트르담 성당을 작품의 주제로 삼은 프랑스의 낭만파 작가 위고(Victor Hugo)에 대해 그리고 최근 구입한 위고의 70권의 불타는 듯한 장정의 전집에 대해서도 언급하기에 이르렀었다(176). 그러므로 11권 4장의 각성 장면에 이르러서 스트레더는 "고결한 애정 관계"라는 표현이 자신의 상상력이 만들어 낸 착각의 산물이자 환영에 불과하다는 각성에 이르게 된다. 따라서 유럽의 자유롭고 낭만적인 사회적 분위기가 스트레더의 지적·정서적 균형을 잃게 했다면, 랑비네 그림으로의 여행은 그의 도덕적 균형을 잃게 했다고 할 수 있다 (Wallace 113).

다음 날 아침, 스트레더는 비오네 부인의 속달을 받고 그녀의 집에 방문한다. 그곳에서 스트레더는 비오네 부인이 채드와 헤어질 것을 염려해 미래에 대한 삶에 두려움을 느끼고 있음을 알아차린다. 스트레더가 "당신은 삶을 두려워하고 있군요"(324)라고 말하자, 그녀의 얼굴에는 경련이 일고 억누를 수 없는 감정에 눈물을 터뜨린다.

[. . .] 그녀는 오늘 밤 그에게 더 나이 들어 보였고 시간의 손길로부터 면제되지 못한 것처럼 보였다. 그러나 그녀는 그[스트레더]가 평생을 두고 만날 수 있는 가장 아름답고 신비로운 존재이자 가장 만족스러운 환영이었다. 그렇지만 그는 지금 여기에서 젊은 남자에게 버림받고 울고 있는 하녀가 그렇듯 통속적으로 곤경에 처한 그녀의 모습을 본다. 그녀에게는 단 한 가지 하녀와는 다른 분별력 같은 것이 있다고 하더라도 그 가냘픈 지혜가, 명예롭지 못한 분별력이 오히려 더 깊은 슬픔의 심연으로 그녀를 빠져들게 하고 있는 것 같아 보였다.

[. . .] She was older for him tonight, visibly less exempt from the touch of time; but she was as much as ever the finest and subtlest creature, the happiest apparition, it had been given him, in all his years, to meet' and yet he could see her there as vulgarly troubled, in very truth, as a maid-servant crying for young man. The only thing was that she judged herself as the maid-servant wouldn't; the weakness of which wisdom too, the dishonour of which judgement, seemed but to sink her lower. (325)

이 시점에서 비오네 부인에 대한 스트레더의 감정은 동경에서 연민으로 바뀐다. 지금까지 비오네 부인이 보여준 태도와 다르게 사랑에 버림받을까 봐 두려움에 울고 있는 가엾은 비오네 부인의 모습에서 스트레더는 그녀의 진심을 인지하고 연민의 태도를 보인다. 제임스는 "비오네 부인이 채드를 잃을까 봐 '두려워하고' 있는 노련하지 않은 평범한 여자라고 말한다"("Project" 399). 이들에게서 받은 배신감이 연민의 감정으로 바뀌면서 "스트레더는 간음에 대한 반감을 넘어서 도덕적 감성을 이뤄냈다고 볼 수 있다"(Tanner 121). 스트레더는 비록 비오네 부인과 채드와의 관계가 "고결한 애정 관계"는 아니지만, 그녀의 슬픔에 공감하며 그녀가 사회적 위치를 저버린 채 체통을 잃고 우는 모습에서 여느 평범한 여인의 모습과 다를 바 없는 인간적인 면을 발견한다(325). 울렛의 판단대로 스트레더 역시 천한 여성인 비오네 부인이 채드를 조종하고 있다고 알고 있었다.

하지만 이제 스트레더는 오히려 비오네 부인이 어떤 신비한 힘에 의해서 이용당하고 있다고 느끼게 된다(324). 다른 사람을 이용한다는 것은 제임스의 소설 세계에서 기본적으로 악의 요소로 여겨진다. 이러한 맥락에서 볼 때, 비오네 부인은 죄인이 아니라 희생자이고 채드가 그녀를 이용하고 있다는 것이다(Tanner 121). 채드가 일이 있을 때면 책임을 전가하는 버릇이 있음을 스트레더는 익히 잘 알고 있었다. 그래서 어쩌면 비오네의 거짓말도 채드에 의해 강요당하여 했을 것이라는 의문이 드는 것이다(314). 스트레더는 채드가 그동안 비오네 부인을 자신의 이기적인 목적을 위해 이용해왔다는 사실을 파악한다. 나아가서 그는 채드가 기회주의자이고 실리를 좇는 물질주의자이며, 그래서 언제든 자신을 떠날 수 있을 거라는 것을 깨닫게 된다.

스트레더는 채드에 대한 비오네 부인의 감정을 부도덕하다고 비판하기보다는 그것을 동정함으로써 채드를 미국으로 데려가는 생각을 버리고 그에게 파리에 남아 비오네 부인을 지켜줄 것을 당부한다. 따라서 그는 엄격한 울렛의 도덕성을 거부하고 자신만의 주관적인 판단으로 채드에게 그녀와 헤어진다면 "짐승 같은 사람"(338), "극악무도한 죄인"(338)이 되는 것이라며 비오네 부인의 사랑과 헌신에 도덕적 책무를 다할 것을 역설한다. 또한 비오네 부인과의 관계를 젊은 시절에 있을 수 있는 가벼운 경험 정도로 생각하는 채드에게서 스트레더는 "유럽을 마음대로 이용하고 버리는 장난감으로 취급하며 유럽의 풍요롭고 멋진 것들을 놓치는 미국 사람들의 태도"(Tanner 116)를 목도하고, 물질적인 가치보다 유럽이 제공하는 정신적 가치를 취하여 의식의 확대를 가져볼 것을 권고한다. 이는 스트레더가 처음 대사로서의 임무를 띠고 유럽에 온 목적에 반하는 행동이며, 그가 파리에 와서 낡은 사고방식으로는 처리할 수 없는 새로운 사실에 직면하게 되었고 그러므로 새로운 사실과 맞먹는 새로운 논리가 필요하다는 것을 인식하게 되었음을 보여주는 장면이다. 유럽에 온 이후, 스트레더는 울렛의 이분법적 사고를 전환하여 "너그러운 사고방식"(312)에서 상황을 객관적으로 파악하려고 노력함으로써 기존의 "뉴잉글랜드 양심"과의 상이성을 보여준다. 즉 유럽에서의 새로운 경험이 그의 의식을 변화시킨 것이다.

예상되었거나 손에 넣을 수 있었던 모든 이득을 스스로 포기하는 작품 결말에서의 스트레더의 결정과 태도는 제임스의 다른 대부분의 소설 결말과 마찬가지로 도덕적 완벽을 향한 삶의 공허감을 느끼게 한다. 비오네 부인은 스트레더와 마지막 대화에서 "이제 당신의 고향은 어디란 말씀이세요?"(323)라고 묻는다. 이는 스트레더의 생각과 생활이 완전히 변해버려 그가 뉴섬 부인에게로 돌아가기 어려운 상황이며 그렇다고 유럽에 남아 있을 수도 없음을 간접적으로 나타내준다. 하지만 스트레더는 그의 여생 동안 비오네 부인과 고스트리가 제공하는 최상의 보살핌을 거절하고 미국으로 돌아간다. 그가 둘 중 어느 누구를 선택하더라도 그것은 과거 뉴섬 부인과의 관계를 연속해 나가는 것과 크게 다를 것이 없다. 스트레더는 유럽에서 겪은 이번 일 전체를 통해서 자신을 위해서는 아무것도 얻어서는 안된다는 그만의 논리에 따라 이와 같은 결정에 이르게 된다.

태너는 최종적으로 아무도 선택하지 않는 스트레더의 결정을 두고서, 이는 스트레더가 특정 가치 체계에 스스로를 제한하지 않으려는 것으로 해석한다(115). 스트레더는 청교도 사회의 가치를 완전히 버리거나 유럽의 세련된 허식에 동조하지 않고 그가 지닌 지성과 상상력을 발휘하여 미국인의 도덕성과 책임감을 유럽의 유연한 사고와 예술성에 결합시킨다. 고스트리는 그런 그를 두고 "상상력의 보물"(301)이라고 지칭한다. 이러한 점은 스트레더가 모든 상황과 사람을 자신의 편견이나 타인의 외모를 통해서 판단하지 않고 내심을 통찰할 수 있는 상상력을 지녔음을 의미한다.

스트레더는 미국으로 귀환하지만 "전과는 아주 달라진 곳으로"(346) 돌아간다. 6개월간의 유럽 여정을 통해 그는 유럽의 "덫과 망상 속에서 배운 교훈"(Bell 514)을 통해 정신적 풍요로움과 지각할 수 있는 성숙한 인식을 얻게 되었다. 스트레더는 "무섭게 날카로운 눈을 가진"(347), 전과는 다른 사람으로 변모하여 자신의 경험과 인식의 확장을 향해 지속적으로 나아갈 것으로 전망된다. 그리고 그가 "전과는 아주 달라진 곳으로" 돌아가려는 것은 빌헴에게 마지막까지 강조했던 "자유의 환상"을 실천하고자 하는 그의 열망을 보여주는 것이라고 할 수 있다. "자유"와 "환상"은 울렛에서는 제한되었던 것으로, 이 둘은 대등하게 인생을 살아가는 데 필요한 원동력과 같은 것이다. 인간의 상상력, 즉 "환상"은 인간이 자유의지를 가지고 펼칠 수 있을 때 비로소 삶을 충만하게 만든다. 제임스는 스트레더의 인식의 전향을 통해 미국인의 과도한 도덕성이나 물질주의를 지양하고 정서적, 예술적 가치를 고양하기를 촉구한다.

IV. 상상과 지각의 조화

스트레더의 무지, 오해와 혼란은 울렛의 편협하고 독단적인 이분법적으로 사고하는 데에서 기인한다. 울렛의 엄격한 도덕성은 그의 풍부한 상상력과 심미적 감성을 제한하고 창의적인 삶을 살 수 없도록 억압했다. 그래서 유럽으로의 여행 중에 낯선 문화는 그의 착각과 오해, 그리고 궁극적으로는 각성과 인식의 확장을 초래한다. 스트레더의 의식은 파리에 와서 "크고 작은 몇 단계를 거쳐"(332) 내면의 변화 과정을 이룬다. 순차적인 장소의 변화와 더불어 새로운 사실을 인식하는 그의 시각은 점차적으로 성숙해간다. 글로리아니, 채드, 웨이마시, 그리고 리틀 빌햄은 그들 각각의 방식으로 스트레더의 그러한 인식의 성숙에 기여한다고 볼 수 있다. 그는 처음 외양의 환상에 반응했지만 종국에는 실제를 볼 수 있는 눈을 가지게 된다. 그 과정에서 그는 자신이 본 것에서 인상을 받고 의식 변화의 계기를 맞는다. 제임스가 『대사들』의 중심 내용이 "모든 사건 속에서" 주인공 스트레더가 "보는 것"이며, 주인공의 "시각의 과정"을 "논증"하는 것이라고 설명하는 것은 비전이 순간적인 에피파니(epiphany)라기보다는 과정임을 강조하는 말이다(2). 그리하여 "제임스가 묘사하는 스트레더의 지각적 경험과 의식의 전향은 폐쇄된 사회에서 경직된 이데올로기에 사로잡혀 평생을 살아온 사람이 개방된 사회의 풍부한 문화적 환경에 노출되었을 때 일어날 수 있는 심리적 변화의 한 양상을 보여준다"(나희경 83). 스트레더는 유럽에서의 경험을 통해 그동안 순진할 정도로 무지했던 자신의 모습을 절감하고 울렛의 사고에서 탈피한다. 「서문」에서 제임스가 "부조화된 입장"이라고 스트레더를 설명하면서도 뒤이어 "그가 적용이라는 열린 컵에 부어지면 어떤 색으로든지 변할 수 있는 말끔한 유리병 안의 깨끗한 초록색 액체로 비유될 수 있는 시각을 지닌 인물"(6)이라고 덧붙이는 것은 그[스트레더]가 파리와 같은 새로운 환경에서 겪은 경험으로 얼마든지 인식의 전향을 가져올 수 있는 가능성을 지닌 인물임을 보여 준다.

『대사들』에서 제임스는 "자유"와 "차이"라는 단어를 반복해서 사용함으로써 청교도 사회의 폐쇄적이고 편협한 사고방식을 비판한다. 스트레더는 처음 파리에 와서 무언가 잘못을 저지른 것 같은 죄책감과 그 어떤 자유를 얻은 것 같은 흥분감이 그의 마음속에서 묘하게 엇갈리고 있었지만, 결국에 그가 무엇보다도 절실하게 원하는 것이 자유임이 밝혀진다. 그리고 그는 과거에 잃어버렸던 그의 젊음을 지금 되찾아 준 것 또한 자유라는 것을 절감한다. 그리고 제임스는 이 "소설에서 '차이'가 주제이자 미학"이라고 주장한다.

　소설의 말미에 스트레더는 뉴섬 부인과의 관계를 "내스트레데는 그녀에게 다른 사람이다"(345)라는 말로 그녀와의 관계가 끝났음을 표명한다. 그리고 "나는 그녀를 '볼 수 있게' 된 거요"(I see her 345, 원문 강조)라는 말에서 스트레더가 울렛에서 있을 때 알지 못했던 뉴섬 부인의 실체를 이제는 지각할 수 있게 되었다는 것을 알 수 있다. 또한 "지금까지 받은 놀랄만한 인상들로 해서 결국 당신은 얻을 것이 굉장히 많을 거예요"(346-47)라는 고스트리의 말에서 스트레더의 인식의 변화는 더욱 확실해진다. 스트레더가 대사의 임무를 종결하고 파리에서 싼값에 구매한 프랑스 낭만파 작가 위고의 전집만을 가지고 "올바르게 살기 위해" 울렛으로 돌아가는 (346) 것은 유럽에서 터득한 자유의 환상을 가지고 앞으로 삶을 영위해 나아갈 것을 상징적으로 보여준다. 나아가 이는 다른 문화에 대한 통찰력을 갖게 되어, "문화라는 형태 아래에 있는 인간의 열정, 악, 그리고 미덕은 모든 문화에서 동일하다는 것을 인식"(schloss 118)하게 된 것으로 볼 수 있다.

나희경. 「헨리 제임스의 『대사들』에 묘사된 지각적 경험의 특성」. 『영어영문학 21』 30 (2017): 63-85.

정만득. 『미국의 청교도 사회』. 서울: 비봉출판사, 2001.

제임스, 헨리. 『代使들』. 장왕록 역. 서울: 삼성출판사, 1983.

Anerson, Charles R. *Person, Place, and Thing in Henry James's Novels*. Durham: Duke UP, 1977.

Bell, Millicent. "Meaning in *The Ambassadors*." *The Ambassadors*. Ed. S. P. Rosenbaum. New York: Norton & Company, 1994. 514-36.

Bellinger, Alan W. *The Ambassadors*. London: George Allen & Unwin, 1984.

Brewer, Derek. "Intoduction." *The Princess Casamassima*. New York: Penguin Books, 1987. 7-30.

Hocks, Richard A. *Henry James and Pragmatic Thoughts*. Chapel Hill: North Carolina UP, 1974.

Ellmann, Maud. "The Intimate Difference': Power and Representation in *The Ambassadors*." *The Ambassadors*. Ed. S. P. Rosenbaum. New York: Norton & Company, 1994. 501-14.

James, Henry. *The Ambassadors*. New York: Norton, 1994.

_____. "Notebook Entries." *The Ambassadors*. Ed. S. P. Rosenbaum. New York: Norton & Company, 1994. 373-77.

_____. *The Princess Casamassima*. New York: Penguin Books, 1987.

_____. "The Project of Novel." *The Ambassadors*. Ed. S. P. Rosenbaum. New York: Norton & Company, 1994. 377-404.

Pippin, Robert B. *Henry James and Modern Moral Life*. Cambridge: Cambridge UP, 2000.

Schloss, Dietmar. *Culture and Criticism in Henry James*. Tübingen: Gunter Narr Verlag, 1992.

Sears, Sallie. "The Negative Imagination: *The Ambassadors*." *Henry James's The Ambassadors*. Ed. Harold Bloom. New York: Chelsea House Publishers, 1988. 13-46.

Tanner, Tony. "The Watcher from the Balcony: *The Ambassadors*." *Modern*

Critical Views Henry James. Ed. Harold Bloom. New York: Chelsea House Publishers, 1987. 105-23.

Wallace, Ronald. "The Major Phase: *The Ambassadors*." *Henry James's The Ambassadors*. Ed. Harold Bloom. New York: Chelsea House Publishers, 1988. 99-114.

찾아보기

졸라(Zola, Emile) ─ 175~76, 189

헨리 제임스의 소설 변화 중인 의식

초판 1쇄 발행일 2018년 12월 31일
전남대학교 영미문화연구소 편저

발행인 이성모
발행처 도서출판 동인

주 소 서울시 종로구 혜화로3길 5 118호
등 록 제1-1599호
TEL   (02) 765-7145 / FAX (02) 765-7165
E-mail dongin60@chol.com
I S B N 978-89-5506-797-2
정 가 26,000원